NOSTALGIE

Lieven De Letter

Nostalgie

Houtekiet

Antwerpen / Utrecht

Met bijzondere dank aan Patricia Rosales.

© Lieven De Letter / Houtekiet / Linkeroever Uitgevers nv 2011
Houtekiet, Katwilgweg 2, B-2050 Antwerpen
info@houtekiet.com
www.houtekiet.com

Omslag Wil Immink
Foto omslag © Roy Bishop/Arcangel Images
Zetwerk Intertext, Antwerpen

ISBN 978 90 8924 181 8
D 2011 4765 31
NUR 330

I

'**M**ijnheer Malfliet? U spreekt met de politie van Brussel. Ik heb goed nieuws voor u. We hebben net extra informatie binnengekregen die een nieuw licht kan werpen op de inbraak die u in 1999 gemeld had.'

De stem aan de andere kant van de lijn klonk geïrriteerd en verrast:

'Een inbraak in 1999? Ik heb helemaal geen inbraak gemeld: nu niet en tien jaar geleden ook niet.'

Mijn mond werd droog. Dit ging al niet zoals gepland.

Het schoothondje van de bejaarde achter mij zette het op een blaffen. Ik kon enkel hopen dat de telefooncel het geluid voldoende zou dempen en dat Malfliet geen argwaan zou krijgen.

'... De inbraak in uw villa aan de Wilgenlaan, mijnheer Malfliet. Dat herinnert u zich toch nog?' probeerde ik aarzelend. *Te* aarzelend wellicht.

'Wie bent u? Met wie spreek ik?' De stem klonk nu donker en dreigend. Ik overwoog nog om verder te bluffen, maar ik wist dat het geen zin had. Ik hing op en stond mijn plaats af aan de oude man.

Ik had in ieder geval de juiste Paul Malfliet gesproken: de volledige naam stond naast het juiste adres in de telefoongids. Waarom wist hij dan niks van de inbraak? Was het mogelijk dat Robin van het plan had afgezien? Dat was niets voor hem.

Had Malfliet gewoon niks gemerkt? De villa stond toen nog meer dan de helft van de tijd leeg, dat had Robin me zelf gezegd. Maar zelfs in dat geval had Malfliet toch moeten merken dat er spullen verdwenen waren.

Hij had wel duidelijk gemerkt dat er iets niet in de haak was. Of was hij altijd zo nors en achterdochtig? Ik was in ieder geval blij dat ik had gebeld vanuit een anonieme telefooncel.

Toch bleef Malfliet het enige aanknopingspunt dat ik had. Ik mocht er niet aan denken dat de speurtocht hier al dood zou lopen. Soms leek die het enige aanknopingspunt dat ik nog had met mezelf. Mijn betere ik.

Pas na herhaaldelijk aandringen wou mijn auto starten. Ik moest onderweg nog wat verf en maskeertape halen voor een klus in een flat aan de Reginalaan.

Als ik niet voortmaakte, zou ook die inkomhal niet op tijd geverfd raken. De huurders van 4F in de Noordstraat hadden Verheyen enkele dagen geleden al laten weten dat ik te laat was aangekomen om hun afvoer te herstellen. En Verheyen was niet het type dat zich al te veel uitvluchten liet welgevallen... zelfs niet van een goedkope zwartwerker zoals ik.

In de rij aan de kassa van de doe-het-zelfzaak zag ik dat een kerel in een donker pak mij stond aan te staren. Wat deed iemand met een stropdas in een loods vol stopverf en boorkoppen? Kende hij mij ergens van? Had hij mij al eens gezien? Ik keek zo onopvallend mogelijk over mijn schouder in zijn richting. De vent keek weg en liep verder. Loos alarm. Ik moest ermee ophouden mij al die onzin in mijn hoofd te halen en mij concentreren op wat ik te doen had.

Tot mijn ergernis was de vrouw van de huurder van 2B in de Reginalaan thuis toen ik er aankwam. Ik werkte liever alleen, zonder gezeur aan mijn kop of spiedende blikken van achter deurkieren. Zodra Verheyen zijn huurders verzekerde dat ik geen buitenlander was, hadden ze er doorgaans geen problemen mee om mij gewoon de sleutel te geven en naar hun werk te gaan. Ik vermoedde dat Verheyen er zelf wel een probleem mee had. Hij was maar al te goed op de hoogte van mijn verleden. Nog een reden waarom hij mij zo in de tang had.

In 2B ontstond er meteen een discussie over de kleur van de verf die ik had bijgekocht. Het mens dacht dat het niet helemaal hetzelfde beige was als de voorgaande potten. Ik probeerde haar uit te leggen dat de kleur er op de muur altijd wat anders uitzag dan de kleur van de verf in het blik, maar het werd me al snel duidelijk dat het mens gewoon zin had in ruzie. Zeker een ruzie die ze op voorhand al niet kon verliezen. Ze snauwde dat ik het zelf maar moest weten, maar dat ik de hele hal opnieuw zou moeten doen als er naderhand ook maar een zweem van verschil te zien was. Toen liep ze hooghartig naar de woonkamer, liet de deur op de gebruikelijke kier en nestelde zich achter een veel te luid jengelende tv.

Soms snauwden ze, soms maakten ze constant opmerkingen terwijl ze op mijn vingers aan het kijken waren, soms negeerden ze me nadrukkelijk en soms deden ze gewoon uit de hoogte. Waarschijnlijk had er geen een door dat ze met vuur speelden.

Die avond kwam ik later thuis dan gewoonlijk. Mijn moeder verweet mij dat ik niet gebeld had om haar gerust te stellen. Dit was er van mij geworden: een ex-bajesklant van 47 die door zijn bejaarde, uitgeleefde moeder berispt werd. Ik verkropte het omdat ik geen andere keus had. Met mijn minimumuitkering en het geld dat ik als Verheyens clandestiene klusjesman verdiende kon ik niet alleen gaan wonen. Ik mocht al blij zijn dat ze me nog in haar huis wou na alles wat ik haar had aangedaan.

Ik zou op mijn leeftijd en met mijn verleden waarschijnlijk nooit meer een echte baan kunnen krijgen. Vrienden en nuttige relaties had ik aan de gevangenispoort achtergelaten. Het appartement was eigendom van mijn moeder, dus wellicht zou het ooit van mij worden. Tenminste, als zij mij niet overleefde.

Ik maakte een afhaalschotel klaar in de microgolfoven, at het spul zonder veel smaak op en deed de afwas van de afgelopen dagen. Daarna maakte ik een kop kamillethee klaar en deed er het slaapmiddel in. Als een zorgzame zoon zette ik de kop op het bijzettafeltje naast haar relaxzetel en zei haar dat ze er makkelijker zou van inslapen.

Eerst protesteerde ze dat ze nog niet naar bed wou en dat ze geen zin had in thee. Ik bleef zonder iets te zeggen naast haar staan en keek haar aan met de suikertang in mijn hand. Haar protest zwakte af tot een verongelijkt gemompel. Misschien drong het tot haar door dat zeuren deze keer geen zin had. Ze dronk de thee op en strompelde naar haar slaapkamer zonder mij goedenacht te wensen.

Toen de woonkamer eindelijk leeg was en de tv uit, voelde ik mijzelf opleven. Het was alsof ik – voor de eerste keer sinds uren – weer vrijuit kon ademen en ik eindelijk weer helemaal wakker werd. Ik zocht mijn autosleutels en pakte mijn sweatvest. Het was tijd.

Na een verkwikkend eenzame rit naar Watermaal-Bosvoorde kwam ik omstreeks halftien in de Wilgenlaan aan en parkeerde de auto aan de overkant van Malfliets villa. Het was beginnen motregenen, dus bleef ik deze keer achter het stuur zitten terwijl ik op een teken van leven wachtte. Gedurende mijn voorgaande avonden op de uitkijk had ik gemerkt dat Malfliet dikwijls rond 10 uur uitging. Met wat geluk zou ik dus niet lang hoeven te wachten.

Ik was zodanig gefixeerd op de uitrit van Malfliets eigendom, dat ik niet merkte dat een voorbijganger mij aankeek van onder de rand van zijn hoed. Geen twijfel mogelijk: het was dezelfde donkere deukhoed en hetzelfde gerimpelde gezicht dat mij eergisteren al had lopen aanstaren. Even had ik de onaangename indruk dat hij naar het portier toe stapte – zo goed als zeker om mij te vragen wat ik hier opnieuw zat te doen. Gelukkig keerde hij zich om en liep aarzelend verder. Zelfs in de grauwe schemering en door de bemiezerde voorruit had ik duidelijk de argwaan op zijn gezicht gezien. Niet moeilijk ook, mijn schrootkar viel natuurlijk geweldig op in deze buurt.

De vent verdween uit het zicht, maar het bleef door mijn hoofd malen dat hij de politie zou kunnen waarschuwen. Ik zag het al voor me: een wijkagent die tegen de zijruit tikte... een patrouille die halt hield om mijn papieren te vragen en veelbetekenende blikken wisselde. Wie in deze buurt woonde, had ongetwijfeld wel wat vrienden bij de gemeente om zoiets snel te regelen... *Hou ermee op. Je hebt alle recht om hier te staan. Zelfs al ben je een ex-gevangene. Je doet niks verkeerds. Tot nu toe toch niet.*

Ik vond geleidelijk mijn kalmte terug, maar besefte dat ik Malfliet niet kon blijven bespieden zonder actie te ondernemen.

Malfliet bleek een berekenbare nachtbraker. Om kwart over tien schoof de traliepoort voor de inrit open en reed zijn Lancia naar buiten. Hij zat – zoals gewoonlijk – alleen in de wagen. Ik volgde de auto met mijn ogen tot de lichtstrepen van de achterlichten om een hoek verdwenen. Deze keer zou ik hem niet achternarijden op zijn dwaalrit door de stad.

Ik wachtte nog tien zenuwslopende minuten voor het geval hij rechtsomkeer zou maken. Toen deed ik voor de eerste keer in meer dan elf jaar iets strafbaars...

Ik nam een lege, kartonnen DHL-doos uit de koffer, zette mijn sportpet op en liep naar de ingang van het ommuurde terrein.

Ik moest aan de gerimpelde man met de deukhoed denken en hoopte maar dat ik er met mijn jeansbroek, joggingschoenen en pet als een koerier uitzag. Het was maar 15 meter stappen van mijn auto naar de ingang, maar je wist nooit wie er zat te gluren.

Er was geen beweging in de toegangspoort te krijgen, maar de metalen dwarsstaven in het traliewerk en de ingewerkte postbus boden voldoende voetsteun om erover te klimmen, zelfs voor iemand van mijn leeftijd. De kartonnen doos kon ik zonder moeite door de tralies schuiven. Gelukkig lag de hele laan er al enkele minuten helemaal verlaten bij en zag ik nergens op de bemoste omheiningsmuur een camera. Ik hield mijn adem in, negeerde het bonzen in mijn borstkas en hees me over de poort heen.

Aan de andere kant rende ik naar de beschutting van een knoestige boom langs het grindpad naar de garage. Ik spitste mijn oren, hoorde enkel het ruisen van de motregen op het gebladerte boven mij. Geen naderende voetstappen of gekrijs van waakzame burgers. Eindelijk durfde ik uit te ademen.

Op het lampje van de deurbel na, was de hele villa in duisternis gehuld.

Ik liep voorzichtig het grindpad verder op, belde aan en wachtte.

Ik was er zo goed als zeker van dat Malfliet hier alleen woonde, toch wou ik mij ervan vergewissen dat hij geen logés of bijslaap in huis had.

Er gebeurde niks: geen geluid en ook geen licht achter een van de vele ramen.

Tijd voor stap twee: ik trok mijn handschoenen aan en liep om het huis heen op zoek naar zwakke plekken. Ik had meteen geluk: een achterdeur onder de pergola was niet op slot. Ik wist niet of ik opgelucht of achterdochtig moest zijn, maar wel dat er geen tijd was voor twijfels. Ik bond twee plastic zakken om mijn joggingschoenen en dwong mezelf om de deur open te duwen.

Uiterst behoedzaam stapte ik de bijkeuken binnen. Ik wou nog even *Hallo. Uw pakket is aangekomen* roepen, maar mijn stem stokte al bij de *Ha* in mijn keel. Er kwam weer geen reactie.

Ik had een zaklantaarn meegenomen, maar bedacht dat het schijnsel voor iemand die het huis kon zien verdacht zou lijken. Gewoon de kamerlampen aanknippen zou minder argwaan wekken. Het was brute pech dat de meeste gordijnen in het huis niet dichtgetrokken waren, maar zelf raakte ik liever niets aan.

Ik schuifelde van kamer tot kamer zonder te weten naar wat ik op zoek was. Welk spoor had Robin kunnen achterlaten als bewijs dat hij hier tien jaar geleden effectief geweest was?

Het was een onmogelijke onderneming, iets wat ik maar al te goed besefte. Toch voelde ik geen haast om ermee op te houden en mij uit de voeten te maken, ook al werd het risico betrapt te worden iedere seconde groter. Mijn knieën knikten niet meer en mijn ademhaling was weer rustig. Het voelde alsof ik hier *moest* zijn.

Ik moest toegeven dat ik in de lege villa een verbondenheid voelde met iets wat ik allang verloren had geacht. Iets wat ik ook al niet kon benoemen.

Ik nam het allemaal in me op. De hal met de versleten loper en de brede trap. De ouderwetse keuken met de achteloos uitgestalde rommel op tafel en onderkasten. De afwas op het aanrecht, ook al was er een vaatwasmachine. De voorkamer met de dure designmeubelen, met nog meer rommel en een open haard die in onbruik was geraakt.

De pronkkamer met de imposante boekenkasten, de etagères en de kunstwerken. Ik voelde dat ook deze kamer in geen tijden meer gebruikt was.

Ik liet mijn blik over Malfliets eigendommen dwalen en genoot van de vreemde sensatie niks te hoeven taxeren. Ik moest enkel maar kijken en de voorwerpen voor zich laten spreken. De roes van onuitgenodigd in de privéruimte van iemand anders rond te waren.

Ik voelde me bedwelmd, werd overmoedig en ging de trap op.

De eerste deur die ik opende, was die van de badkamer. Er lag wasgoed op de vloer en er hing een vage schimmelgeur. Ik begreep niet hoe iemand dacht ooit schoon te worden in zo'n smerige badkuip.

De tweede deur stond op een kier. Ik duwde ze verder open. Dit was vermoedelijk Malfliets slaapkamer. Daar lagen nog meer vieze kleren, lukraak rond het opvallend brede bed geworpen. Lege flessen en medicijnen op het nachtkastje.

Voor een van de ramen stond een statief waarop een spiegelreflexcamera met een ellenlange telelens geschroefd was. Bijna had ik het ding aangeraakt om door de zoeker te kijken...

Naast Malfliets kamer lag er een tweede slaapvertrek. Vermoedelijk de logeerkamer. Het stonk er, maar hier lag geen rommel.

Op het eenpersoonsbed lag een gehaakte bedsprei die scherp afstak tegen de rest van het interieur en het textiel in huis. Malfliet had die zelf niet gekocht.

Aan de andere kant van de overloop ontbrak er een deur in een van de lijsten. Iemand had in dit lege vertrek lelijk huisgehouden: in het zwakke licht van het kale peertje zag ik het afgebladderde behangpapier, een scheefgezakte gordijnroede en een brandvlek tussen enkele losgerukte tegels van een smerig tegeltapijt.

De derde kamer aan de voorzijde was afgesloten, wat mij extra nieuwsgierig maakte. De sleutel hing aan een haak naast de deur. Ik mocht niet vergeten om die straks terug te hangen.

Toen ik de pikdonkere kamer binnenging, werd ik overvallen door een kurkdroge, muffe walm. De lucht was zo stoffig en scherp dat ze bijna tastbaar werd.

De lichtschakelaar werkte niet en dus was ik verplicht om mijn zaklantaarn te gebruiken. Gelukkig leken de donkere gordijnen dik genoeg om geen enkel schijnsel door te laten.

Ik zag een bed zonder matras, een bijna leeg tafeltje ernaast, een oude kleerkast en een leunstoel bij het raam. Alles was bedekt met een dikke laag stof die mij deed denken aan de witte lakens die over de meubels van een sterfkamer liggen.

Boven het hoofdeinde van het bed hing een affiche van een kunstgalerie. Ik sloop voorzichtig naderbij. Het schilderij op de affiche leek veel te kleurrijk en levendig voor dit vertrek. De datum van de expositie stond eronder: april 1996. Het ding hing hier dus al meer dan dertien jaar. Onder de affiche zaten er bruine vlekken op het behangpapier.

Ik liet de zaklamp op het tafeltje schijnen: daar lag een pocketboek.

Net toen ik me wou bukken om de titel te lezen, drong het geluid van een automotor tot mij door. Het klonk akelig dichtbij.

In mijn haast om weg te komen, struikelde ik door de plastic zakken om mijn schoenen. Gelukkig kon ik me nog aan de rand van het bedframe vastklampen. In het schijnsel van de zaklamp zag ik dat een aantal tapijttegels rond het bed waren weggenomen en nooit vervangen. De randen van de aangrenzende tegels die overgebleven waren, krulden omhoog.

Ik doofde de lantaarn en meende nu ook stemmen te horen. Had Malfliet iemand opgepikt?

Naar beneden rennen om het huis uit te vluchten had geen zin. Als ze al op het grindpad stonden, zouden ze me zeker zien.

Ik kon maar beter in deze kamer blijven, wachten tot ze zouden inslapen en me dan uit de voeten maken.

Ik sloot de deur zo zacht mogelijk, deed ze op slot en hoopte dat Malfliet de lege sleutelhaak niet zou opmerken.

Toen hoorde ik niks meer. De onzekerheid van de situatie en de volstrekte, benauwende duisternis van de kamer werden me te machtig. Ik schoof het dikke wollen gordijn een centimeter opzij en keek heel omzichtig naar buiten om te zien wat er gebeurde.

De oprit van de villa was leeg. Weer hoorde ik stemmen. Ik schoof het gordijn verder open en zag nog net de achterlichten van een auto in de garage van de buren verdwijnen. Vals alarm.

Ik haastte mij de kamer uit, deed de deur op slot, hing de sleutel terug en liep de trap weer af.

Een blik op mijn horloge leerde mij dat er nog maar twaalf minuten waren voorbijgegaan sinds ik binnengeslopen was, maar voor mij leek het een eeuwigheid.

Toen ik weer op de benedenverdieping was, zonk de moed me in de schoenen. Ik had nagenoeg overal binnengekeken en was niks wijzer geworden. Het vreemde, opwindende gevoel van verbondenheid van daarnet maakte plaats voor verslagenheid. Hoe had ik zo stom kunnen zijn? Wat had ik gehoopt te vinden? Een briefje met Robins naam eronder? Zijn ingelijste foto?

Heel even kwam het idee opnieuw bij me op om Malfliets paperassen – als ik die al zou kunnen vinden – na te vlooien om te zien of er geen kopie van een politieaangifte tussen zat. Ik liet het meteen weer varen. Naar alle waarschijnlijkheid was er niets te vinden, maar zou ik wel een spoor van mijn aanwezigheid achterlaten.

Ik scande Malfliets spullen nog even oppervlakkig af op zoek naar iets en niets tegelijk. De hele onderneming was een zinloos waagstuk geweest.

Toen ik terugsloop naar de bijkeuken, bemerkte ik een deur die ik eerst had overgeslagen. Ik probeerde de klink, maar ook deze deur bleek op slot te zijn. Een sprankje nieuwsgierigheid flakkerde weer in me op. Zelfs de afwezigheid van een sleutelhaak kon me niet meteen ontmoedigen. Ik liep snel de andere binnendeuren af en bij de bijkeuken had ik geluk: de sleutel zat er nog op. Ik nam hem mee in de hoop dat ook in dit huis de meeste binnendeuren hetzelfde slot hadden. Een siddering van opwinding ging door mij heen toen de sleutel omdraaide en ik de deur openmaakte. De ontgoocheling was des te groter toen ik er enkel een toilet achter ontdekte. Uit een automatische reflex knipte ik het licht aan. Iets weerhield me ervan het meteen weer uit te knippen.

Het eerste wat mij opviel was dat de pot kraaknet was, dit in tegenstelling tot de rest van het sanitair dat ik in de villa gezien had.

Bovendien kon ik er niks ruiken, ook geen reinigingsproducten. Nochtans was er geen enkel raampje in de ruimte, enkel een ventilatierooster dat gesloten was.

Toen ik wat nauwlettender keek, merkte ik dat er ook geen toiletpapier, geen toiletborstel of geen zeep in het piepkleine wastafeltje was – er was helemaal niks in het kleine kamertje behalve de sanitaire voorzieningen zelf.

Daarna viel mijn oog op de deur. De binnenzijde stond vol krassen, vooral aan de onderkant. De staat van onderhoud van de villa liet veel te wensen over, maar zoiets had ik in geen enkel ander vertrek gezien.

De inkervingen rechts onderaan leken een patroon te vormen. Ik hurkte neer om het wat beter te bekijken. Toen de krassen eindelijk een vorm aannamen die ik meende te herkennen, was het alsof iemand mij een stomp in mijn maag gaf en alles begon te duizelen.

Ik ademde diep in en uit, dwong mezelf rustig te blijven en keek nogmaals.

Er was geen twijfel mogelijk: de inkervingen stelden twee opgeheven vleugels voor.

Ik veerde recht en moest me even aan de wastafel vastklampen om niet opnieuw duizelig te worden. Ik deed het licht uit, sloot de deur en maakte mij ademloos uit de voeten. Toen ik in de auto zat, duurde het nog een vol kwartier voor het idee in mij opkwam de motor te starten en terug te rijden.

De dag daarop ging ik niet naar mevrouw Vandervaert om haar lekkende kraan te herstellen. In plaats daarvan stond mijn auto al vanaf tien uur 's morgens op post in de Wilgenlaan. Ik zat in gedachten verzonken achter het stuur te wachten op een teken van leven van Malfliet. Het leek of de rest van de wereld heel ver weg en onwerkelijk was. Verscheidene voetgangers staarden me aan, maar voor mij konden het evengoed schimmen geweest zijn.

De tijd kroop voorbij. Deze keer hinderde mij dat niet meer. Vastberadenheid maakt geduldig.

Rond één uur kreeg ik telefoon van een ziedende Verheyen. Mevrouw Vandervaert had haar beklag gedaan. Ik luisterde een volle minuut naar zijn verwensingen en dreigementen en drukte toen op de beëindigingstoets zonder ook maar iets te antwoorden.

Het drong tot mij door dat ik waarschijnlijk mijn job en mijn loon van deze week kwijt was, maar het deed me absoluut niks. Geen paniek, geen gevoel van bevrijding. Het enige wat nog telde, was Malfliet.

Die namiddag reed Malfliet naar de galerie waar – volgens een website die ik onlangs gevonden had – zijn foto's zouden worden getoond. Ik volgde hem, zag hem er binnengaan met een lijvige map onder zijn arm en reed meteen terug naar de Wilgenlaan. Het geluk lachte me toe. De traliepoort stond nog steeds open en ik kon het domein zonder meer binnenlopen. Deze keer was de achterdeur naar de bijkeuken wel op slot.

Inbreken was te riskant, zeker nu ik een aanwijzing had.

Ik liep terug naar de voorkant. Ook de garage was afgesloten.

In de schemering van de vorige avond was het me niet eens opgevallen hoe verwilderd de hele tuin erbij lag. Nu zag ik pas goed dat de struiken in geen tijden meer waren gesnoeid, dat de overgebleven plekken gras overwoekerd waren door onkruid en dat de houten tuinmeubels onder het mos en het vuil zaten. Enkel de beuken en platanen gaven de tuin een zekere grandeur die paste bij zo'n villa.

Iemand als Malfliet zou zich toch wel een tuinman kunnen veroorloven? Of een poetsvrouw voor de rotzooi binnen?

Zenuwachtig en gefrustreerd liep ik nogmaals om de villa heen zonder een ingang te vinden. Verspilde ik kostbare tijd met hersenschimmen na te jagen? Aan de achterkant van het domein, verscholen tussen verwaarloosde, manshoge struiken, ontdekte ik een houten deur in de omheiningmuur. Ik schoof een roestige grendel weg om ze open te krijgen. Ze kwam uit op een achterafstraatje. Deze vondst kon me nog goed van pas komen.

Enkele meters verderop in de achtertuin stond een schuurtje. De deur klemde, maar met een harde schouderstoot gaf ze mee.

In het licht dat door het smerige raampje viel, zag ik dat het er vol stond met tuingereedschap, schildergerei en andere rommel. Hier zou Robin zeker niks te zoeken hebben gehad. Ik repte me terug naar mijn auto. Voorlopig kon ik hier niets zinnigs meer doen.

Ik reed terug naar de galerie en zag dat Malfliets Lancia er nog stond. De vogel was nog niet gevlogen.

Er was nergens een vrije parkeerplaats in de buurt, dus moest ik de auto enkele straten verder achterlaten, snel teruglopen en zo onopvallend mogelijk blijven rondhangen. Gelukkig was er een bruine kroeg schuin tegenover de galerie. Ik ging aan een gunstig geplaatst tafeltje aan het raam zitten en overpeinsde verschillende strategieën om Malfliet te benaderen en de nodige informatie uit hem te krijgen. Geen enkele leek me geschikt.

'Ook werkloos?' lalde een halfdronken vijftiger aan de toog tegen mij. Het was hem blijkbaar niet ontgaan dat ik na anderhalf uur nog altijd aan mijn eerste glas water zat te nippen. Ik keek hem aan zonder antwoord te geven. Hij draaide zich weer om op zijn kruk. Hij nam de zoveelste teug van zijn bier en hield zijn mond.

Een halfuur later zag ik Malfliet naar buiten komen, samen met een jonge vrouw met donker haar. Dat beviel me niet. Ik had hem nog nooit in gezelschap van wie dan ook gezien. Als hij een relatie had, zou alles een stuk moeilijker worden.

Ik ging snel naar buiten en zag Malfliet en de vrouw nog net in de wagen stappen. Op dit uur was het alweer overal druk in deze wijk van Brussel. Als ik flink doorstapte, zou ik ze misschien te voet kunnen bijhouden.

De twee gingen enkele straten verder een Italiaans restaurant binnen. Weer zat er niks anders op dan buiten te wachten en te hopen op een inval.

Zou ik naar binnen gaan en hem aanspreken? Met als voorwendsel dat ik zijn foto's zo geweldig vond? Als ik het al over mijn lippen kreeg, zou het mij toch niets méér opleveren dan een verveeld bedankje. Verder aandringen zou hem achterdochtig maken: ik zag er nu eenmaal niet echt uit als een kunstkenner. Daarbij kon ik mij geen enkele van de foto's die ik op Malfliets website gezien had voor de geest halen.

Het regende weer, dus besloot ik mijn auto te halen en in het droge verder te wachten. Er was niet ver van de Lancia een parkeerplaats vrijgekomen en Malfliet en zijn gast waren nog maar net aan hun diner begonnen.

Rond halfnegen kwamen ze eindelijk het restaurant uit. Het was harder gaan regenen en ze haastten zich in de wagen. Het was het begin van de zoveelste achtervolging door de lappendeken van Brusselse wijken. Ik probeerde afstand te houden en ervoor te zorgen dat er minstens één, maar ook niet meer dan drie auto's tussen ons in reden. Deze avond leek Malfliet de grote verkeersaders te vermijden en aangezien er weinig verkeer was, had ik dan ook geen andere keus dan pal achter de Lancia te rijden. Ik was als de dood dat hij in de gaten zou krijgen dat hij gevolgd werd en mijn kenteken zou doorgeven aan de politie.

Enkele dagen geleden had ik een paar kilometers lang ook vlak achter hem gereden. Toen een verkeerslicht voor ons op oranje sprong, had hij eerst wat afgeremd en dan – toen het rood werd – weer plankgas gegeven. Dat kon niet veel goeds betekenen.

Na een schier eindeloze rit hield Malfliet eindelijk halt in een van de betere randgemeenten van de stad. Ik reed hem snel voorbij en sloeg een hoek om. Op de eerste de beste vrije plaats parkeerde ik de auto zo vlug als ik kon. Daarna rende ik naar een bushalte op de hoek van een aanpalende straat vanwaar ik Malfliets wagen onopvallend in het oog kon houden. Aan de overkant van de laan zag ik twee figuren onder een paraplu bij de ingang van een flatgebouw staan praten. Ik herkende duidelijk de rode regenjas van Malfliets gast. Ik meende te zien dat ze hem een zoen op de wang gaf en toen alleen het gebouw inging. Malfliet wandelde terug naar zijn auto.

Ik snelde terug naar de mijne maar toen ik het ding aan de praat gekregen had en eindelijk het hele blok had omgereden, was de laan leeg. Vloekend trapte ik het gaspedaal dieper in en probeerde op goed geluk zijstraten en andere routes. Even leek het erop dat hij me bewust of onbewust had afgeschud, tot ik enkele honderden meters voor mij de onmiskenbare achterlichten van de Lancia terugzag. Gelukkig hield Malfliet er een heel individualistische smaak op na.

Ik volgde hem richting binnenstad, waar hij kennelijk heel wat moeite had om een vrije parkeerplaats te vinden.

Uiteindelijk vond hij er een in een verlaten zijstraat. Ik was minder kieskeurig en parkeerde zo snel als ik kon ergens voor een garage-poort.

Van daar ging de achtervolging te voet verder. Na nauwelijks drie huizenblokken was ik al aardig doorweekt. De regen zorgde er wel voor dat Malfliet zich haastte en minder geneigd was van onder zijn paraplu acht te slaan op de figuur achter hem.

Voor een kleurrijk verlichte gevel bleef hij staan, klapte de paraplu dicht en verdween naar binnen. Ik herkende het pand: vroeger was het nog een discotheek geweest. Onlangs was het omgebouwd tot een toneelzaal voor alternatieve theatergroepen. Ik bekeek de abstracte affiches die achter glas hingen. Blijkbaar zag ik er een stuk geïnteresseerder of verloren uit dan ik eigenlijk was. Het meisje dat aan een formicatafel in het portiek zat, vertelde me ongevraagd dat er nog plaatsen vrij waren voor de voorstelling van deze avond.

Ik lachte haar vriendelijk toe en vroeg haar wanneer het stuk precies begon en afgelopen zou zijn. Ze antwoordde dat ik nu al plaats kon nemen en dat het ongeveer anderhalf uur zou duren. Ik knikte onzeker en sjokte na een gênante aarzeling terug naar mijn auto.

Het idee om naast Malfliet te gaan zitten en op die manier een gesprek met hem aan te knopen was heel even in me opgekomen, maar ik had het meteen weer de kop ingedrukt. Ik had geen verstand van theater of andere onderwerpen die iemand als Malfliet zouden kunnen interesseren. Daarbij zou het mij toch niks anders hebben opgeleverd dan een afwijkend antwoord en een bedenkelijke frons.

Ik besefte dat ik maar één kans had om bij Malfliet binnen te komen en dat ik die hoe dan ook niet mocht verknoeien.

Toen ik enkele minuten later de Lancia met zijn voorwiel tegen de stoeprand gekneld zag staan, kreeg ik de inval waarop ik al de hele dag had zitten wachten. Het was even simpel als riskant, maar het was wel mijn beste, misschien zelfs mijn enige kans.

In de doodlopende steeg, opende ik mijn autokoffer waarin mijn gereedschapskist stond. Het duurde niet lang voor ik vond wat ik zocht: het vlijmscherpe stanleymes dat ik vorige week nog gebruikt had om tapijttegels te snijden. Ik stopte het in mijn vestzak en haalde daarna de krik en mijn reservewiel uit de koffer.

Met bonzend hart stapte ik terug naar Malfliets wagen. Ik keek om me heen om te zien of er nergens achter al die ramen rondom mij enig teken van leven te bespeuren was.

Nu maar hopen dat Malfliet de voorstelling boeiend genoeg vond om een tijdje te blijven zitten...

Ik plaatste mijn thuiskomertje tegen de flank van de Lancia en de krik op de stoeprand. Voorbijrijdende automobilisten zouden denken dat ik de band van mijn auto probeerde te vervangen.

Ik hurkte neer bij het voorwiel, spiedde nog eens de omgeving af en haalde dan het mes uit mijn zak. Een meevaller: de banden waren al behoorlijk versleten en in geen tijden meer goed opgepompt. Dat zou mijn werk aanzienlijk vergemakkelijken.

Net toen ik het mes door het rubber heen wou duwen, zag ik iemand met een zwarte herenparaplu de hoek omkomen. Ik sprong meteen recht en bezeerde mijn hand aan het scherp van het mes. Pas toen ik duidelijk zag dat het Malfliet niet was, haalde ik opnieuw adem en kreunde ik het uit van de pijn. De man keek mij in het voorbijgaan even geringschattend aan en liep toen ongeïnteresseerd verder.

Ik hurkte weer neer. Nauwelijks had ik wat nieuwe moed verzameld of een tweede man met een paraplu liep de straat in. Ik pakte de krik en hoopte maar dat deze man al even onverschillig zou blijken als die van daarnet.

Terwijl hij traag dichterbij kwam, deed ik alsof ik druk bezig was het mechanisme van de krik te bestuderen.

'Kan ik je een handje helpen, maat?'

'Nee, dank u', antwoordde ik zonder hem aan te kijken. Het klamme zweet brak me uit.

'Wil je misschien dat ik mijn paraplu boven je hoofd houd? Dat werkt wat makkelijker.'

'Ik ben toch al nat', gromde ik tussen mijn tanden.

Ik hoorde de vent achter mijn rug iets onvriendelijks mompelen, waarna hij eindelijk afdroop. Zonder op te kijken of te bewegen, telde ik zijn voetstappen. Pas toen ik de tel kwijtraakte, haalde ik het mes weer tevoorschijn, bracht een flinke snee aan in de band, en maakte mij uit de voeten.

Ik verplaatste mijn auto naar een plek waar hij wat minder snel weggetakeld zou worden, rende terug en bleef onder het balkon van een nabijgelegen herenhuis gespannen wachten op de terugkeer van Malfliet.

Ik was ondertussen door en door natgeregend en hoewel het geen kille avond was, voelde ik mijn hele lichaam rillen en verkleumen. Ik probeerde niet te veel te denken aan wat ik precies zou zeggen, bang dat het niet spontaan genoeg zou overkomen. De grote lijnen van mijn plan waren duidelijk en eenvoudig genoeg.

Wat wist ik eigenlijk van Paul Malfliet? Details over zijn identiteit, zijn afkomst en zijn huidige bezigheden, maar verder had ik geen idee wat voor iemand hij eigenlijk was. Waarom leefde hij alleen in een huis dat veel te groot was voor een vrijgezel en waarom liet hij het niet beter onderhouden?

Tien jaar geleden had hij een gezin – dat had Robin me destijds nog gezegd toen hij mij over zijn plannetje vertelde – maar waar waren de andere gezinsleden nu?

Wat was de zin van al die doelloze, nachtelijke ritten door de stad? Op enkele van die tochtjes was hij niet eens ergens uitgestapt, zelfs niet om iets te drinken... Hij dwaalde enkel van verkeerslicht tot verkeerslicht en keerde dan terug naar huis. Was hij zo verveeld? Of zo rusteloos?

Waarom nam hij nooit iemand mee naar zijn villa? Hij had geld, een artistiekerig beroep en zag er – voor zover ik zoiets kon beoordelen – nog vrij goed uit. Dat zou toch moeten volstaan om af en toe de een of andere tooghangster te imponeren?

En wie was die vrouw met wie hij daarnet gedineerd had? Zijn vriendin? Waarom ging hij dan meteen daarna alleen naar het theater? En waarom had ik haar nog niet eerder gezien?

Eindelijk zag ik hem aankomen. Ondanks het hondenweer leek hij geen haast te hebben.

Ik wandelde discreet de andere kant op, sloeg de dichtstbijzijnde hoek om en zette het op een spurten alsof iemand een startschot had gegeven.

Ik was net op tijd het hele blok rond gelopen om de Lancia uit zijn vak te zien hobbelen en dan abrupt tot stilstand te zien komen. Malfliet zette de motor af en stapte uit om te zien wat er mis was. Zelfs van waar ik stond, kon ik hem horen vloeken.

Hij manoeuvreerde de wagen terug tot aan de stoeprand, stapte weer uit met zijn rug naar mij toe en pakte een gsm uit zijn jaszak. Als hij de pechbijstand kon bereiken, zou alle moeite voor niets geweest zijn.

Ik concentreerde mij op wat mij te doen stond en liep naar hem toe. Hij stond daar maar met het toestel in zijn hand alsof hij niet kon besluiten wie te contacteren.

'Hebt u pech?'

Malfliet keerde zich wat aarzelend om. Van zo dichtbij leek hij een stuk ordinairder dan op de close-upfoto's die ik van hem gezien had.

'Een vandaal heeft zomaar mijn band kapotgesneden. Dat hou je toch niet voor mogelijk... wat voor een klotewijk is dit eigenlijk?'

'Dat gebeurt wel meer in deze buurt, schijnt het... Jeugdbendes, weet u wel. U kunt hier maar beter niet te lang blijven staan. De auto trouwens ook niet. Hebt u een reservewiel?'

Ik zag hem nerveuzer worden. Mijn opmerking over straatboefjes had zijn bourgeois paranoia geprikkeld.

'Ik wou net de hulpdiensten opbellen...' zei hij weifelend. Ik was echter niet van plan hem zo makkelijk te lossen.

'Dat duurt een eeuwigheid voor die hier zijn, mijnheer. Als u gewoon uw krik en uw gereedschap uit de koffer haalt, help ik u wel dat wiel te vervangen.'

Hij accepteerde het aanbod zonder iets te zeggen en opende gehoorzaam de kofferklep. De koffer lag vol fotogereedschap en belichtingsmateriaal. Niet verwonderlijk dat de idee van rondzwervende dievenbendes hem zenuwachtig maakte.

Ik haalde de spullen uit de bak en legde ze op zijn achterbank. Malfliet maakte niet de minste aanstalten om te helpen. Zijn bijdrage bestond uit herhaalde aanmaningen om voorzichtig te zijn met zijn professionele uitrusting.

Ondertussen maalden rampscenario's door mijn hoofd: wat als die vent van daarnet terugkwam en weer zijn diensten zou aanbieden? Wat als een politiepatrouille zou langsrijden? Ik werkte koortsachtig verder en vergat ondertussen Malfliet mijn ingestudeerde vragen te stellen.

Ook bij het opkrikken van de auto en het losmaken van het voorwiel bleef hij sprakeloos toekijken zonder een vinger uit te steken.

Af en toe kwam er iemand voorbij, maar gelukkig keurde niemand ons een blik waardig.

Toen het reservewiel er alweer op zat en er nog altijd geen woord was gevallen, drong het tot mij door dat ik iets drastischers moest ondernemen. Bij het weghalen van de krik slaakte ik een luide kreet en greep naar mijn pols alsof ik hem bezeerd had.

Eindelijk kwam er een reactie van Malfliet: 'Wat is er?'

'Ik geloof dat ik een verkeerde beweging gemaakt heb. Die dingen zijn ook zo onstabiel.'

Malfliet raapte de krik en de moersleutel op en gooide ze terug in de kofferbak alsof hij bezwarende bewijzen wou verdonkeremanen. 'Gaat het? Moet ik je naar een medische wachtdienst brengen of zo?'

'Nee. Het zal zo wel in orde komen', antwoordde ik met een grimas.

'Ik wil je in ieder geval bedanken voor de moeite die je gedaan hebt. Kan ik je naar huis brengen?'

Nu had ik hem. 'Wel, ik heb eigenlijk geen echte verblijfplaats...

Ziet u, ik trek rond en logeer ondertussen bij kennissen of mensen die ik ken van het internet. Hier in Brussel woon ik bij een student maar het klikt niet echt. Veel drugs en rare toestanden... ik kan niet zeggen dat ik me daar goed bij voel.'

Hij nam me wat beter op en was verveeld met de situatie.

'Kan ik je dan tenminste iets te drinken aanbieden? Ergens waar je wat kan... drogen?'

Even later stopten we voor een taverne aan een goedverlichte laan.

'Hoe gaat het met je pols?'

'Gaat wel, zolang ik hem niet beweeg.'

We stapten het etablissement binnen – godzijdank van het soort waar ze mij nog nooit gezien hadden – en gingen aan een tafeltje tegen de muur zitten. Misschien stelde ik het me maar voor, maar even kreeg ik de indruk dat de kelner die onze bestelling kwam opnemen mij misprijzend begluurde. Ik zag er ook niet uit, zo in mijn kliedernatte plunje.

'Bent u beroepsfotograaf?' begon ik vriendelijk geïnteresseerd.

Malfliet hield zich op de vlakte: 'Ja, zo zou je het kunnen noemen.'

'Ik heet Frank', zei ik, terwijl ik hem een hand toestak.

'Paul', antwoordde hij met een knikje.

Ik wist dat hij een stuk jonger dan ik moest zijn, maar hier, in het schijnsel van de Expo 58-stijlluchters, leek hij niet jonger dan vijftig. En heel erg moe.

'Waar woon je eigenlijk? Met die student?'

'In een flat in Elsene', antwoordde ik om zo dicht mogelijk bij de waarheid te blijven. 'Ik heb er een eigen kamer, maar ik voel me er meer een asielzoeker dan een gast.'

'Ben je op doorreis?'

'Ja, het is de bedoeling om heel West-Europa te bezoeken.'

'En je besloot om in Brussel te beginnen?' Er lag spot of ongeloof in zijn stem.

'Je moet ergens beginnen. Ik dacht hier genoeg geld te verdienen om naar Amsterdam te trekken en het daar een tijdje te kunnen rooien.'

'Hoe wou je dat geld verdienen?'

'Met klusjes hier en daar. Ik ben erg handig. En ik heb een uitkering waarmee ik hier net kan rondkomen.'

'Hoe ken je die student? Zo jong zie je er niet uit.'

Dit begon op een ondervraging te lijken, maar toch zei mijn buikgevoel me dat het nog steeds de goede kant opging.

'Ook van het internet.' Daar moest hij het maar mee doen.

Ik moest niezen en zat te rillen, iets wat hem niet ontgaan was.

'Je kunt maar beter iets droogs aantrekken. Het lijkt me beter dat ik je zo dadelijk naar Elsene breng.'

Ik keek hem mismoedig aan. 'Ik weet niet of dat veel zin heeft. Ik heb zelf geen sleutel van de flat en moet wachten tot die student thuiskomt zodat hij me kan binnenlaten. God weet wanneer dat zal zijn.'

Hij keek onbewogen terug.

'... En een hotel is zo duur...'

Zijn enige reactie was een blik op zijn polshorloge. Ik had geen tijd meer voor subtiele wenken.

'Ik besef dat het veel gevraagd is, maar zou ik eventueel bij jou kunnen blijven slapen vannacht?'

Zijn frons betekende niet veel goeds.

'Ik neem aan dat je in het Brusselse woont?' polste ik.

'Ja.'

Hij leek in een innerlijke tweestrijd verwikkeld en staarde me aan alsof hij uit mijn gezicht wou opmaken of ik te vertrouwen was of niet. Ik probeerde luchtig te glimlachen, maar het lukte me niet. Er stond te veel op het spel.

'Ik voel me echt niet goed genoeg om een hele nacht op te blijven', drong ik aan. 'Ik zal alles netjes opruimen achter mij. Je zult niet eens merken dat ik er geweest ben', voegde ik er met een pathetische grijns aan toe.

Zijn gezicht lichtte op alsof er iets klikte in zijn hoofd.

'De logeerkamer is vrij en ik kan je wel wat droge kleren of een kamerjas van mij lenen', zei hij bedachtzaam, maar niet onvriendelijk.

De dankbare lach op mijn gloeiende gezicht was niet geveinsd. Het was me dan toch gelukt om een voet tussen de deur te krijgen.

2

Het eerste wat ik deed toen ik de galerie binnenging, was van achter mijn zonnebril de ruimte afspeuren naar bekende gezichten. Tot mijn opluchting bleek ik de enige bezoekster te zijn op dit late middaguur. De jonge vrouw achter de balie keek niet eens op van haar koffie en ging verder met telefoneren toen ik voorbijliep.

In de expositiezaal voelde ik me voldoende op mijn gemak om de bril af te nemen en echt naar de foto's te kijken. Dat was toch de reden waarom ik mezelf uit mijn flat gesleept had.

Eric had me natuurlijk gevraagd waar ik naartoe ging, en ik had iets verzonnen over een jurk die ik wou kopen voor de huwelijksverjaardag van zijn ouders. Hij had me aangekeken met zijn blik die mij na zeven jaren huwelijk nog altijd deed ineenkrimpen, en had geantwoord dat ik kleren zat had.

'Ik wil iets nieuws... Het is toch een speciale gelegenheid', had ik tegengeworpen met het meisjesstemmetje dat ik doorgaans gebruikte wanneer ik hem inschikkelijk wou stemmen. Ik had me die zoveelste vernedering kunnen besparen. Hij was meteen opnieuw beginnen drammen over hoeveel er te doen was in huis, hoe weinig hij me zag en hoe lang het geleden was dat we samen nog eens naar zijn schietclub waren geweest.

Ik had meteen aangevoeld dat hij weer op seks aanstuurde en had er niks beters op gevonden dan hem mijn gebruikelijke sneer in het gezicht te spugen: 'Is het om het geld?'

Daarop was hij zoals gewoonlijk terug in zijn schulp gekropen en had hij mij met tegenzin laten gaan.

Bij mijn thuiskomst zou ik hem op de mond kussen en verder zijn zin geven om de lucht tussen ons wat te zuiveren en hem te bedanken op een manier die hij verstond. Zo diep was ons ersatzhuwelijk ondertussen gezonken.

In de eerste zaal van de galerie bestudeerde ik de grove korrelbeelden stuk voor stuk, op zoek naar verborgen boodschappen die mogelijk enkel ik kon verstaan. Het enige wat er echter te zien was, waren echo's van een uitdovend talent. Eender welke amateur had deze zwart-witlandschappen en detailstudies op die manier kunnen fotograferen. Was de uitzonderlijke gave die ik hem destijds had toegedicht maar inbeelding geweest, zoals zo veel andere dingen die ik me van Malfliet had voorgesteld?

Veel van zijn foto's deden mij aan vakantiesouvenirs denken: dromerige vergezichten en nietszeggende stadstaferelen. Aan de hand van de onderschriften onder de lijsten kon ik nagaan waar hij in die tien jaar sinds ik hem ontmoet had overal geweest was: Parijs in de winter van 2005, New York in het voorjaar van 2006 en Praag het jaar erna. Zelfs zijn keuze van locatie was banaal. Ik wist niet of ik me teleurgesteld of gerustgesteld moest voelen.

In een tweede zaal waren er vooral portretfoto's, naakten en bewegingsstudies te zien. Ze dateerden van een vroegere periode dan de vorige serie. Deze foto's waren kleiner, donkerder en er ging een ongemakkelijke intimiteit van uit. Deze composities leken een stuk meer op het werk dat hij mij destijds had laten zien. Ik herkende de wazige poses, het kunstmatige perspectief en zijn zin voor detail in de achtergronden. Samen met de herkenning sloop ook de herinnering aan wat ik eens in hem gezien had mijn geest weer binnen. Het voelde alsof de hechtingen van een etterende wonde een na een loslieten.

Terwijl ik op trillende benen de beelden rondom mij opzoog, besefte ik dat het niet enkel nieuwsgierigheid was geweest die mij naar deze tweederangsgalerie had gelokt.

De laatste exhibitieruimte lag aan de andere kant van de benedenverdieping. Op weg ernaartoe zette ik snel de zonnebril weer op. Het wicht aan de balie zou niets van mijn emoties merken.

De foto's in dit bijzaaltje leken lukraak opgehangen. Het gebrek aan stilistische samenhang gaf de indruk dat ze buiten de eigenlijke expositie vielen, als een bijgedachte waar de galeriehouder zelf niet echt achter stond. Misschien werd deze randcollectie daarom *Gemiste kansen* genoemd.

Het viel me ook op dat er hier geen datums bij de onderschriften stonden.

Een verminkte speelgoedbeer die op de betonnen vloer van een verlaten gebouw tussen de rommel lag. Een oude vrouw met overmaatse boodschappentassen op een zeedijk. Daarnaast een graffitislogan op een afgebladderde muur. Nog verder een beeld van een hond met zijn snuit in een conservenblik. En toen... een leren jekker met het embleem van een motorbende op de rug, achteloos over een stoel gedrapeerd in een rijkelijk ingerichte kamer. Als gehypnotiseerd bleef ik naar het beeld van de belle-époquekamer staren en voelde een koude rilling over mijn rug lopen. De foto die er vlak naast hing nam alle twijfel weg. Het ging hier niet om een toeval: de dansende, halfnaakte vrouw met het onscherpe gezicht van de camera afgewend, was ikzelf. Ik had ze gevonden, mijn persoonlijke boodschap, maar ik had nooit kunnen denken dat het zo confronterend zou zijn. Ik verbleekte en mijn oog viel op het cryptische onderschrift: *De kans op vergetelheid.*

Ik kon me nog precies herinneren wanneer Paul die foto genomen had: die namiddag toen hij me de antieke Victrola van zijn grootmoeder had laten horen. Ik had het ding met de zwengel en de enorme hoorn in de bibliotheek van de villa zien staan en hem gevraagd of hij het nog deed. Als antwoord had hij een paar 78-toerenplaten uit de jaren twintig uit een lade gehaald. Ik kon me nog goed voor de geest halen hoe de verwaterde klanken van het jazzensemble niet enkel uit de ingewanden van het apparaat leken te komen, maar recht uit een scheur in het tijdweefsel.

'Het is alsof je een deur naar het verleden op een kier hebt gezet', had ik verwonderd tegen hem gezegd, 'net breed genoeg om geluiden door te laten, maar te nauw om iets door te zien.'

Halfdronken en half aangekleed, had ik een paar charlestonpasjes voor hem uitgeprobeerd en hij had zijn fototoestel gepakt. En nu bleek dat de foto het al die tijd had overleefd. Wie wist wat nog meer...

Het duurde even voor ik mijn blik naar de foto's ernaast durfde te laten afglijden. Aan het eind van de rij hingen drie portretfoto's van dezelfde jonge vrouw met kortgeknipt donker haar en een parelsnoer om haar hals. Eerst voelde ik mij nog opgelucht dat het mijn gezicht niet was dat mij aanstaarde. Mijn opluchting vervloog echter toen ik het herkende. Met een groeiend gevoel van onbehagen bleef ik naar het gezicht met de hoge jukbeenderen, de fijne kin en de reeënogen staren. Toen ik weer wist waar en wanneer ik haar eerder gezien had, voelde ik de laatste druppels bloed uit mijn gezicht wegtrekken. Ik verplichtte mezelf rustig te ademen en niet op mijn trillende knieën te letten. Ik moest absoluut mijn emoties uitschakelen en rationeel zien te blijven.

Pas toen ik de eerste paniekgolf eindelijk verbeten had, durfde ik naar het onderschrift onder de portretten te kijken, maar er stonden enkel drie betekenisloze getallen. Geen naam en wat nog erger was, geen datum.

De volgende paniekaanval kon ik niet meer onder controle houden. Ik voelde dat mijn benen op het punt stonden het te begeven, terwijl het veel te benauwde zaaltje om mij heen begon te tollen en de adem uit mijn lijf werd geperst. Ik hoorde stemmen naderen. Ik moest hier weg, onmiddellijk.

Tastend langs de eindeloos lange muren, strompelde ik naar buiten. Ik hoorde dat de receptioniste nog iets aan me vroeg, maar verstond niet wat.

'Neem me niet kwalijk', mompelde ik binnensmonds en ik maakte dat ik buiten was, de vertrouwde, muffe stadslucht in.

Het was al avond toen ik terug thuis in Vilvoorde kwam. Het was maar een korte rit, maar het had een eeuwigheid geduurd voor ik weer kalm genoeg was om te rijden. Zelfs hier, in deze al te vertrouwde, lege flat, liep ik nog te rillen. Eric was er gelukkig niet. Hij was vast in zijn eentje naar zijn club gegaan – zonder een boodschap achter te laten.

Ik vermande me en ging zitten om de feiten nuchter te bekijken, in plaats van mijn verbeelding en verwarde emoties de vrije loop te laten. Ik probeerde mezelf wijs te maken dat het toeval was dat Paul Malfliet die foto's daar gehangen had, dat hij ze gekozen had omwille van hun artistieke kwaliteiten. Maar ik moest al gauw toegeven dat ik dat niet kon en ook niet wou geloven. Er moest gewoon een diepere bedoeling achter zitten. Kon het zijn dat hij op deze manier opnieuw contact met mij zocht na al die jaren? Was hij ijdel genoeg om te beseffen dat ik hem al die tijd gevolgd had en dat ik zeker geen tentoonstelling van zijn werk zou missen? Had hij de foto's als een aanmoediging bedoeld, een niet al te subtiele hint om hem te gaan opzoeken? Het was waar dat ik hem mijn familienaam nooit gezegd had. Het was dus zo goed als onmogelijk voor hem om erachter te komen hoe hij mij nu rechtstreeks kon bereiken, nog afgezien van het feit dat ik ondertussen Erics naam had aangenomen.

Ik warmde iets op in de microgolfoven, maar kon nauwelijks een paar happen door mijn keel krijgen. De beelden van de leren jekker over de stoelleuning en de vrouw met het parelsnoer bleven door mijn hoofd spoken. De jekker mocht dan een andere geweest zijn, de vrouw was wel degelijk dezelfde. Zij was de vrouw op de gekreukte foto met de obscene krabbels die ik tien jaar lang tussen de bladen van een oud zelfhulpboek had bewaard. Het gezicht op de portretfoto's in de galerie had wel ouder geleken dan het gezicht op mijn geheime foto, het haar aanzienlijk korter. De portretfoto's moesten dus vrij recent zijn, wat betekende dat zij sindsdien op de een of andere manier weer in zijn leven was gekomen – een idee dat mijn keel dichtsnoerde.

Het geluid van de telefoon bracht me terug naar de realiteit van de deprimerende inloopkeuken: Eric belde waarschijnlijk vanuit het clublokaal zijn instructies voor het avondeten door. Ik sleepte me naar het inkomhalletje waar het toestel stond en nam met een loodzware arm de hoorn van de haak.

'Ja?'

Ik hoorde vaag iemand ademen aan de andere kant van de lijn, maar kreeg geen antwoord.

'Hallo? Met Verstraete...' drong ik aan.

Na enkele seconden benauwende stilte werd er opgehangen. Ik voelde mijn hart in mijn keel kloppen en durfde amper de hoorn terug te leggen.

Als verdoofd liep ik naar de kluis waar Eric zijn wapencollectie bewaarde. Hij wist niet dat ik de code kende. Hij zou waarschijnlijk in woede uitbarsten als hij erachter kwam dat ik een van zijn dierbare pistolen zonder zijn toestemming had genomen.

Maar nood brak wet. Ik hield de glimmende FN, het pistool waarmee ik het meest vertrouwd was, in beide handen en staarde er lang naar.

Het kalmerende effect dat een vuurwapen op me kon hebben, bleef me verbazen. Kwam het door het gevoel van macht dat ervan uitging of was het het geruststellende gevoel eindelijk zelf aan zet te zijn?

Ik stopte het wapen in de binnenzak van mijn winterjas. Het was het enige kledingstuk dat ik had waarin de contouren van het pistool zich niet door de stof heen zouden aftekenen.

Zonder concreet plan liep ik naar mijn Ford. Ik moest absoluut greep zien te krijgen op wat er gebeurde... En dat betekende dat ik na al die tijd terug moest naar de villa om ter plekke polshoogte te nemen. Nooit gedacht dat dit moment ooit zou komen.

De rit naar Watermaal-Bosvoorde duurde langer dan verwacht. Er was een ongeval gebeurd en ik had alle tijd om mij de details van mijn korte, stormachtige relatie met Malfliet weer voor de geest te halen. Het was jammer dat ik de zonnebril in mijn andere jas had laten zitten, want voor ik het wist prikte het eerste traanvocht al in mijn ogen. Het mocht dan wel niet het gelukkigste hoofdstuk uit mijn leven geweest zijn, het was in ieder geval nog steeds het meest significante.

Tien jaar lang had ik Watermaal-Bosvoorde weten te vermijden. Toch hoefde ik niet de minste moeite te doen om de weg naar de Wilgenlaan terug te vinden. Ik herkende de verweerde muur met de gietijzeren ornamenten en de gemotoriseerde traliepoort meteen. Het was geen makkelijk weerzien.

Ik parkeerde mijn wagen een eindje verder, streek mijn haar glad en fatsoeneerde mijn oogschaduw in de make-upspiegel voor ik uitstapte. Met lood in de benen liep ik naar de gesloten poort. Mijn hand hield ik om het pistool in mijn jaszak geklemd.

De naam boven de brievengleuf was nog altijd *P. Malfliet*. Er was ook een belknop, maar iets weerhield me ervan die nu al in te drukken, iets wat niet tot louter angst of besluiteloosheid was terug te brengen.

Als op een onuitgesproken commando schoof de poort opeens open. Ik was te verbouwereerd om mij te verroeren. Op de oprijlaan stond een luxewagen met open koffer. Een man van middelbare leeftijd laadde iets in de auto. Hij was het. Zwaarder en grijzer dan ik mij hem herinnerde, maar ontegensprekelijk hij.

Hij keerde zich om en liep terug naar de villa. Het drong slechts langzaam tot me door hoe verwaarloosd het hele domein erbij lag. Het gebroken wit van de muren was grauw geworden en zelfs vanop deze afstand kon ik de barsten in de gevelbepleistering zien. De kleurige bloemperken die ik nog zo voor mij zag, waren in vormeloze struiken veranderd en het gazon stond een halve voet hoog.

Toen pas kreeg ik een andere man in het oog die me achter een raam op de bovenverdieping stond aan te staren. Enkele tellen lang bleef ik als aan de grond genageld terugkijken, daarna maakte ik me zo snel als ik kon uit de voeten.

Wat ik ook van plan mocht zijn geweest, de kans was verkeken.

Weer achter het stuur van mijn auto, merkte ik dat Eric mij een tekstbericht had gestuurd: *Waar zit je? Kan je niet bereiken.* Ik had nog de hele rit naar Vilvoorde de tijd om een smoes te verzinnen.

Hij stond me in de deuropening van de woonkamer op te wachten. Ik moest zo luid slikken dat ik er zeker van was dat hij het gehoord had.

'Heb je een jurk gevonden?'

'Nee, schat.'

'Je hebt er anders ruimschoots je tijd voor genomen...'

Zijn sarcasme was altijd een slecht voorteken. Ik hing mijn winterjas zo achteloos mogelijk aan de haak en durfde hem niet aan te kijken.

'Ik had daarnet een twijfelgeval mee naar huis genomen. De juffrouw in de boetiek had gezegd dat ik het vandaag nog moest terugbrengen als ik het niet wou.'

'Het is verdomme na negen uur... Koop jij tegenwoordig je kleren in een nachtwinkel?'

'De eigenares woont boven de winkel, Eric.'

'Wat is het adres van die winkel?'

Gelukkig had ik een zoveelste kruisverhoor voorzien: 'Het is een zijstraat van de Elsensesteenweg, als je het absoluut wilt weten. Waar zat jij eigenlijk daarnet? Ik was speciaal helemaal terug naar Vilvoorde gereden om jouw mening te vragen en je was er niet eens.'

'Ik was in de club', antwoordde hij bars, '... waar wij allebei verwacht werden.'

Ik voelde dat ik nu geen uitputtingsslag zou kunnen verdragen en dat ik wel eens te veel zou kunnen zeggen. Daarom slikte ik opnieuw mijn trots in, liep glimlachend op hem af en sloeg mijn armen om hem heen. 'Moet je ons nu zien. Ik wou gewoon iets moois kopen voor het jubileumfeest van je ouders en we gingen er bijna over bekvechten. Het spijt me, Eric.'

'Laat in het vervolg een briefje achter', zei hij zonder mijn omhelzing te beantwoorden. 'Heb je tenminste iets te eten klaargemaakt voor vanavond of verwachtte je dat ik dat ging doen?'

Ik gaf hem een kusje op de wang en haastte me de keuken in. Ik hoopte vurig dat hij me verder alleen zou laten en dat hij het pistool nog niet gemist had.

Dit was mijn leven. Wat was er van geworden? Mijn enige troost was dat ik het eindelijk drastisch zou kunnen veranderen. Misschien niet ten goede, maar ik was bereid dat risico te nemen.

3

Eindelijk werd mijn geduld beloond. De opvallende wagen die ik een paar dagen eerder op de oprijlaan had zien staan reed het domein af. Ik was er vrij zeker van dat er niemand anders in de wagen zat, dus startte ik de motor van mijn Ford.

Ik was tot de conclusie gekomen dat het geen zin had om Malfliet op de man af te benaderen. Het moest op een toevallige ontmoeting lijken, een speling van het lot die ons weer samenbracht. Dat zou zijn achterdocht niet wekken. De dag voordien was ik hem ook al gevolgd, maar toen was hij meteen een flatgebouw binnengelopen en was de moed mij terstond in de schoenen gezonken.

Vandaag had ik meer geluk. Na een korte rit parkeerde hij zijn auto voor een onopvallende bar ergens in Vorst en ging er binnen. Ik parkeerde in een aanpalende zijstraat, schraapte al mijn lef bij elkaar, stapte mijn wagen uit en liep naar de bar.

Het was nog vrij vroeg in de avond en er was nog maar een handjevol klanten in de zaak: een koppel dertigers dat er nu al verveeld uitzag, een groepje luidruchtige BCBG-types, enkele kleurloze figuren en Malfliet in zijn eentje op een kruk aan de bar. Hij zat in gedachten verzonken over zijn glas gebogen en keek niet op toen ik binnenkwam. Ik schuifelde naar een tafeltje vanwaar ik hem onopvallend in het oog kon houden. Terwijl ik mij op een stoel liet zakken, nam ik de hele scène in me op: de vreugdeloze figuranten, de opdringerige muziek, de ongeïnteresseerde kelner, de onbestemde inrichting. Ik kreeg het vreemde gevoel dat ik een onzichtbare grens had overschreden en dat ik in een andere versie van de realiteit was beland. In de ene was ik de uitgebluste vrouw van een politieoverste die nietsvermoedend zijn late dienst klopte. In deze versie was ik mezelf, maar dan tien jaar ouder en niets wijzer. Ik voelde me als herboren.

Als in trance staarde ik naar Malfliets rug. Ook de kelner die mijn bestelling kwam opnemen had het in de gaten: aan mijn tafeltje keek hij even in de richting van de gestalte aan de bar en weer terug naar mij, met een onaangename grijns op zijn gezicht. Malfliet zelf leek niks te merken van mijn blik die zich in zijn achterhoofd boorde. Hij zat voorovergebogen en leek nu opeens nog veel ouder dan hij ondertussen moest zijn. Hij bewoog enkel om zijn glas naar zijn mond te brengen.

Tussen twee teugen in keek hij op zijn horloge. Hij zat misschien op iemand te wachten. Als ik hem niet gauw aanklampte, zou ook deze avond verloren moeite kunnen worden. Ik durfde nauwelijks te bewegen of weg te kijken.

Maar wat moest gebeuren, zou gebeuren: de gluiperige kelner boog zich naar Malfliet, fluisterde hem iets toe en deed daarbij teken in mijn richting. Malfliet draaide zich verveeld om. Op het moment dat hij me herkende, verstarde zijn blik en rechtte hij zijn rug. Hij was mijn versie van de realiteit binnengestapt.

Malfliet nam zijn glas van de toog en liep naar mijn tafeltje toe. Het duurde even voor hij zijn ogen helemaal kon geloven en zijn tong terugvond: 'De kelner dacht dat je misschien iets van mij wilde drinken', zei hij eerder verontschuldigend dan uitnodigend.

Ik voelde hoe ik begon te blozen en wist nauwelijks 'Ik heb al iets' uit te brengen. Dit bleek nog moeilijker te worden dan ik mij had voorgesteld.

'Kom je hier vaker?' voegde hij eraan toe zonder een spoor van hartelijkheid in zijn stem. Ik begreep meteen dat het niet als openingszin bedoeld was, hij wou het echt weten.

'Nee, ik ben hier nooit eerder geweest', antwoordde ik zonder op te kijken van mijn glas. Hij bleef maar voor me staan en ook zonder zijn gezicht te zien wist ik dat hij zich daar stond af te vragen wat ik van plan was. De andere gasten begonnen onze richting uit te kijken, wat me nog onrustiger maakte.

'Wil je niet gaan zitten?' vroeg ik uiteindelijk. Aarzelend ging hij op het voorstel in.

Van dichtbij zag zijn gezicht er nog afgeleefder, harder en triester uit. Zijn haar was dunner geworden en zelfs in het gedempte licht van de bar kon ik de eerste rimpels zien. Het maakte hem breekbaarder, maar daarom niet echt minder aantrekkelijk.

'Wat een vreemd toeval dat we elkaar na al die tijd weer ontmoeten', zei ik schuchter. Hij antwoordde niet.

'Had je mij direct herkend?' probeerde ik nog eens.

'Nee, niet direct. Je bent veranderd.'

'Jij ook, maar ik wist meteen wie jij was. Van het moment dat ik je zag zitten.'

'Het verbaast me dat je niet onmiddellijk weer bent weggegaan, dan.'

Mijn stem verhardde: 'Had je dat liever gehad?'

'Het zou verstandiger geweest zijn.'

Met een bloedrode kop keek ik de andere kant op. Ik zag de kelner mij meesmuilend opnemen. Gelukkig hadden zeven jaar huwelijk met Eric mij geleerd mijn trots in te slikken en teleurstellingen te verbijten zonder een kik te geven. Ik kon het mij niet veroorloven Malfliet nu te laten gaan.

Ik schraapte mijn keel: 'Ik ben naar de tentoonstelling van je werk geweest. Kun je je mijn verbazing voorstellen toen ik jouw naam op de etalageruit van een kunstgalerie zag?'

Hij haalde zijn schouders op. 'Met de juiste contacten kom je in die wereld verder dan met talent', antwoordde hij laconiek.

'Ik had niet verwacht dat je je nog steeds met fotografie zou bezighouden', verbeterde ik hem snel.

'Bij gebrek aan beter...'

'Je bent nog steeds erg goed...'

Hij snoof alleen maar.

'... Vandaar dat ik niet helemaal begrijp waarom je een oude foto van mij bij je nieuwe collectie gehangen hebt.'

Was het inbeelding, of had ik echt een gevoelige snaar geraakt? Hij liet in ieder geval zijn afstandelijkheid even varen: 'Het is de galeriehouder die de tentoonstelling grotendeels heeft georganiseerd. Daarvoor heeft hij ook een selectie uit mijn oudere foto's gemaakt. Hij vond die ene foto van jou interessant en daarom hangt die nu tussen een anthologie van mijn betere werk.'

'Die *gemiste kansen* waren dus allemaal foto's uit de jaren negentig?' vroeg ik terloops, vurig hopend dat de portretfoto's van de vrouw met het parelsnoer van voor 1999 dateerden. Maar veel hoop was me niet gegund.

'De meeste waren recenter', antwoordde hij, waarna hij zich weer in zichzelf scheen terug te trekken.

Ik ging op mijn ellebogen leunen en keek hem dieper in de ogen.

'Hoe gaat het nu met je, Paul?'

Hij was verwonderd dat ik hem bij zijn naam noemde.

'Ik mag niet klagen', antwoordde hij. 'Alhoewel ik er dikwijls zin in heb. En jij?'

Ik haalde met een glimlachje mijn schouders op: 'Het is al zo lang geleden dat iemand mij vroeg hoe het met mij ging, zonder dat het een retorische vraag was'

'Je bent dus getrouwd...?'

'Ja. Een hele tijd geleden al.'

'Kinderen?'

'Daar ben ik toch nooit het type voor geweest?'

'Vroeger misschien niet, maar...' Hij hoefde zijn zin niet af te maken om mij te laten verstaan dat ik er in zijn ogen als een huissloof uitzag.

'En jij? Heb jij ondertussen al voor een erfgenaam gezorgd?'

'Ik ben al een eeuwigheid gescheiden', zei hij droogweg. 'Bovendien valt er ondertussen niet zo veel meer te erven.'

'Hoe bedoel je?'

'Ik heb het familiebedrijf voor een aalmoes van de hand moeten doen. Idem dito voor een van mijn huizen.' Toen hij mijn verbijstering zag, voegde hij er flegmatiek aan toe: 'Niet dat in de Wilgenlaan, natuurlijk.'

'Heb je die Victrola daar eigenlijk nog?'

'Ja.'

'Heb je er sinds die ene keer ooit nog een plaat op gedraaid?'

'Niet dat ik me kan herinneren.'

'Ik denk nog vaak aan dat moment terug. Toen ik die foto van mij aan die galeriemuur zag hangen, kreeg ik meteen een krop in mijn keel.'

Hij zei niets.

'Denk jij er soms nog aan terug?' Ik besefte dat ik een stap te ver in het modderige water tussen ons had gezet, maar ik moest het erop wagen. Zoals ik al had verwacht, bleef het antwoord uit.

'Waar is je man?' vroeg hij alsof hij het was die hij wou spreken. Het kwam aan als een koude douche.

'Op zijn werk. Hij heeft onregelmatige uren.'

'Weet hij dat je hier zit?'

'Nee. Zolang ik er ben als hij thuiskomt, is hij al blij.'

Daarmee viel het moeizame gesprek weer stil. Hij zat naar buiten te kijken, ik in mijn glas, verbaasd over mijn eigen openhartigheid.

'Heb je zin om een eindje te gaan wandelen?' vroeg hij totaal onverwacht. 'Deze tent deprimeert me.'

Voor ik het goed en wel besefte, liep ik zonder te weten wat te zeggen naast hem door de betere wijken van Vorst. Als een verdord stelletje, flitste het door mijn hoofd. De eerste regendruppels van de avond kondigden zich aan. Hij ontweek mijn blik en staarde maar voor zich uit naar een punt in de verte. We liepen traag en doelloos, alsof het onze bedoeling was om te verdwalen.

Ik voelde dat ik snel iets moest zeggen of er zou helemaal niets meer gezegd worden tussen ons. Ik kon deze unieke gelegenheid om meer te weten te komen niet zomaar laten voorbijgaan.

'Ik heb gemerkt dat er bij je *gemiste kansen* ook foto's hingen van die oude vlam van je. Met het korte haar en die ketting', zei ik quasi onverschillig. 'Heeft de galeriehouder die ook voor je uitgekozen?'

'Nee, die heb ik zelf geselecteerd', antwoordde hij met argwaan in zijn stem.

'Die zijn wel al heel oud...' waagde ik.

Hij ging nog langzamer lopen.

'Nee. Die opnames zijn zelfs vrij recent.'

'Jullie hebben dus weer contact met elkaar?'

Nu bleef hij helemaal stilstaan. 'Dat zijn mijn zaken', zei hij kortaf, en liep weer verder.

Zijn afwijzing maakte mij veel erger van streek dan ik had verwacht of kon verklaren. Wat ik wel wist, was dat die heropgeflakkerde romance niets goeds kon betekenen.

Hij versnelde zijn pas. Ik had moeite hem bij te benen.

Als ik niet snel iets zinnigs te zeggen vond, zou hij me toch nog door de vingers glippen.

'Ik heb gemerkt dat je een logé in huis hebt', was het eerste en het enige wat in mijn hoofd opkwam. Opnieuw bleef hij abrupt staan.

'Hoe weet jij dat?' vroeg hij en greep mij brutaal bij de arm. Zijn blik werd donkerder terwijl ik onsamenhangende excuses stamelde.

'Ik ben niet helemaal eerlijk met je geweest', kon ik er ten slotte uit krijgen, terwijl ik mijn ogen neersloeg. Hij zei nog steeds niets en loste zijn greep al evenmin. Enkele wandelaars keken ons over hun schouder aan en liepen daarna ongeïnteresseerd voort.

'Het was geen toeval dat ik je daar in die bar trof. Ik wou je al zo lang eens terugzien, nog eens met je praten, maar ik durfde nooit de eerste stap te zetten. Toen ik die foto van mezelf in de galerie zag, vatte ik plots hoop.'

Aan zijn gezicht was te zien dat hij er geen snars van geloofde. Toch kneep hij iets minder hard.

'Ik maakte mezelf wijs dat het een teken was dat jij ook nog aan me dacht', voegde ik er met een glimlach aan toe. Het begon harder te regenen, maar hij maakte niet de minste aanstalten om ergens te gaan schuilen.

'Enkele dagen geleden heb ik mijn moed bijeengeraapt en ben naar je huis in Watermaal gegaan', ging ik ongemakkelijk verder. 'Je zult me wel een idioot vinden. Toen ik daar aankwam en voor de villa stond, bleef er van die moed niet veel meer over. Net toen ik wou weggaan, schoof de poort open en kon ik nog even een blik naar binnen werpen. Toen zag ik toevallig die man achter een van de ramen...'

'Hoe wist je dat ik vanavond in die bar zou zitten?'

'Ik ben je hierheen gevolgd.' Het laatste woord kwam er piepend uit.

Hij liet eindelijk mijn arm los en ging met gekruiste armen pal voor me staan.

'Dus jij bent het die mij de afgelopen tijd schaduwt... En ik dacht dat ik het me maar voorstelde.'

'Ik heb gezegd dat je me een idioot zou vinden.'

Hij tilde mijn kin op zodat ik zijn priemende blik niet langer kon ontwijken.

'Ik ga je een vraag stellen en je kunt maar beter meteen eerlijk antwoorden', zei hij langzaam en nadrukkelijk. 'Ik heb onlangs gemerkt dat er iemand in de kamer naast de logeerkamer geweest is. De gordijnen waren enkele centimeters opengeschoven en de stoflaag op het nachtkastje was aangeroerd. Ben jij in mijn huis geweest?'

Helemaal van mijn stuk gebracht, kon ik enkel een zwak 'nee' uitbrengen. Zelfs in mijn oren klonk het ongeloofwaardig. Mijn kaken gloeiden.

'Ik wist wel dat ik geen spoken zag...' beet hij me toe. 'Ik schrok me lam toen ik die nacht thuiskwam en die spleet tussen de gordijnen zag.'

'Misschien was het je gast...' stamelde ik nog, maar hij snoerde me meteen de mond: 'Hou op met die onzin. Die was er toen nog niet. Wat wil je van mij?'

Ik kon enkel mijn hoofd schudden. Mijn keel was dichtgesnoerd.

'Luister, ik weet niet wat je van plan bent en eigenlijk wil ik het ook niet weten. Hou op met me te volgen en waag het niet ooit nog eens bij me in te breken... of ik sta niet in voor de gevolgen.'

Ik wou mijn hand op zijn schouder leggen, maar die sloeg hij meteen weg. 'Het verleden is het verleden en ik denk dat het beter is als we dat zo houden.'

Daarna draaide hij zich met een ruk om en liep weg. Nogmaals moest ik rennen om hem weer in te halen. Deze keer was ik het die hem bij de arm greep. Hij was te onthutst om te protesteren.

'Paul, ik moet het weten: heb jij mij opgebeld de dag dat ik naar de expositie ben gegaan? Heb jij zonder iets te zeggen opgehangen?'

'Tot voor een uur geleden wist ik niet eens dat je nog leefde... en maalde ik er eerlijk gezegd ook niet om. Dus waarom zou ik je in godsnaam willen bellen hebben?'

Daarop draaide hij zich weer om, sloeg zijn kraag op en rende weg. Ik keek hem na, moedeloos en natgeregend. Het had geen zin hem opnieuw achterna te rennen. Alles was gezegd.

4

Ik tikte op de deur van Malfliets slaapkamer en wachtte op een teken van leven.

Na een iets hardere tik hoorde ik hem eindelijk kreunen.

'Paul? Ik maak mezelf koffie en wat roereieren. Maak ik voor jou meteen ook een ontbijt?'

Geen antwoord. Ik logeerde hier al lang genoeg om te beseffen dat negen uur onwelvoeglijk vroeg was voor hem.

'Ik kan het naar boven brengen, als je dat wil.' Misschien overdreef ik nu wel wat. Het mocht ook niet te opdringerig worden.

'Voor mij niets', hoorde ik hem mompelen.

Dat betekende waarschijnlijk dat hij weer niet voor de middag zou opstaan, wat mij goed uitkwam. Zo had ik weer wat tijd om ongehinderd het huis en zijn persoonlijke spullen te doorzoeken.

Tot nu toe had ik niks bijzonders kunnen vinden. Niks wat naar de inbraak van tien jaar geleden verwees of niks wat Robins aanwezigheid hier zou kunnen bewijzen.

Wel lagen er overal hopen dure, maar verwaarloosde rommel en een chaos van paperassen in Malfliets kantoor en in de vele wandkasten in de villa.

Toen Malfliet op de dag na mijn intrek voor de hele namiddag naar de galerie was vertrokken voor zijn expositie, probeerde ik meteen iets belangrijks te vinden in die stapels rekeningen, formulieren en dossiers van het familiebedrijf. De man bleek niet de minste zin voor orde te hebben en het enige wat er voor mij op zat was iedere stapel vel na vel te doorlopen. Niet dat het iets had opgeleverd: geen proces-verbaal van verhoor, geen verzekeringsdocumenten. Niks. Ook geen persoonlijke correspondentie.

Het enige vertrek dat ik nog niet had uitgekamd was de zolder. De deur was afgesloten met een hangslot aan een krakkemikkige constructie van twee metalen plaatjes. Het geïmproviseerde slot kon nog niet zo lang geleden zijn aangebracht. Nergens kon ik de sleutel van het hangslot vinden, en dat maakte mij extra nieuwsgierig.

Deze morgen zou ik Malfliets kantoor nogmaals onder handen nemen. Ik schrokte mijn ontbijt naar binnen en ging daarna aan het werk. Uiterst omzichtig opende ik de laden van het bureaumeubel en legde de papieren ondersteboven op de dofgroene vloeilegger, nam ze een na een door en legde ze in de juiste volgorde terug in de lade. Het geluid van een tak die tegen het raam schraapte, deed mij zodanig schrikken dat ik moest gaan zitten en op adem komen. De dag voordien had Malfliet mij nog betrapt toen ik in de kast in de hal aan het snuffelen was – terwijl ik had kunnen zweren dat hij op dat moment een bad nam. Hij had mij droogweg gevraagd of ik iets zocht. Ik kon nog net stamelen dat deze janboel ook wel eens opgeruimd mocht worden en hij stelde geen verdere vragen.

Vertrouwde hij mij na vier dagen onder zijn dak al zodanig? In ieder geval niet genoeg om mij een huissleutel te geven. Die mocht ik enkel lenen als ik boodschappen ging doen. Waarschijnlijk wou hij gewoon zijn pas gevonden, onbetaalde dienstbode niet zomaar wegsturen.

De ochtend na mijn eerste nacht in de logeerkamer – de kamer met de gehaakte bedsprei – had ik mij koortsig en flauw gevoeld. Malfliet had me dan maar voorgesteld nog een dagje extra te blijven. Die avond had ik hem als verrassing en zogezegd als bedankje voor zijn gastvrijheid een compleet diner gekookt met wat ik in de keuken had kunnen vinden dat nog niet bedorven was. Die geste had hem zichtbaar geroerd. Hij was het duidelijk niet meer gewend dat iemand op eigen initiatief iets voor hem klaarmaakte.

Zo was de toon gezet voor onze 'relatie', of beter gezegd: verstandhouding.

Ik was de haveloze zwerver die van aanpakken wist en de boel op orde hield, hij was de weldoener die het zich liet welgevallen. Al vanaf dag twee maakte ik mij nuttig. Ik deed de vaat, de boodschappen, zelfs kleine herstellingen. Malfliet sprak dan ook al snel niet meer over mijn terugkeer naar de studentenflat in Elsene.

In een van de lades lag een blikken sigarendoosje. Ik had Malfliet nog nooit zien roken en de asbakken in de villa waren allemaal ongebruikt – iets wat mij in de rest van de troep meteen was opgevallen.

Ik opende het doosje en zag enkel een ordelijke rij cigarillo's. Toen ik de doos wou terugleggen, hoorde ik echter iets rammelen binnenin. Ik sloeg de klep weer open, nam enkele cigarillo's weg en zag dat er verschillende sleutels voor cilindersloten op de bodem lagen. Dat moest ik onthouden voor later.

Ik schoof de lades weer netjes dicht en ging naar de bijkeuken om een emmer en een spons te zoeken. De badkamer had een poetsbeurt nodig.

Tegen de middag ging de slaapkamerdeur van Malfliet eindelijk open. Hij kwam humeurig naar buiten geschuifeld in zijn kamerjas en pantoffels. Door de open deur van de badkamer wenste ik hem opgewekt goedemorgen. Ik was net de badkuip aan het schrobben.

Hij antwoordde niet meteen, maar kwam in de deuropening staan met een verveelde uitdrukking op zijn groezelige pas-uit-bedkop.

'Kun je dat even laten? Ik moet in de badkamer zijn.'

'Het duurt nog maar een paar minuutjes, Paul. Misschien kun je ondertussen al wat koffie drinken. Ik heb er net nog gezet.' Hij beantwoordde mijn glimlach met een norse grimas.

'Ik moet nu in de badkamer zijn. Het is dringend.'

Ik besefte meteen dat dit een prachtkans was. 'Waarom gebruik je het toilet beneden niet? Dan hoef je hier niet tussen al die schoonmaaktroep te zitten.'

Zijn uitdrukking veranderde, werd harder, maar het was onmogelijk te zeggen waarom precies. Was ik mijn boekje te buiten gegaan?

Hij haalde even scherp adem en zei toen beheerst maar onvriendelijk: 'Dit is mijn huis en ik beslis zelf wel waar ik mijn behoefte zal doen.'

Met een rood hoofd stond ik op en liep langs hem heen de badkamer uit. Toen keerde hij zich bruusk naar mij om, alsof hem iets te binnen was geschoten.

'Hoe weet jij dat er op de benedenverdieping een toilet is?'

Ik bevroor ter plekke en voelde mijn gezicht nog roder en heter worden. Helemaal vergeten dat de deur met het melkglas altijd op slot was en dat ik de sleutel van de bijkeuken genomen had.

'Die deur vlak bij de trap, dat is toch een toilet, neem ik aan?' stamelde ik.

Malfliet keek me minachtend aan. 'Juist gegokt, zullen we maar zeggen', sneerde hij, waarna hij de badkamerdeur achter zich dichtsloeg en op slot deed.

Ik kon mezelf wel voor mijn kop slaan. Nu wist hij zeker dat ik rondsnuffelde... Maar ik wist nu ook zeker dat het geen toeval was dat het toilet beneden nooit gebruikt werd.

Ik sjokte naar beneden en begon een lichte lunch voor ons beiden klaar te maken, hoewel ik verwachtte dat Malfliet mij het huis uit zou zetten zodra hij daarboven klaar was.

Een halfuur later verscheen hij, opgefrist en opgemonterd, in de keuken.

'Is er ook wat voor mij bij?'

Ik gaf hem een bord zonder hem aan te kijken. Hij bediende zich, ging op een kruk zitten met het halfvolle bord op zijn schoot en gebaarde dat ik op de kruk ernaast kon gaan zitten. Ik deed het en wachtte af.

Pas na enkele happen, begon hij: 'Je moet weten dat ik geen baar geld in huis heb, Frank, behalve in mijn portefeuille. Ook geen waardepapieren of zo.'

'Ik ben niet uit op je geld, Paul', kon ik uitbrengen, maar hij luisterde niet en keek zelfs niet eens op van zijn bord.

'De waardevolle voorwerpen zijn allemaal verzekerd... en emotionele waarde hebben ze niet voor mij. Dus ik zou er zelf niet echt slechter van worden als je er een zou meepikken bij je vertrek, maar ik zou wel...' hier zocht hij even naar het juiste woord, 'teleurgesteld zijn.'

'Ik ben geen dief, Paul', zei ik met klem. 'Als het dat is wat je denkt, kan ik maar beter meteen vertrekken.'

Hij schraapte zijn keel. 'Ik denk dat het aan mij is om verontwaardigd te zijn, Frank. Daarbij, niemand heeft iets gezegd over vertrekken. Ik wil gewoon dat we elkaar goed verstaan.'

Het kostte mij alle moeite om geen vuist in zijn smoel te planten, maar als ik nu op hoge poten de deur uit liep, zou alles voor niets geweest zijn. Een weg terug was er niet.

'Ik dacht dat het een rommelhok was en dat ik er bezems en poets-materiaal zou vinden. Vandaar dat ik zo vrij ben geweest om een andere binnensleutel uit te proberen.'

'En gisteren dacht je een stoffer en blik in de kast in de hal te vinden, neem ik aan?' Toen ging hij op een jovialere toon verder: 'Ik wil niet achterdochtig of ondankbaar overkomen, Frank, maar ik heb hier in huis al eens dieven en schorem over de vloer gehad. Zoiets wil ik geen tweede keer meemaken. Dat is alles.'

Mijn oren gloeiden. 'Inbrekers?'

'Zo zou je het kunnen noemen. Krakers. Zeven jaar geleden had ik nog een ander adres als hoofdverblijfplaats. De villa hier stond al een tijdje leeg. Op een dag kreeg ik een telefoontje van een buur die iets verdachts gezien had. Toen ik kwam kijken, zag ik dat enkele daklozen een ruit aan diggelen hadden geslagen en zichzelf *toegang hadden verschaft...*' Hij moest even grijnzen bij zijn eigen sarcasme. Ik voelde mijn hart tekeergaan. 'Dat tuig heeft het huis lelijk toegetakeld. Heb je de slaapkamer aan de westkant gezien, die zonder deur?'

'Ja.'

'Daar twijfel ik niet aan.' Weer die grijns die me woedend maak-te. 'Daar hielden ze 's avonds hun feestjes. Om een lang verhaal kort te maken: toen de politie eindelijk ter plekke kwam, waren ze allemaal reeds gevlogen en een deel van mijn vaders Afrikaanse kunstcollectie met hen.'

Hij had de politie dan toch ooit eens gecontacteerd in verband met een inbraak. Ik was hier niet de enige geroutineerde leugenaar.

'Hebben ze de daders ooit kunnen vatten?'

'Nee, natuurlijk niet.'

Malfliet prikte de laatste stukjes augurk op zijn vork. Het onder-werp interesseerde hem al niet meer, maar ik moest en zou meer weten. Desnoods zou ik het uit hem slaan.

'Heb je geen persoonsbeschrijving van die lui kunnen geven?'

Hij keek naar mij met een zweem van spot op zijn gezicht. Hij dacht dat ik van gespreksonderwerp wou veranderen.

'Ik had mijn toestellen niet bij om boevenshots te nemen, als je dat bedoelt.'

Hij haalde zijn schouders op. 'Wat moest ik zeggen? Al dat uitschot lijkt op de een of andere manier op elkaar. Ze spraken iets wat mij Oost-Europees in de oren klonk. Probeer die maar eens terug te vinden.'

'Er zaten dus geen Belgen bij?'

'Verbaast je dat?'

Hij zette zijn bord op het aanrecht en liep naar de woonkamer. Ik volgde hem als een schoothondje.

'En ze hebben hier overal in huis schade aangericht?'

'Ik heb het niet *allemaal* zelf gedaan.'

'Hebben zij die krassen op de deur van het toilet hier beneden gemaakt?'

Stelde ik het mij voor of aarzelde hij echt een seconde? 'Ja, dat moet wel.' Hij keerde zich verveeld naar mij om. 'Moest jij de badkamer niet verder schoonmaken?'

Hoe beter ik Malfliet leerde kennen, hoe meer ik een hekel aan hem kreeg. Tezelfdertijd kon ik maar geen hoogte van hem krijgen. Als hij werkelijk de bevooroordeelde, burgerlijke zak was die hij leek te zijn, waarom had hij me dan in huis genomen? Waarom kreeg hij nooit bezoek? Zijn soort heeft altijd een uitgebreide kennissenkring.

Wat ik al helemaal niet begreep, was waarom hij me liet blijven. Die namiddag ging hij opnieuw naar de galerie voor het openingsevenement van zijn expositie en liet mij in de villa achter zonder voorzorgsmaatregelen te nemen of een ultimatum te stellen. Dat was in ieder geval niet omdat hij me vertrouwde.

Was hij zo eenzaam dat alles – ik inbegrepen – beter was dan helemaal geen gezelschap? Nee, zo teerhartig leek hij me niet.

In ieder geval zou ik zijn wantrouwen niet beschamen.

Zodra de Lancia uit het zicht verdwenen was, stapte ik naar het kantoor, haalde de sleutels uit het sigarenkistje en probeerde ze uit op alle cilindersloten die ik in en om het huis kon vinden. Het was riskant, maar ik besefte dat ik het niet veel langer als Malfliets huisknecht zou uithouden en dat ik snel een concreter spoor moest ontdekken.

Een van de sleutels paste op een houten afsluiting van Malfliets wijnvoorraad in de kelder. Ik voelde meteen dat ik hier niets zou vinden.

Een andere bleek bij de stalen ketting van de fietsenstalling naast de garage te horen. Toen beproefde ik mijn geluk bij het hangslot aan de zolderdeur. De laatste sleutel die ik probeerde, paste.

Opgewonden, maar ook terughoudend, stapte ik de immense zolderruimte binnen. De lichtschakelaar werkte niet, maar er viel nog net genoeg daglicht door de ongewassen dakramen naar binnen om te zien waar ik mijn voeten zette tussen de stapels afgedankte prullen.

Tegen de schuine wand stonden meubelstukken die waren afgedekt met linnen lakens. Erfstukken, nam ik aan.

Verderop verborg het grauwe linnen een hele collectie oude schilderijen, beeldhouwwerkjes en antieke siervoorwerpen waarvan de stijl al evenmin te rijmen viel met Malfliets smaak. Hadden die krakers deze schatkamer nooit ontdekt? En Robin?

Helemaal in de hoek, waar het al zo donker was dat ik nauwelijks nog kleuren kon onderscheiden, stond een volledige kinderkamer op elkaar gestapeld.

Aan de andere kant van de zolderruimte lagen vergeelde boeken, nog meer paperassen, kapotte apparaten en een smoezelige matras. Op die matras stonden verscheidene schoendozen. Ze vielen mij op omdat zij minder bestoft waren dan al de rest van de troep.

In de dozen lagen honderden foto's door elkaar gegooid. Malfliets mindere werk ongetwijfeld. Ik nam er een paar uit en hield ze in het licht. Stillevens, architectonische detailopnames in zwart-wit en foto's van de villa zelf in betere tijden. Toen graaide ik uit een andere doos enkele portretfoto's: geposeerde gevallen in artistiekerige grijstinten, maar ook ongekunstelde polaroidfoto's van een blonde vrouw die uitdagend gekleed in de lens zat en lag te kijken. Het was duidelijk dat ze de fotograaf probeerde te verleiden of dat waarschijnlijk al gedaan had.

De kiekjes waren opvallend ordinair en amateuristisch, wat me deed veronderstellen dat Malfliet deze niet had gemaakt.

Toch was ik gefascineerd. De spontaniteit en levendigheid van de foto's staken schril af tegen de gestileerde banaliteit van Malfliets kunstwerkjes. Er was één foto bij waarop de vrouw van achteren te zien was. Ze zat naakt op een houten stoel en keek wulps over haar schouder naar de fotograaf. Ik kon niet aan de verleiding weerstaan om de foto op zak te steken. Toen viel mijn oog op de foto eronder: de vrouw droeg enkel een leren jekker en zat met haar benen opgetrokken op een fauteuil. Waarom kwam dat beeld me zo vertrouwd voor?

Die avond kwam Malfliet erg laat terug. Er waren veel mensen – onder wie een paar journalisten – komen opdagen op zijn openingsreceptie en hij was in een merkbaar betere stemming dan eerder op de dag. Hij scheen de wrijving tussen ons vergeten te zijn en praatte honderduit over zijn werk en de reacties van het publiek.

Ik luisterde en knikte beleefd, hoewel mijn weerzin voor deze man zich door mijn lijf verspreidde als een aanval van misselijkheid.

Ondertussen zaten mijn gedachten bij de zoektocht van die namiddag. Mijn excursie naar de zolder had uiteindelijk niks concreets opgeleverd. Robin leek verder weg dan ooit en ik wist niet hoe lang ik hier nog zou kunnen of willen blijven.

Ik had frisse lucht nodig, wou mijn zinnen even verzetten. Nadat ik afgeruimd had, zei ik tegen Malfliet dat ik even een wandeling in de buurt zou maken. Eerst drong hij erop aan dat ik zou blijven en met hem een fles champagne soldaat zou maken om de geslaagde openingsdag te vieren. Ik bedankte vriendelijk, pakte mijn jasje en zei dat ik moest gaan. Tot mijn verbazing sloeg zijn joviale stemming plots helemaal om.

'Moet je nu weg? Het is al bijna nacht.'

'Ja.'

'Hoe laat ben je terug? Ik blijf niet tot de vroege uurtjes op om de deur voor jou open te maken.'

'Hoeft niet, Paul. Misschien blijf ik vannacht wel ergens anders slapen.'

Hij keek me geschrokken aan. 'Je komt toch nog wel terug?'

Na de hooghartige sneren van enkele uren geleden, was die ontsteltenis in zijn stem wel het laatste wat ik verwacht had.

'Ja, natuurlijk', zei ik met een glimlach.

'Ik zou het op prijs stellen als je voor middernacht thuiskwam.'

Hij zag aan mijn frons dat ik het niet begreep.

'Er gebeuren rare dingen in deze buurt de laatste tijd. Inbraken, heb ik gehoord. Ik voel me veiliger als er iemand anders in huis is.'

Ik nam hem plots met heel andere ogen op. Dat was het dus: Malfliet had mij in huis genomen omdat hij bang was in zijn eentje. Hij werd plots een stuk menselijker, maar daarom niet noodzakelijk sympathieker. Mijn weerzin sloeg om in milde minachting. Daarbij voelde ik de kiem van een gevoel van macht. Ik besloot het zaadje te laten groeien.

'Tot later, Paul.'

Hij staarde me na als een kind dat achtergelaten werd.

De volgende dag belde ik net voor de middag aan. Vroeger zou hij toch niet op zijn om mij binnen te laten. De Lancia stond nog op de oprit, zag ik door het traliewerk van de poort. Hij was dus in ieder geval nog niet naar de galerie. Ik had een paar belegde broodjes bij en wat vers fruit. Om het weer goed te maken, bedacht ik met een grijns. Die smolt echter gauw weg toen de poort maar niet wou openschuiven. Was ik gisterenavond te overmoedig geweest en weigerde Malfliet mij nog binnen te laten? Het vooruitzicht om hier op de stoep op hem te staan wachten en hem dan mijn verontschuldigingen te moeten aanbieden, maakte me razend en misselijk tegelijk.

Gelukkig kwam er beweging in het ding nadat ik een derde maal aangebeld had. Ik haastte me naar de voordeur van de villa.

Malfliet opende ze zonder een woord te zeggen en zonder me aan te kijken. Hij had zijn fleece jack aan en had een tas met fotomateriaal in de hand.

'Hallo Paul. Ik heb iets bij voor je', probeerde ik luchtig.

Hij nam een van de broodjes aan en ging de deur uit zonder zich nog naar mij om te keren. Ik bleef hem nakijken en merkte dat hij niet de kant opreed om naar de galerie te gaan.

In het tuinhuis vond ik een verroeste schoffel en een heggenschaar. Daar zou ik het vanmiddag maar mee doen.

Onder het onkruid wieden probeerde ik mijn gedachten op een rijtje te zetten: ik had het hele huis doorzocht en behalve de krassen in de deur van het verboden toilet, had ik geen enkele aanwijzing gevonden dat Robin hier ooit geweest was. En zelfs die opgeheven vleugels konden een stom toeval zijn. Niet lang na mijn aankomst had ik de inkervingen nog eens goed bekeken en ik had moeten toegeven dat je er eigenlijk van alles in kon zien.

Was Robin een van de krakers over wie Malfliet had gesproken? Het was niet ondenkbaar. Het paste bij zijn lak aan sociale conventies, zijn chaotische geest en zin voor avontuur. Het paste daarentegen helemaal niet bij het tijdstip waarop ik voor het laatst iets van hem gehoord had.

Als ik ooit een bruikbare aanwijzing uit Malfliet wou krijgen, zou ik directer moeten tewerk gaan.

Toen ik een struik aan de voorkant van het domein aan het snoeien was, viel mijn oog op een elektrische kabel die langs de omheiningmuur liep. Zou Malfliet dan toch camerabewaking voorzien hebben? Ik liet de heggenschaar vallen en volgde de kabel tot aan wat het motormechanisme van de nog opengeschoven poort bleek te zijn. Dat bracht me op een idee. Met het verontrustende incident van deze middag nog vers in mijn geheugen, besloot ik dat het beter was dat de poort voortaan altijd open zou blijven. Met een schroevendraaier en een tang die ik in een lade in de bijkeuken vond, slaagde ik erin de motor onklaar te maken zonder dat het op moedwillige sabotage leek. Om toch eventuele vermoedens bij Malfliet weg te nemen, zou ik hem vanavond voorstellen om de herstellingsdienst voor hem te bellen. Zo wist ik tenminste dat hij het zelf niet zou doen. Daarenboven hoopte ik dat het gapende gat in zijn vestingmuur hem extra paranoïde en nerveus zou maken.

Malfliet kwam in de vooravond terug met modder aan zijn schoenen en groenige vlekken op zijn broek. Natuurfoto's, nam ik aan, voor zijn *verstild leven*-collectie.

Hij zag me aan het werk toen ik een bloemperk stond te schoffelen en kwam naar me toe.

'Ik heb je niet gevraagd om de tuin in orde te brengen, Frank. Als je iets nuttigs wilt doen, kan ik je wel een paar muren en raamkozijnen aanwijzen die geverfd mogen worden.'

Ik was verrast door zijn geïrriteerde toon. Anders had hij er nooit wat op tegen als ik op eigen initiatief klusjes uitvoerde in de villa.

'Het was nodig, Paul. Als je me nog een halfuurtje geeft, is de hele voorkant van de tuin klaar.'

Hij rukte de schoffelsteel uit mijn handen en siste mij toe dat ik uit de tuin moest blijven.

Ik zei niks, maar de verbazing op mijn gezicht moest des te sprekender geweest zijn. Hij bleef even stilstaan. 'Ik heb hem graag zo verwilderd, zie je. Dat levert sfeervolle beelden op die ik als achtergrond voor mijn foto's kan gebruiken.'

Omdat ik hem bleef aanstaren, voegde hij er nog aan toe: 'Het geeft een zekere diepzinnigheid, een symbolisch cachet aan de foto's.'

Had hij liever niet dat de buren mij zagen en erachter zouden komen dat ik bij hem inwoonde? Ik hield mijn mond en volgde hem het huis in.

Als ik het directeur wou beginnen spelen, kon ik er evengoed meteen mee beginnen: 'Paul, er heeft daarnet iemand gebeld voor jou. Een zekere Robin Schaeffer. Hij vroeg of je hem terug kon bellen.'

'Wie?' Ik lette met argusogen op een teken van herkenning, twijfel of ongemak in zijn gezicht, maar kon niks opmaken uit zijn matte uitdrukking.

'Robin Schaeffer.'

'Nooit van gehoord. Heeft hij een telefoonnummer gegeven?'

'Nee. Hij beweerde dat je hem kende.'

'Wel, dan vergist hij zich.'

En dat was dat. De moed zonk me steeds dieper in de schoenen.

Malfliet ging die avond vroeger weg dan gewoonlijk. Hij zei niet wanneer hij zou terugkomen.

Ik had het hele huis voor mezelf, maar in plaats van verder te zoeken naar wat dan ook, bleef ik de hele avond voor de tv hangen. Niet dat iets op het beeldscherm ook maar tot mij doordrong. Tegen de tijd dat het late journaal begon, was ik ervan overtuigd dat ik een hersenschim had nagejaagd.

Als Robin nog in leven was en zijn broer ooit wou terugzien, zou hij maar op eigen initiatief moeten opduiken. Het zou in ieder geval makkelijker voor hem zijn om mij te vinden dan omgekeerd.

Het voelde alsof ik eindelijk ontnuchterd was. De betovering van mijn vondst op de onderkant van de wc-deur en de opwinding van het detectivespelletje hadden plaatsgemaakt voor een emotionele kater.

Er moest weer praktisch gedacht worden: ik moest opnieuw zwartwerk zoeken, op consult gaan bij sociaal assistentes. Het idee dat ik weer bij mijn moeder moest intrekken maakte me moedeloos. Ik was er gisterennacht geweest en het oude mens had een scène gemaakt die je voor haar leeftijd niet mogelijk achtte. Een van de buren had zelfs aangebeld om te weten waarom ze zoveel kabaal maakte. Ik mocht nog blij zijn dat hij de politie er niet bij had gehaald.

Ik keek mismoedig naar alle luxe en ruimte om me heen en eensklaps overviel de beslissing mij gewoon: ik zou blijven.

Malfliet had zelf gezegd dat hij mijn aanwezigheid op prijs stelde, dat hij zich onzeker voelde alleen, dus waarom niet? Ik zou de boel wat op orde houden en in ruil daarvoor zou hij me een tijdje laten blijven. Misschien zou hij me later dan wel aan een echte baan kunnen helpen, dat soort lui had altijd connecties zat.

Even maakte ik mezelf zelfs wijs dat ik niet echt een hekel aan hem had.

Tegen elf uur werd ik opgeschrikt. Malfliet kwam terug. Ik schakelde de tv uit en probeerde iets monters te zeggen, maar kon niets bedenken. Malfliet had er geen erg in. Hoewel hij duidelijk al heel wat gedronken had, liep hij rechtstreeks naar de bar.

'Alles goed met je, Paul?'

'Ja.' Het klonk afwezig en ik begreep dat ik beter niet kon aandringen.

'Goedenacht dan maar, Paul.'

De volgende morgen was de opflakkering van optimisme even abrupt weer verdwenen als ze gekomen was. Ik was vroeg wakker geworden uit een woelige slaap en had geen zin om te blijven liggen. Ik sleepte mezelf dan maar uit het logeerbed, opende de gordijnen en keek een typisch Brusselse, troosteloze morgen tegemoet.

Ik slenterde wat door het huis met een kop koffie in mijn hand. In het schemerduister van de woonkamer wist ik ternauwernood een plas braaksel op het tapijt te ontwijken. Malfliet was dan toch niet zo'n door de wol geverfde drinker als ik had gedacht. Had hij die smurrie hier laten indrogen omdat hij ervan uitging dat ik het wel zou opdweilen? Dan had hij zich deze keer vergist.

Het geluid van voetstappen op het grind wekte me uit mijn lethargie. Ik schoof het gordijn een eindje opzij en zag nog net een glimp van een vrouw met een overmaatse zonnebril die naar de voordeur liep. Ik probeerde te beslissen of ik al dan niet zou openmaken en hoe ik mijn aanwezigheid hier het best zou verklaren. Toen drong het tot me door dat er helemaal niet was aangebeld.

Ik sloop naar het schermpje van de videofoon. De vrouw stond nog steeds voor de deur. Ze had nu een envelop in de hand, maar aarzelde om ze in de brievengleuf te stoppen. Toen nam ze haar zonnebril af en keek ze recht in de camera. Ik kende dat gezicht. Het leek volkomen irreëel en toch wist ik zeker dat ik haar onlangs nog gezien had. Ik had Malfliet nog maar met één vrouw gezien, de donkerharige met de rode regenjas met wie hij de galerie uit kwam. Deze vrouw was blond.

Toen bukte ze zich en schoof de envelop onder de voordeur door. Het volgende ogenblik was ze al van het videoscherm verdwenen.

Ik raapte de envelop op. Er stond niks op geschreven, zelfs geen naam. En toen wist ik opeens waar ik haar eerder had gezien: op de foto's die ik op zolder gevonden had.

Ik liep naar het kantoor om me ervan te vergewissen dat Malfliet zelf nog witte omslagen had. Toen ik een identiek exemplaar gevonden had, scheurde ik de envelop open en nam de brief eruit.

Beste Paul,

Ik hoop dat ik er goed aan doe je op deze manier te schrijven.

Misschien vind je van niet, maar na onze ontmoeting in de bar gisterenavond, bleef ik met zo veel verwarde en tegenstrijdige gevoelens achter dat ik geen andere keus heb.

Ik vroeg me af of die ontmoeting in de bar de oorzaak was geweest van Malfliets humeur. Dat moest wel.

Ik ben tot de conclusie gekomen dat ik nog steeds sterke gevoelens voor je heb, Paul. Na ons gesprek kan en wil ik dat niet meer ontkennen. Ik heb de laatste jaren al genoeg in ontkenning geleefd. Maar dat heb je ondertussen wel al min of meer begrepen.

Ik wil me niet opdringen, Paul, en ik begrijp dat je nu een ander leven hebt, maar toch vind ik dat die heel speciale tijd die we samen hebben gehad, die lente van 1999, beter verdient dan zomaar genegeerd te worden. Als ik niet dacht dat jij ergens dezelfde gevoelens moet hebben, zou ik je deze brief nooit schrijven.

Ik wil je erg graag opnieuw zien, Paul. Maar nu echt, niet zo plots, onverwachts en confronterend. Ik laat het echter aan jou over om de volgende stap te zetten. Hieronder vind je mijn telefoonnummer. Bel maar wanneer je er klaar voor bent.

Zoals je ongetwijfeld zult begrijpen, zal ik niet vrijuit kunnen spreken als Eric in huis is. Wees dan ook niet verbaasd als ik net doe alsof je voor het autozoekertje belt :-)

Zetten mensen eigenlijk smiley's in handgeschreven brieven?

Tot ziens,
Liz

Ik schreef het telefoonnummer over, stopte de brief in de nieuwe blanco envelop en legde ze terug aan de voordeur. Het jaartal in de brief bleef me door het hoofd spoken. In de lente van 1999 had ik Robin voor het laatst gezien... in de bezoekruimte van de gevangenis. Ook zijn laatste brief, waarin hij zijn wilde plannen in codetaal uit de doeken deed, dateerde van toen.

Het was alsof iemand mij met een hartdefibrillator nieuw leven had ingeschokt. Ik voelde me weer opgeladen en kreeg dat zweverige, bijna bedwelmende gevoel dat ik goed zat. Dat ik precies deed wat ik moest doen.

Ik stapte kordaat naar de bijkeuken om een emmer water, een dweil en wat tapijtreiniger te halen.

Malfliet stond die dag nog later op dan gewoonlijk. Hij leek weer wat opgeruimd en deed zelfs een poging een vriendelijke opmerking te maken over het schone tapijt. Toch was hij met zijn gedachten nog steeds ergens anders.

Ik zei niks over de brief, maar dat was ook niet nodig: na de lunch van onbelegde beschuiten en yoghurt had hij zich weer op zijn slaapkamer teruggetrokken. De vloermat aan de voordeur was leeg, dus had hij de brief meegenomen.

Zoals ik verwachtte, zei hij er geen woord over.

Die namiddag vertrok hij zonder iets te zeggen. Was hij haar gaan opzoeken?

Ik besloot mijn telefoontje nog wat uit te stellen.

Terwijl ik op Malfliets terugkeer wachtte, klaarde ik nog wat klussen in en om het huis.

Het houtwerk van de pergola achter het huis kon wel een nieuwe laag verf gebruiken. Ik had wat borstels en verfblikken in het tuinschuurtje zien staan.

Daar wachtte mij een verrassing: Malfliet had de deur met een ketting vastgemaakt. Het slot kwam mij bekend voor. Het was de ketting die ik eerder in de fietsenstalling had gezien.

Na het avondeten zei ik tegen Malfliet dat ik even een luchtje ging scheppen. Ik voegde eraan toe dat ik voor middernacht terug zou zijn, maar was niet eens zeker dat mijn eerste opmerking tot hem was doorgedrongen.

Hij ijsbeerde door de woonkamer, weer met een glas cognac in zijn hand, en gromde iets onbestemds terug.

Het was even zoeken naar een bruikbare telefooncel in deze buurt, maar gelukkig was de eerste die ik zag vrij.

Aan de hand van het telefoonnummer had ik via het internet ook de volledige naam en het adres van 'Liz' kunnen achterhalen. Het zou mijn opvoering geloofwaardiger maken. Waarschijnlijk zou ook dit telefoontje op een slag in het water uitdraaien, maar het was het proberen waard.

Met trillende vingers tikte ik het nummer in.

De telefoon werd eindelijk opgenomen. Tot mijn opluchting was het een vrouwenstem: 'Elizabeth Verstraete.'

'Goedenavond, mevrouw Verstraete. Dit is de politie van Brussel. Ik vroeg mij af of u ons wat inlichtingen kon geven.' Ik probeerde vermoeid en verveeld te klinken, wat extra moeilijk was met een verdraaide stem.

'Wilt u mijn man misschien spreken? Dat is een collega van u.'

Ik was sprakeloos.

'Een collega?'

'Ja. Eric Verstraete. Hij werkt voor de gerechtelijke politie.'

Dat was een tegenvaller, maar ik mocht er me niet door laten afleiden.

'Het is in verband met een verdwenen persoon, mevrouw Verstraete, een zekere Robin Schaeffer. Wij hebben reden om aan te nemen dat u hem kent. Of gekend hebt.'

Er viel een stilte aan de andere kant van de lijn. Het antwoord kwam met horten en stoten: 'Kan ik u daar later over terugbellen? Het komt nu even niet goed uit.'

Ik kon mijn oren niet geloven. In plaats van de kurkdroge 'nooit van gehoord' die ik verwachtte, had het mens impliciet toegegeven dat ze Robin kende. Ik begon zelf ook te stamelen: 'Terugbellen?

Nee, nee, dat zal niet gaan, mevrouw. Ik bel u zo laat op de avond omdat ik absoluut morgenvroeg verslag moet uitbrengen. Kunt u mij gewoon zeggen of u weet waar hij nu zou kunnen zijn?'

Ik merkte dat ze de hoorn dichter bij haar mond was gaan houden om minder luid te hoeven spreken. 'Nee. Daar weet ik niets van. Het is jaren geleden dat ik hem nog gezien heb.'

Ik was niet van plan haar zomaar van de haak te laten: 'Onder welke omstandigheden was dat, mevrouw Verstraete?'

'Dat is privé. Moet ik echt...' Ze klonk nu erg onzeker.

'Dit is een zaak van vermiste personen, mevrouw. Informatie achterhouden is een misdrijf.'

Wat bluffen en dreigen kon geen kwaad. Na wat ik gehoord had, kon ik aannemen dat zij haar man er zeker niet bij wou halen voor advies.

'Ik heb meer dan tien jaar geleden een... iets met hem gehad. We waren toen nog jong. Het stelde eigenlijk helemaal niets voor.'

Ik moest mezelf knijpen om in mijn rol van verveelde dienstklopper te kunnen blijven. 'Wanneer hebt u hem voor het laatst gezien?'

'Jaren geleden...'

Ik kon mijn ongeduld nauwelijks uit mijn stem houden: 'Kunt u wat preciezer zijn?'

Dat kon ze, en opvallend genoeg zonder erover te moeten nadenken: 'In 1999.'

'Maand?'

'Dat weet ik niet meer. Het voorjaar.'

'Hebt u hem ook in het voorjaar van 1999 leren kennen?'

'Nee. Al een tijdje daarvoor.'

'Hoe hebt u hem leren kennen?'

Toen draaide ze abrupt de rollen om: 'Hoelang wordt hij al vermist?'

'Sinds mei 1999, mevrouw Verstraete. U begrijpt dat uw informatie heel waardevol voor ons kan zijn.'

'Maar wij zijn lang voordien uit elkaar gegaan. Definitief. Ik zie dus niet in wat ik u zou kunnen zeggen.'

Ik dwong mezelf om razendsnel te denken.

'Heeft hij u niet gezegd wat zijn toekomstplannen waren? Weet u met wie hij omging?'

'Nee. Hij praatte nooit met mij over zijn plannen of bezigheden. De paar vrienden van hem die ik ontmoet heb, mocht ik niet. Ik ken hun namen ook niet.'

'Heeft hij ooit contact met u proberen op te nemen nadat de relatie afgesprongen was?'

'Nee.' Stelde ik het me voor, of hoorde ik spijt in haar stem?

'Was er een bepaalde reden waarom u de relatie hebt afgebroken?'

'Ik moet nu echt ophangen. Goedenavond.' Zonder verdere plichtplegingen verbrak ze het gesprek. Ik nam aan dat haar man te dicht in de buurt was gekomen.

Op de weg terug naar de Wilgenlaan bleef ik het gesprek in mijn hoofd herhalen.

Ze had Robin lange tijd voor zijn verdwijning leren kennen, had in het voorjaar van 1999 een zo te horen moeizame relatie met hem gehad, maar brak die al gauw weer af. Ze mocht zijn vrienden niet en wist niets van zijn toekomstplannen. Ze had sindsdien niets meer van hem gehoord en had blijkbaar ook geen idee hoe lang hij al vermist was. Al die zaken konden waar zijn of deels gelogen.

Dit was wat ik zeker wist: Elizabeth Verstraete had Robin niet lang voor hij van de aardbodem verdween intiem gekend. Een dergelijke relatie zou ze misschien wel willen verdoezelen, maar toch zeker niet verzinnen.

Ze had zenuwachtig en verbouwereerd geklonken toen ik zijn naam noemde, maar dat hoefde niet per se iets te betekenen. Een onverwachte oproep van de politie over een oude vlam zou heel wat vrouwen van streek maken.

Maar dat diezelfde Elizabeth Verstraete rond diezelfde tijd ook iets met Malfliet had en dat ze die relatie nu, na al die jaren, plots nieuw leven wou inblazen, betekende wel iets.

En dan was er de bizarre kwestie van de polaroidfoto's op zolder. Had Robin die gemaakt? Waarom lagen ze dan op Malfliets zolder?

Ik wou Elizabeth Verstraete absoluut verder aan de tand voelen, maar besefte dat dat allesbehalve evident zou zijn. Zonder overtuigende identificatiepapieren kon ik nooit bij haar aankloppen. Zeker als ze haar man in vertrouwen zou nemen. Ze hoefde hem niet alle details van het gesprek te vertellen.

Ik zou een andere manier moeten bedenken om meer informatie los te krijgen.

Ondertussen moest ik zo lang mogelijk in de villa blijven rondhangen. Malfliet mocht mij niet aan de deur zetten, net nu ik zeker wist dat ik op het juiste spoor zat.

Toen kreeg ik een inval. Ik rende terug naar de telefooncel en vormde het nummer van Malfliet.

Ik wist dat hij zijn vaste lijn nauwelijks gebruikte. Een vreemd telefoontje zo laat op de avond zou hem zeker zenuwachtig maken. Toen hij opnam en zijn naam zei – ik herkende de norse toon van mijn eerste telefoongesprek met hem – wachtte ik enkele tellen en legde neer. Laat de paranoia haar werk maar doen, dacht ik.

In de villa trof ik hem aan in het binnenvertrekje dat hij soms als donkere kamer gebruikte. Hij keek nauwelijks op van zijn clichés toen ik binnenkwam, maar ik keek wel naar hem – en met heel andere ogen. Dit was dus de liefdesrivaal van mijn broer geweest. Onvoorstelbaar, maar waar.

Ik vertelde honderduit over de kennis die ik zogezegd tegen het lijf was gelopen en weer luisterde hij maar met een half oor. Ik zag dat als een goed teken.

5

Toen ik het grindpad weer af liep, voelde ik Malfliets ogen in mijn rug branden. Ik durfde niet achterom te kijken. Ik wist dat mijn poging om het onopvallend aan te pakken al meteen in het water was gevallen.

Het geluid van de kiezels die onder mijn zolen knerpten en het wee makende gevoel van afwijzing brachten mij weer helemaal terug naar mei 1999. Zelfs de geur van de seringen was dezelfde.

Bij mijn thuiskomst merkte ik dat Eric na zijn late dienst nog aan het slapen was. Hij had waarschijnlijk niet eens gemerkt dat ik de flat uit was geweest.

Ik maakte het middageten klaar, maar kon mijn aandacht er niet bij houden. Ik keek voortdurend naar het telefoontoestel op het kastje in de hal.

Toen het ding opeens begon te bliepen, schrok ik niettemin zo erg dat ik me met een aardappelmes in de vinger sneed. Het duurde enkele tellen voor ik me voldoende had vermand om te antwoorden. Het bleek een vergissing te zijn. Met een wrange smaak in mijn mond ging ik weer achter het fornuis staan. Was het teleurstelling of opluchting?

Eric schrokte de prak op zijn bord naar binnen. Ik keek ernaar.

'Heb je geen honger?' vroeg hij met die vertrouwde zweem van achterdocht in zijn stem.

'Nee, mijn maag ligt in de knoop', antwoordde ik naar waarheid.

'Heb jij in mijn wapenkluis zitten snuisteren?' vroeg hij tussen twee happen door.

'Je weet dat ik die code niet ken.' Zelfs ik was verrast door mijn zelfbeheersing. 'Waarom? Mis je iets?'

'Toen ik daarnet keek, dacht ik dat de FN er omgekeerd in zat.'

'Dan heb je er hem omgekeerd ingestoken, schat', zuchtte ik en stond op om mijn bord op het aanrecht te zetten. Godzijdank liet hij het daar bij.

Eric had die dag weer late dienst. Dat betekende dat ik hem nog een stuk van de namiddag in het appartement moest verdragen. Hij lummelde de hele tijd maar wat om me heen en het lukte me niet om mijn prikkelbaarheid voor hem verborgen te houden.

Waarom had ik mijn vastelijnnummer toch in die brief gezet?

Ik had Malfliet toch niet meteen mijn mobiele nummer kunnen

geven. Bovendien nam Eric stiekem mijn berichten door. Er zat dus niets anders op dan thuis te blijven rondhangen om altijd als eerste bij het telefoontoestel te zijn.

'Je lijkt zenuwachtiger dan gewoonlijk', merkte Eric van achter zijn krant op. 'Is er iets?'

'Nee, gewoon een van mijn buien', antwoordde ik verveeld.

'Je hebt de laatste tijd wel opvallend veel van die buien', zei hij verwijtend.

'Het gaat wel weer over.'

Toen hij eindelijk de deur uit was, wou de spanning niet afnemen. In de leegte van de flat kregen de twijfel en de herinneringen pas echt vrij spel in mijn overvolle hoofd. Waarom belde hij niet? Wat was er gaande? Was ik te laat?

Pas laat in de avond werd ik door een schrille beltoon uit mijn gepieker gerukt. Met een dichtgeknepen keel bracht ik 'Elizabeth Verstraete' uit.

Maar weer was het niet Malfliet die belde. Het was een verre collega van Eric die de naam van Robin Schaeffer had opgedolven om mij ermee om de oren te slaan. Nog lang nadat ik in paniek had opgehangen, voelde ik de klap nazinderen. Hadden ze hem gevonden? Sinds wanneer zochten ze hem? Hoe wist die vent dat ik Robin gekend had, en hoe wist hij me te vinden? Hier en nu, als mevrouw Verstraete?

Hoe lang zou het duren voor Eric dit te horen kreeg? Misschien niet officieel, maar als gerucht dat op fluistertoon rondging aan de koffieautomaten?

Ik kroop rillend weer in de fauteuil en wist dat ik meer dan ooit met Paul *moest* praten.

De dag daarop kreeg ik eindelijk mijn kans. Het was nog voor de middag toen de telefoon weer ging. Gelukkig maar, Eric lag nog in bed.

'Elizabeth?' Het barse geluid van zijn stem bezorgde me kippenvel.

'Paul...'

'Ik heb je brief gevonden. Ik weet niet wat je van plan bent, maar die onzin moet ophouden. Ik heb je al gezegd dat...'

'Ik moet absoluut met je spreken, Paul.' Ik probeerde mijn stem onder controle te houden. 'De politie heeft mij gisteren enkele vragen gesteld. Ik wil weten wat er aan de hand is voor ze er nog meer stellen.'

Het bleef stil aan de andere kant van de lijn.

'Luister, als dit een soort truc is om...'

'Paul!'

Weer bleef het even stil. '... Kom deze namiddag om vier uur terug naar de bar in Vorst. Ik zie je daar dan wel.'

Hij hing op zonder een antwoord af te wachten. Dat was in al die tijd niet veranderd.

Omstreeks tien voor vier kwam ik aan en zag dat de bar nog gesloten was. Het geluid van een claxon deed me opschrikken. Toen ik achterom keek, herkende ik de auto van Malfliet.

Het passagiersportier werd opengeduwd en van achter de voorruit wenkte de man zelf me naar binnen. Ik stapte in en zag meteen dat hij in een rothumeur was.

'Wel...?' vroeg hij geagiteerd toen ik het portier had dichtgeklapt. Het had geen zin om rond de pot te draaien.

'De politie heeft me gisteren gebeld', zei ik zonder hem aan te kijken. 'Ze zijn op zoek naar hem.'

'Naar hém?' Het klonk alsof hij plots een vieze smaak in zijn mond had gekregen.

'Ik begrijp niet hoe ze erachter gekomen zijn dat ik hem vroeger nog gekend heb. Anders zouden ze mij toch nooit bellen?'

Malfliet boog zich naar me toe. 'Denken ze dat hij nog in leven is?'

Ik keerde me naar hem toe en bracht mijn gezicht vlak bij het zijne. Dicht genoeg om zijn lichaamsgeur te ruiken. Dicht genoeg om intiem te worden. 'Ik ben bang, Paul.'

Hij bleef me strak aankijken.

'Is het daarom dat je mij dat briefje geschreven hebt?'

Ik draaide mijn hoofd weg. 'Nee. Ze hebben mij pas daarna gebeld.'

'Toevallige samenloop van omstandigheden...?' Het sarcasme in zijn stem beviel mij niet.

'Geloof je me niet? Denk je dat ik dit verzonnen heb om je weer te kunnen zien?'

'Dat heb ik niet gezegd.'

Hij zonk weer weg in een stilzwijgen, keek voor zich uit met zijn handen op het stuur, maar maakte geen aanstalten om de motor te starten. Dat gaf me weer wat moed. Ik wist tenminste dat hij zich niet meteen uit de voeten wou maken. Buiten de auto gonsde het alledaagse leven gewoon verder. Scholieren liepen voorbij, verkeerslichten versprongen van kleur en het verkeer schuifelde verder. Maar in de auto zelf leek alles verstild. Ondanks alle spanning vond ik het een gevoel om te koesteren.

'Wat moeten we doen, Paul?'

'Waarom zouden we iets moeten doen?' vroeg hij gelaten.

'Ik maak me zorgen', zei ik met een klein stemmetje.

'Om hém? Je windt je voor niets op. Hij zal heus niet terugkomen om je leven verder te verzieken.' Hij keek me zijdelings aan met een blik die alles en niets kon betekenen.

'Heb jij spijt, Paul?'

Hij reageerde alsof een wesp hem gestoken had: 'Hoe bedoel je?'

Ik zuchtte. 'Ik heb van zo veel dingen spijt. Als ik terugkijk op mijn leven denk ik dat het één aaneenschakeling van ongelukkige beslissingen is. Het lijkt wel alsof ik een gat voor mezelf gegraven heb waar ik nooit meer uit kom.'

'Ben je niet wat jong voor zo veel fatalisme?'

'Jong? In de spiegel zie ik een voortijdig afgeleefde doos. Het is geen kwestie van jaren of rimpels, maar van geen opties meer te hebben om nog iets aan je leven te veranderen.'

Hij keek me argwanend aan. 'Er zijn altijd mogelijkheden. Je hebt lef genoeg.'

'Zonder eigen inkomen, diploma's, bruikbare ervaring of relaties zal lef niet volstaan, vrees ik. En als ik een beslissing neem, zal het wel weer de verkeerde zijn.'

'Waarom vertel je me dit allemaal?'

Hier aarzelde ik even. 'Toen ik die titel boven je werk, *Gemiste Kansen*, zag, dacht ik dat jij hetzelfde voelde... Dat we na al die tijd toch iets gemeenschappelijks hadden.'

'Het zijn maar foto's', antwoordde hij na een stilte. 'Sommige mensen beweren dat iedere foto een beeld van een gemiste kans is: in plaats van het moment te beleven, heb je het van achter een toestel bekeken en vastgelegd.'

'Om het later opnieuw te beleven?'

'Nee, om te zien wat je gemist hebt.'

Ik keek hem niet-begrijpend aan.

'Sorry, het is maar dilettantenfilosofie', voegde hij eraan toe.

'Je hebt mij gefotografeerd', probeerde ik voorzichtig. 'Je hebt mij toch niet gemist?'

'Nee, jou heb ik niet gemist', zei hij plots dromerig.

'Ik heb *jou* wel gemist', antwoordde ik. 'Die paar dagen dat we samen waren betekenden veel meer voor mij dan goed voor me was. Na onze breuk heb ik jaren rondgezwalkt. Eerst zat er niets anders op dan terug naar mijn ouders te gaan. Je had hun leedvermaak moeten zien. Ik was zo wanhopig om daar weer weg te komen, dat ik halsoverkop toestemde toen de eerste de beste me ten huwelijk vroeg.'

'De politieman?'

'Ja, die. In het begin was het nog niet zo erg. Hij was heel bezitterig, maar dat vond ik niet erg. Het bewees dat hij van mij hield, maakte ik mijzelf wijs. Hij sloofde zich uit om het mij naar de zin te maken met geschenkjes en snoepreisjes. Ik liet het me allemaal welgevallen, hoewel ik weinig of niets voor hem voelde... zelfs geen vriendschap.' Ik schoof wat dichter naar hem toe. 'Hij is zo'n man van weinig woorden. Vrouwen vermoeden graag dat zo iemand een diep en stormachtig innerlijk leven heeft en komen er te laat achter dat hij gewoon niets te zeggen heeft.'

'Waarom denk je dat ik anders zou zijn?' onderbrak hij me.

Ik stak mijn hand uit naar de zijne die op de versnellingspook rustte. 'Omdat ik jou in die paar dagen dat we samen waren beter heb leren kennen dan Eric in meer dan zeven jaar.' Hij snoof verachtelijk, maar trok zijn hand niet terug. 'Je zult me wel sentimenteel vinden.'

'Je kende me blijkbaar niet goed genoeg om te voorzien hoe het zou aflopen...' zei hij zachter dan verwacht.

'Nee, dat had ik inderdaad nooit van jou verwacht. Maar ik besef nu dat je vond dat je geen andere keus had.'

'Je hebt me dus vergeven?' vroeg hij schamper.

''t Is geen kwestie van vergeven, Paul, maar van begrijpen.'

'En sinds wanneer begrijp je mij al?'

Ik liet me niet uit het veld slaan.

'Al jaren. Vanaf het moment dat de eerste emoties wat waren weggeëbd.'

'Je hebt er lang mee gewacht om nog iets van je te laten horen. Je wist toch waar ik woonde?'

'Ik heb jarenlang geprobeerd een beter leven op te bouwen, Paul, in de hoop op een tweede grote verrassing. Ik wist dat jij jouw leven had en dat ik daar wellicht nooit in zou passen tot...'

'... tot je die foto in de galerie zag', maakte hij mijn zin koudweg af.

'Ja. De confrontatie met dat beeld heeft me een schok gegeven. Ik realiseerde me dat ik in ontkenning leefde en dat ik nog altijd om je gaf... en dat ik al genoeg tijd verloren had. Ik heb meer lef dan trots, Paul, daarom besloot ik je terug te zien.'

Vanuit zijn ooghoeken keek hij me aan. Ik had geen flauw benul van wat hij dacht of waarom hij bleef luisteren. Ondanks mijn pogingen om hem uit zijn schelp te lokken, zat ik de hele tijd mijn ziel te luchten.

'Heeft die vent van de politie ook iets gevraagd over de inbraak?'

Zijn vraag verraste me. Ik legde mijn hand terug op mijn schoot.

'Nee, ik geloof van niet', stamelde ik binnensmonds. 'Waarom?'

'Ik heb onlangs ook een telefoontje van de politie gekregen.' Hij wierp een blik in de achteruitkijkspiegel alsof hij verwachtte dat iemand hem in de gaten hield. 'Over de inbraak.'

Het werd me kil om het hart. Als hij de waarheid sprak, was er iets akeligs op til. Als hij het verzon, was het om mij te testen. Ik vermoedde dat ik zou falen.

'Heb jij dan ooit aangifte gedaan?' vroeg ik.

'Nee,' antwoordde hij, 'dat is het hem net.'

'Weet je vriendin over de inbraak?'

'Vriendin?'

'Die vrouw met de parelketting... Toch?' Zijn impliciete ontkenning was me niet ontgaan.

'Denk je misschien dat zij achter mijn rug aangifte gedaan heeft?'

'Dus ze weet ervan?' drong ik aan.

'Ach welnee...' Hij klonk verveeld, maar ook onzeker. Ik had een zaadje twijfel kunnen planten.

'Paul, zei je de vorige keer niet dat er in je huis was rondgesnuffeld? Misschien was zij het wel? Misschien zocht ze iets of was ze gewoon nieuwsgierig?'

Hij antwoordde niet, maar ik meende te kunnen zien dat het zaadje begon te kiemen.

'Paul, ik ben bang.'

Hij zuchtte. 'Het beste wat je kunt doen is uitstappen, terug naar je bezitterige man gaan en alles vergeten. Voorgoed deze keer.'

Ik had zin om het uit te schreeuwen. 'Denk je dat ik thuis, in dat benauwde appartement niet bang ben? Soms word ik bang dat ik daar nooit meer weg raak, dat dit alles is wat het leven me nog te bieden heeft, en dat het enkel nog slechter kan worden.

De enige keer in mijn volwassen leven dat ik niet bang geweest ben, was tijdens die paar dagen met jou. Ik herinner me hoe ik door dat prachtige huis van je liep en het gevoel had dat ik zweefde. Ik weet nog hoe ik naar je lag te kijken terwijl jij sliep, je haar streelde. Het was alsof ik eindelijk thuis was gekomen. En jij vraagt me alles gewoon te vergeten?'

Deze keer legde hij zijn hand op de mijne. De warmte leek recht naar mijn hart te vloeien. *Eindelijk*, gonsde het door mijn hoofd.

'Het heeft geen zin om in het verleden te leven, Liz. Zeker niet als het zo pijnlijk was als je beweerde.'

Ik pakte zijn hand en vleide die tegen mijn wang.

'Ik kan er niets aan doen, Paul. Het verleden is zoveel levendiger dan dit doodse bestaan.'

Weer zei hij niets, maar streelde mijn slaap met zijn duim.

'Denk jij ook nog wel eens aan mij?' vroeg ik met een triest lach-je.

Van de tederheid van zijn hand was in zijn strakke blik niets te merken. Ook in zijn stem niet toen hij afgemeten antwoordde: 'En wat dan nog?'

Zonder verder te vragen, drukte ik mijn lippen tegen de muis van zijn hand. Meer hoefde ik voorlopig niet te weten.

6

Malfliet kwam rond zes uur thuis met een zorgelijke uitdrukking op zijn gezicht.

Hij zei geen woord en keek me niet aan toen hij langs me heen naar de doka liep.

Ik nam een fles cognac en een paar glazen uit de bar en volgde hem naar zijn donkere kamer. Daar zat hij in volslagen duisternis op een houten kruk. Ik bleef in de deuropening staan: 'Paul, wat is er met je aan de hand? Je loopt al een paar dagen verward en kribbig door het huis. Je praat nauwelijks, eet bijna niks...'

'Het spijt me. Het heeft niks met jou te maken.'

'Ik maak me zorgen.'

Hij maakte een snuivend geluid dat van alles kon betekenen. 'Dat is aardig van je. Wil je nu die deur dichtdoen?'

Ik liet ze openstaan. 'Gaat alles goed met je tentoonstelling?'

'Voor zover ik weet wel. Ik ben er al een tijdje niet meer geweest.'

'Moet je daar dan niet aanwezig zijn?'

'De organisatoren kunnen het wel zonder mij aan.'

'Ik ben er deze namiddag geweest', zei ik monter.

Malfliet keek op en leek me voor het eerst echt te zien.

'Werkelijk? Wat vond je van de foto's?'

'Mooi. Hoewel ik natuurlijk niet zo veel verstand van dat soort zaken heb.'

'Er komt geen verstand bij kijken', antwoordde hij kortaf. 'Je vindt het mooi of niet. Het raakt je of het laat je onverschillig. Was er veel volk?'

'Een paar mensen. Waarom ben je zelf niet even gekomen? Ben je ergens foto's gaan nemen?'

Hij antwoordde niet, maar ik had een sterk vermoeden waar hij de afgelopen uren gezeten had.

Omzichtig pookte ik verder: 'Waarom maak je eigenlijk zo veel foto's van dit huis en de tuin?'

Hij zuchtte. 'Ik heb jaren geleden van hot naar her gereisd om exotische locaties en boeiende onderwerpen te vinden. Het resultaat is een hele resem toeristenkiekjes. Het is interessanter om heel vertrouwde dingen en mensen te fotograferen. Dan pas merk je hoe ver ze eigenlijk van je af staan. Het is alsof die vervreemding in de foto zit en het heeft iets... hypnotiserends.'

Hij begon zowaar filosofisch en breedsprakig te worden. Des te beter.

Ik kwam dichterbij staan en schonk hem wat cognac in. Hij nam het glas aan en klokte meteen een fikse teug naar binnen.

'Paul, er is gisteren iets vreemds gebeurd. Het heeft waarschijnlijk niets te betekenen, maar ik kan het je toch maar beter zeggen.' Ik liet mijn stem wat zakken: 'Gisterenochtend zag ik een vrouw met een enorme zonnebril rond het huis sluipen. Toen ze me achter het raam zag, is ze er snel vandoor gegaan.'

Mijn opmerking had haar uitwerking niet gemist: Malfliet schrok, keek me strak aan en vergat verder aan zijn glas te nippen.

'Een vrouw? Hoe zag ze eruit?'

'Gewoon. Blond, middelbare leeftijd, normaal gebouwd... Met die zonnebril heb ik niet veel van haar gezicht gezien.'

'Waarom heb je dat niet eerder gezegd?'

Ik haalde mijn schouders op. 'Ik dacht dat het niet zo belangrijk was en toen is het uit mijn hoofd gegaan.'

Hij keek me wantrouwend aan.

Niks beters om een leugen geloofwaardiger te maken, dan ze nog wat aan te dikken: 'Maar toen schoot het me te binnen dat ik haar hier nog eens heb zien rondlopen. Tijdens mijn tweede dag hier. Ze stond achteraan in de tuin, bij het schuurtje met gereedschap.' Vergiste ik mij, of zag ik zijn ogen wijder worden? 'Toen dacht ik dat het een buurvrouw of een kennis van je was, maar nu...'

Hij liet zijn blik zakken en zei niets.

'Ken je haar?'

Tot mijn verbazing gaf hij een direct en eerlijk antwoord: 'Ja, ze is een oude liefde van mij. Oude bevlieging is misschien beter uitgedrukt. Ik heb in geen eeuwigheid iets van haar gehoord. Nu duikt ze plotseling op en wil absoluut weer in contact komen.'

Hij dronk de rest van zijn cognac uit. Ik schonk hem weer bij, maar hij zette het glas weg en keek er niet meer naar om. Ik had geen flauw vermoeden van wat er in hem omging en dat beviel me niet.

'Misschien mist ze je gewoon?'

'Nu plotseling? Zo erg dat ze rond mijn huis sluipt en briefjes onder de deur stopt?'

'Is het daarom dat je de laatste tijd zo van streek bent?'

Hij zweeg.

'Wat wil je dat ik doe als ik haar hier opnieuw zie?'

'Aardig tegen haar zijn. Ze kan het gebruiken.' Het was niet het antwoord dat ik verwacht had.

'Zeg toch maar tegen dat herstellingsbedrijf van jou dat ze wat haast maken met die poort', voegde hij er bits aan toe.

'Mis jij haar?'

'*Haar* mis ik niet, wel wat ze ooit voor mij betekend heeft', biechtte hij somber op.

Ik besloot met verdere vragen te wachten tot na het schrale avondeten. Ik kon beter overkomen als de boezemvriend die afstand kon bewaren, dan als een hijgerige therapeut.

Ik hield hem wel scherp in de gaten. Hij liep rusteloos en gespannen van kamer naar kamer. In de korte tijd dat ik Malfliet kende, had hij nooit iets nuttigs ondernomen dat niet direct verband hield met zijn fotografie, maar dit was anders dan zijn gewoonlijke gelummel. Er zat iets beklemmends en weemoedigs aan. Toen ik hem met de handen in zijn broekzakken door het keukenraam naar de achtertuin zag turen, leek het alsof hij zienderogen ouder werd.

Ik lette erop of hij naar de zolder zou gaan om de foto's van zijn oude bevlieging te zoeken, maar de sleutel bleef in het sigarenkistje in de bureaulade.

Misschien had hij die foto's inderdaad niet gemaakt. Heel misschien had hij ze zelfs nooit gezien.

'Paul, zit je aan haar te denken? Het lucht misschien op om erover te praten?'

Malfliet keek even op naar mij en glimlachte zowaar.

'Er valt niets te zeggen. Onze relatie heeft niet lang geduurd en stelde naar de gebruikelijke normen niet veel voor.'

'Maar wel naar jouw normen?'

Hij antwoordde niet.

'Was het jouw eerste romance?'

'Nee. Ik was toen nog getrouwd.'

'Hoe heb je haar leren kennen?'

'Toevallig.'

'Was zij ook getrouwd toen jullie elkaar ontmoetten?'

'Nee.'

'Ze was dus alleen?'

Hij keek me fronsend aan. 'Voor zover ik wist.'

Ik besefte dat ik voorzichtiger te werk moest gaan, maar de vraag had al veel te lang opgekropt gezeten: 'Sprak ze ooit over haar andere partners? Pijnlijke ervaringen uit vorige relaties of zoiets?'

De frons werd dieper en donkerder. 'Heb je met haar gepraat?'

Ik aarzelde iets te lang vooraleer ik antwoordde. Mijn 'nee' klonk zelfs mij pathetisch in de oren.

Malfliet liep naar me toe en keek mij recht in de ogen. Hij had ondertussen zo veel gedronken dat hij wankelde, maar zijn blik was onheilspellend vast. 'Wat wil je eigenlijk van mij? Lieg niet.'

Zijn toon maakte me zenuwachtig. Ik zou hem makkelijk aankunnen als het tot een handgemeen kwam, maar dan zou alles verloren zijn.

'Rustig, Paul, je bent jezelf niet helemaal. Ik probeerde gewoon interesse te tonen.'

'Wat heeft ze tegen je gezegd?'

Blijven ontkennen had geen zin. Het was beter de leugen nog wat verder aan te dikken en te zien hoe hij zou reageren: 'Ik vroeg haar waarom ze hier rondhing zonder aan te bellen. Ze zei me dat ze aarzelde om zelf contact met je op te nemen, maar dat ze wel wou zien hoe het nu met je ging... Of je iemand had.'

Het was moeilijk te zeggen of hij me geloofde of niet.

'Waarom vroeg je me daarnet naar haar vorige relaties?'

'Ik kreeg de indruk dat ze niet erg gelukkig was geweest in haar liefdesleven voor ze jou had leren kennen... en ook niet nadat jullie uit elkaar waren gegaan.' Het was riskant om zo ver te gaan, maar ik kon niet meer terug. Ik hoopte dat hij te dronken was om de tegenstrijdigheden in mijn verzinsels op te merken.

'Waarom zou ze zoiets tegen jou zeggen? Wie denkt ze eigenlijk dat jij bent?'

'Ik heb haar natuurlijk uitgelegd dat ik een tijdje bij je inwoonde. Ik denk dat ze gewoon haar hart tegen iemand wou luchten.'

Hij liet eerst zijn blik en dan zijn hele hoofd zakken, begon zwaar te ademen en sprak met een onvaste stem. 'Blijf uit haar buurt in het vervolg.' Zijn gezicht was lijkbleek en zweterig geworden.

Even dacht ik dat hij zou gaan braken, maar hij kon zich op tijd vermannen en stommelde naar de hal.

Ik volgde hem. 'Ga even zitten, Paul. Ik haal wel een emmer.'

Hij luisterde niet en liep zo gauw als zijn misselijkheid het toeliet de trap op naar de badkamer. Op de bovenste trede haalde hij even diep adem, wendde zich naar mij onder aan de trap en zei: 'Ik wil je tegen morgen uit mijn huis.'

Het moment daarop verloor hij zijn evenwicht en donderde de treden af. Hij rukte de traploper los en zijn voet kwam klem te zitten tussen de spijlen van de trapleuning. Zelfs de harde smak van zijn hoofd tegen de onderste trede kon het knakken van zijn been niet overstemmen.

Enkele ijzingwekkende seconden later begon hij te snikken. Hij richtte zijn grauwe gezicht op en keek mij met open mond en wijd opengesperde ogen aan. Zijn linkerbeen lag in een onnatuurlijke hoek geplooid. Zijn gesnik ging over in jankerig hijgen als van een gewonde hond. Een moment later braakte hij met een beestachtige uithaal het trapmatje en mijn schoenen onder.

Ik zat naast de brancard in de ambulance. Ik hield Malfliets hand in de mijne terwijl hij boven zich uit staarde. Hij moest wel compleet van de kaart zijn of ondraaglijke pijn voelen om *mijn* hand vast te willen houden.

Na uren lang wachten kreeg ik te horen dat de beenbreuk van 'mijn vriend' niet zo ernstig was als het leek. Zijn linkerbeen zat in een kunststofverband en de eerste weken of maanden zou hij minder mobiel zijn. Over de revalidatie zouden ze het later hebben.

Vanwege die klap op zijn hoofd leek het de dokter van dienst beter dat Malfliet die nacht in het ziekenhuis bleef. Een lichte hersenschudding was niet uitgesloten.

Het was te laat op de avond om hem nu nog een bezoek te brengen, maar ik zou hem de volgende dag al naar huis kunnen voeren.

Ten slotte trok de dokter een zorgelijk gezicht en vroeg me of hij wel vaker stomdronken was. Ik knikte, waarop hij me aanraadde hierover met onze huisarts verder te praten.

In de taxi terug naar de Wilgenlaan haalde ik opgelucht adem. Deze buitengewone meevaller leek mij door het lot aangereikt. Malfliet was van het ene moment op het andere geheel op mij aangewezen. Dat moest wel een teken zijn.

De morgen daarop ging ik Malfliet met de Lancia ophalen. Hij zag eruit alsof hij de kater van zijn leven had. Zijn ingepakte been lag in een sling en ze hadden een verband om zijn groezelige kop gewikkeld.

Toen hij me zag, probeerde hij te glimlachen, maar kwam slechts tot een grimas en wat dof gekerm. Ik vroeg me af of hij zich nog iets van de scène van de avond ervoor kon herinneren.

Ik reed hem in een rolstoel naar de uitgang van het ziekenhuis, waar een verpleger mij hielp om hem op de achterbank van de auto te krijgen. Zijn gebroken been kon hij tijdens de rit op de neerge-klapte rugleuning van de passagierszetel laten rusten. De verpleger gaf ons nog een paar krukken en wenste ons sterkte.

Pas toen het ziekenhuis in de achteruitkijkspiegel verdween, deed Malfliet voor het eerst zijn mond open: 'Dank je voor de moeite, Frank.'

'Geen moeite, hoor. Heb je pijn?'

'Ze hebben me pijnstillers gegeven. Maar toch voel ik me ellendig. Ik zou de hele achterbank onderkotsen, als er nog iets in mijn maag zat.'

'Hou het wat droog daar achteraan, Paul. Ik heb gisteren al genoeg rotzooi mogen schoonmaken.' Ik knipoogde glimlachend naar de achteruitkijkspiegel. Malfliet glimlachte niet terug.

'Het spijt me, Frank. Je hebt echt wel je handen vol aan mij.' Zijn stem klonk schraperig en onvast. 'En het lijkt erop dat daar in de nabije toekomst niet veel verandering in zal komen.'

'Ik heb toch niets beters te doen. Amsterdam kan nog wel even wachten', zei ik joviaal.

Toen hij thuiskwam wou hij meteen naar bed. Hij had nauwelijks geslapen en was doodop.

De trap met de losgekomen loper bleek een onoverkomelijke hin-dernis. Op mijn schouder leunend, hinkte hij moeizaam naar de sofa in de woonkamer.

Kreunend en zuchtend ging hij liggen. Ik hielp hem zijn slechte been op de armleuning te leggen. Ik bood hem een borrel aan om wat te bekomen en hij gulpte hem gulzig naar binnen. Iets te eten wou hij niet. Even later dommelde hij weg. Ik liet de fles drank stra-tegisch binnen zijn handbereik staan.

Na nauwelijks een uur werd hij weer wakker en klaagde hij over he-vige pijn, misselijkheid en jeuk aan zijn been.

Ik bracht hem zijn pijnstillers en wat beschuit. De combinatie van de medicijnen, de vermoeidheid en de alcohol die ik hem bleef in-schenken maakte hem suf en klagerig.

'Waarom moest dit net nu gebeuren? Nu de tentoonstelling loopt?'

'Het was een ongelukje, Paul. Die dingen gebeuren nu eenmaal. Zomaar.'

Ik bette het stuk voorhoofd dat niet omzwachteld was met een nat washandje.

'Waarom is mijn leven zo'n puinhoop? Wanneer heb ik dat laten gebeuren?'

Ik kwam in de verleiding om Elizabeth Verstraete weer ter sprake te brengen, maar het leek me verstandiger hem niet meteen te herinneren aan ons gesprek van gisteren.

'Je overdrijft, Paul. De meeste mensen kunnen enkel dromen van wat jij allemaal hebt: geld, een prachtige villa, talent,...'

Hij snoof verachtelijk. 'Het geld heb ik van mijn ouders geërfd die het van hun ouders geërfd hebben. Belgisch Congo heeft voor alles betaald. Ook voor de villa. Ik slaag er niet eens in ze te onderhouden. Zelfs de buren hebben mij al aangesproken over de toestand waarin het huis zich bevindt.'

'Het is jouw schuld niet dat die krakers hier van alles hebben beschadigd. Het is moeilijk om zo'n groot eigendom te onderhouden als je er maar af en toe bent.'

Hij schudde zijn hoofd. 'Die krakers zijn al jaren weg en je ziet nu nog wat ze hier hebben aangericht. Dat is wel degelijk mijn schuld. Sinds ik het huis in Vorst van de hand heb gedaan, heb ik hier en nergens anders gewoond. In al die jaren heb ik niks opgeknapt en heb ik de boel maar wat laten verkommeren.'

'Je had het druk met je fotografie...'

'Ach, welnee, ik modder maar wat aan de laatste tijd. Op een knopje drukken en wat knoeien in de donkere kamer. Sommige mensen zouden het niet eens een hobby noemen.'

'Je hebt toch maar mooi je eigen tentoonstelling. Daar heb je talent voor nodig.'

Hij keek me even aan. 'Daar heb je in de eerste plaats de juiste connecties voor nodig. In de tweede plaats ook.'

'Ik heb je foto's gezien. Ze zijn mooi.'

Zijn blik werd glazig. 'Vroeger... vroeger was het anders, voelde het anders. Het was nog een passie, iets waarin ik kon geloven. Toen kwam de grote ontnuchtering, zag ik in dat ik in werkelijkheid een aanstellerige dilettant was, en ging ik in het bestuur van een zakenkantoor werken. Een kantoor dat grotendeels in handen was van de familie welteverstaan.' Hij keerde zich weer naar mij. 'Ik kon toch niet weten dat het al gauw op een nog grotere teleurstelling zou uitdraaien.'

'Wat was er gebeurd?'

'Och, ze kwamen erachter dat ik noch van zaken, noch van besturen verstand had. Dat hadden de docenten op die internationale business-school ook wel kunnen zeggen.'

'Ik bedoelde voordien. Waarom verloor je je interesse in je foto's?'

Hij haalde zijn schouders op. 'Op een dag was het er gewoon niet meer. Ik keek naar de prints en het enige wat ik zag, was tijdverlies.'

'Waarom ben je er dan weer mee begonnen?'

'Sentimentaliteit en gebrek aan opties', sneerde hij.

Na een late lunch was het tijd voor enkele praktische maatregelen. Trappenlopen zat er voor Malfliet de eerste weken niet in en omdat ik geen zin had om hem iedere dag de trap op te dragen, had hij een bed op de benedenverdieping nodig.

Het bed in de logeerkamer had ik zelf nodig en Malfliets tweepersoonsbed zou in de pronkkamer met de boekenkasten te veel ruimte innemen. Ik herinnerde mij dat ik in de afgesloten kamer naast de logeerkamer ook een eenpersoonsbed had zien staan en besloot er nog even een kijkje te nemen.

De lucht in de kamer was nog even stoffig en dik als toen ik ze voor de eerste keer had gezien. Zelfs met de ramen wijd open was het er moeilijk werken. Ik haalde de spiraalbodem uit het bedframe en schroefde de rest van het bed niet zonder moeite uit elkaar. Een bruikbare matras zou ik later wel zoeken.

Toen ik Malfliet zijn nieuwe bed in het midden van bibliotheek liet zien, verstarde zijn blik en begon hij te trillen op zijn krukken. Als ik hem niet had ondersteund, was hij tegen de grond gegaan.

'Zet dat ding terug waar het vandaan kwam. Nu meteen!'

Verdere uitleg kreeg ik niet.

De enige oplossing was mijn bed uit de logeerkamer naar beneden te brengen en het bed dat Malfliet zo van streek had gemaakt in mijn kamer in elkaar te zetten.

Later die dag volgde een andere merkwaardige reactie van Malfliet. Het toilet op de bovenverdieping was nu onbereikbaar voor hem geworden, dus toen hij mij vroeg hem te ondersteunen, begeleidde ik hem naar de wc naast de bijkeuken. Op een paar passen van de bekraste deur weigerde hij echter verder te gaan. Hij stond erop dat ik hem de trap op zou dragen naar de badkamer.

Ik legde hem uit dat dit waanzin was, dat hij sowieso te zwaar was voor mij en dat deze wc perfect werkte, maar hij was zo bleek en nerveus geworden dat het me beter leek om te doen alsof ik het probeerde. Na twee treden zakte ik al door mijn knieën en hij stootte zijn zere been tegen de leuning. Toen ik hem op zijn krukken van de trap hielp, zag ik de donkere, natte vlek onderaan de gulp van zijn pyjamabroek.

Na het avondeten moest hij opnieuw nodig. Deze keer liet hij zich zwijgend naar de wc op de benedenverdieping brengen.

Zodra hij zat, wou ik de deur sluiten, maar hij stootte ze met een harde por van zijn kruk weer open. 'Ik roep je wel als ik klaar ben en hulp nodig heb', zei hij kortaf.

Terwijl Malfliet bezig was, pakte ik de handset van de draadloze telefoon en liep ermee naar boven. Ik sloot de logeerkamerdeur achter mij en toetste het nummer van Elizabeth Verstraete in. Enkele tellen later nam ze op.

'Paul?' Had ze het oproepnummer op haar display herkend?

'Elizabeth? Ik ben een vriend van Paul. Mijn naam is Frank. Ik logeer een tijdje bij hem. Ik hoop dat het niet stoort dat ik zo laat nog bel?' Ik hoopte maar dat ze mijn stem niet herkende als die van de politieman die haar eerder had gebeld.

Het duurde even voor ze hakkelend antwoordde. 'Paul had iets gezegd over een gast. Waarom belt u mij? Hoe kent u dit nummer?' Haar stem klonk onzeker en breekbaar.

Ik probeerde een glimlach in mijn stem te laten doorklinken: 'Paul heeft mij de laatste dagen heel wat over jou verteld, meid. Jij bent toch zijn oude vlam, hé?'

'Oh?' Het klonk zowel geschrokken als geïrriteerd.

'Oké, ik zal ter zake komen, Elizabeth. Ik ben zo vrij geweest om je nummer op te zoeken in Pauls telefoonlijst omdat ik je iets vervelends moet vertellen...' Hier wachtte ik even.

'Ja?'

'Zie je, Paul heeft een ongeluk gehad.' Ze schrok hoorbaar. 'Niks ernstigs, maar hij heeft wel zijn been gebroken en kan nu nog nauwelijks het huis of zijn zetel uit.'

'Hoe dan?' Ze klonk nog brozer dan daarnet. Het leek onmogelijk dat die bange-meisjesstem bij de wulpse blondine van de foto's paste.

'Stomme valpartij op de trap. De breuk is gelukkig niet al te erg, maar hij heeft veel ongemak en zit erg in de put.'

'Ah.'

'Vandaar dat ik je bel. Zoals gezegd heeft hij het veel over jou gehad en ik heb de indruk dat hij nog steeds iets voor je voelt. Als zijn vriend mag ik hierover wel even voor mijn beurt spreken, vind ik.' Ik liet dit even bezinken. 'Daarom dacht ik dat het een goed idee zou zijn als je hem even kwam opzoeken. In zijn villa aan de Wilgenlaan.'

'Heeft hij dat gezegd?' Ik kon merken dat ze dat nauwelijks voor mogelijk hield.

'Niet met zoveel woorden, natuurlijk. Je weet wel hoe gereserveerd hij is... en net daarom... vond ik het opmerkelijk dat hij zo vol gloed over jou sprak. En over de tijd dat jullie samen waren. Het is duidelijk dat hij naar die tijd terugverlangt.'

'Ik begrijp het niet. Waarom belt hij me dan zelf niet?'

Ik zuchtte in de hoorn. 'Misschien wil hij niet dat je hem met een enorm kunststofverband om zijn been ziet. Ik vermoed dat hij liever niet zelf de stap zet zolang hij niet zeker is dat jij... dat jij zijn gevoelens gepast vindt.'

Ze zei niks.

'Vind je ze... gepast? Of heb ik hier weer een flater van jewelste geslagen?' Ik lachte even schaapachtig.

Plots klonk haar stem een stuk zakelijker: 'Ben je zeker dat hij wil dat ik naar hem toe kom?'

'Zeker weet ik het niet, maar ik denk het wel. Echt wel. Beter kan ik je niet geven.'

'Is hij morgennamiddag vrij?'

Ze hapte toe.

'Met dat been gaat hij nergens naartoe, hoor.'

'Moet ik iets voor hem meebrengen? Boeken, dvd's, iets anders waarmee hij de tijd kan doorbrengen?'

'Neeneenee... hij mag absoluut niet weten dat jij weet dat hij invalide is of dat ik je gebeld heb. Anders denkt hij nog dat je uit medelijden komt. Het moet lijken of je hem gewoon uit eigen beweging kwam opzoeken. Omdat je hem wou zien.'

Op dat moment hoorde ik Malfliets stem, begeleid door een aanhoudend krukkengetik. Ik moest hem beneden gaan helpen, en snel.

'Wat heeft hij over mij gezegd?'

'Dat je erg mooi was onder andere, allemaal heel lovende dingen.' Ik moest zo vlug mogelijk ophangen. 'Maar nu moet ik er echt vandoor, Elizabeth. Hij heeft iets nodig. En niet vergeten: ik heb je nooit gebeld.' Ik drukte op de verbreektoets voor ze nog vragen kon stellen en haastte mij naar beneden. Malfliets geroep en getik klonk alsmaar luider. Toen ik zijn rood aangelopen gezicht en de knoeiboel van krukken, toiletpapier en afgestroopte broek zag had ik bijna echt met hem te doen.

'Kun je niet meteen komen als ik je roep?' beet hij me toe. Hij stond op het punt om te beginnen janken.

'Het spijt me, Paul. Ik was zelf even...'

'Had ik je niet gezegd in de buurt te blijven? Je bent verdomme mijn enige vriend. Ik stel mijn huis voor je open omdat ik je vertrouw en dan...'

Het was typerend voor Malfliet dat hij het verschil tussen een vriend en een dienstbode niet kende. Terwijl hij binnensmonds bleef foeteren, hielp ik hem recht en fatsoeneerde hem wat. 'Kom, Paul, we gaan terug naar de woonkamer.'

Met hangend hoofd sjokte hij met me mee. Weer viel het me op hoe hij zichtbaar leek te verouderen. Ik meende zelfs al de vertongelijkte nukkigheid van mijn moeder in hem te herkennen.

Rond halfelf begon Malfliet onrustig te worden. Hij pikkelde op zijn krukken van de sofa naar zijn tv-zetel en weer terug met een getormenteerde uitdrukking op zijn gezicht.

De pijn, de jeuk van het verband en de verveling werden hem te veel. Ik vroeg of hij een slaapmiddel wou, maar hij schudde hevig zijn hoofd. 'Ik moet er even uit', zei hij bedrukt. 'Als ik hier nog één minuut langer moet blijven niksen, word ik gek.'

Ik haalde de Lancia uit de garage en hielp Malfliet bij het instapmanoeuvre.

Ik nam plaats achter het stuur en vroeg hem waar hij naartoe wou.

'Eender waar. Rij maar wat rond in de stad', antwoordde hij.

Onze doelloze en woordeloze rit door verschillende Brusselse deelgemeenten deed mij denken aan al die achtervolgingen van de afgelopen weken.

Al die keren had ik proberen te raden wat er in hem omging op zijn nachtelijke uitstappen. Nu ik hem door het zijraampje naar buiten zag staren, besefte ik dat ik het nog steeds niet wist.

'Waaraan denk je, Paul?'

'Nergens aan.' En hij trok zich weer terug in zijn cocon. Af en toe mompelde hij een richtingaanwijzing, dat was alles. We leken wel een getrouwd stel.

Opeens vroeg Malfliet mij wat langzamer te rijden en halt te houden voor een flatgebouw dat er duur uitzag. Pas op dat moment herkende ik de art-decogevel en de laan: hier was de vrouw met de rode regenjas naar binnengegaan.

Malfliet bestudeerde de ramen. Ik nam aan dat hij keek of er licht brandde op haar verdieping. Toen ik in mijn achteruitkijkspiegel een andere auto zag naderen, vroeg ik Malfliet of ik de auto moest parkeren. Hij wuifde het voorstel weg en we reden verder. Malfliet pakte zijn gsm, tikte wat toetsen in en begon even later hardop te vloeken dat die verdomde batterij weer leeg was. Ik stelde voor dat hij mijn toestel zou gebruiken, maar ook dat voorstel wimpelde hij af. Hij kende het hele nummer niet van buiten. Ik nam aan dat zij het was die hij wou bellen.

Misschien kon ik een van de volgende dagen terugkomen en er via de naamkaartjes naast de belknoppen achter komen wie die vrouw was.

Zodra we terug thuis waren, vroeg Malfliet om het draadloze telefoontoestel. Ik liep naar boven om het te halen. Het beviel hem niet dat ik het toestel zonder zijn toestemming had gebruikt en de handset op mijn kamer had laten liggen.

Hij griste het uit mijn hand en vroeg of ik hem wat privacy kon geven.

Ik verliet de woonkamer, sloot de deur achter mij en bonkte met mijn schoenzolen op de trap naar boven. Op de overloop deed ik snel mijn schoenen uit, liep op mijn tenen de trap weer af en ging aan de deur staan luisteren.

Ik hoorde hem '… ik geloof dat ik een zenuwinzinking nabij ben' zeggen. Niet alles van wat hij daarna zei was goed verstaanbaar. Ik kon uit de flarden die ik wel begreep opmaken dat hij haar miste en wou dat ze hem kwam bezoeken.

Ik bedacht dat ze elkaar wel erg genegen moesten zijn, dat hij haar zomaar na middernacht kon opbellen omdat hij zich eenzaam voelde. Zou ze dan toch zijn minnares zijn? Waarom had ik haar dan nog nooit hier in huis gezien?

Hij zei ook iets over zich nog meer een mislukkeling voelen dan gewoonlijk. Hij zei iets over onverwachte problemen. En hij zei haar naam: *Anna*. Dat was een begin.

7

Eric voelde aan dat er iets aan de hand was en was vastbesloten mij aan het praten te krijgen. Hij had net een paar dagen compensatierust. Hij hield me constant in het oog en ik had nauwelijks een moment

voor mij alleen. Hij stond er zelfs op me te vergezellen toen ik boodschappen ging doen.

Heel die tijd hield ik de brief die ik die ochtend in de bus had
gevonden angstvallig voor hem verborgen. Eerst had ik hem onder
in een keukenlade verstopt, tot me te binnen schoot dat Eric daar
geregeld in rommelde. Toen stopte ik het ding in allerijl in de binnenzak van een oude blazer die nog in de kleerkast hing. Daarna had
ik het idee dat hij iets gemerkt had en verdacht veel tijd in de slaapkamer doorbracht. Uiteindelijk belandde de envelop tussen de boord-
documenten in het handschoenkastje van mijn Ford.

Maar het effect dat de brief op mij had, kon ik niet verbergen.

'Wat scheelt er? Je doet vandaag nog zenuwachtiger dan de afgelopen dagen.'

'Het is niks, Eric. Het gaat vanzelf wel over.' Ik kreeg mijn gedachten niet voldoende geordend om meteen een betere verklaring
te verzinnen.

'Voel je je niet goed?' Het klonk meer geïrriteerd dan bezorgd.

'Laat maar, Eric.'

'Telkens als ik iets tegen je probeer te zeggen, krijg ik de indruk
dat je nauwelijks naar me luistert. Waar zit je eigenlijk met je gedachten?'

Ik wist maar al te goed waar ik met mijn gedachten zat, net zo
goed als ik wist dat ik er zo snel mogelijk weer heen moest.

Ik verzon iets over overspannen zijn en zei dat ik er eens uit moest.
Een lange wandeling in een groene omgeving zou mij goeddoen. Het
kostte me heel wat moeite om hem ervan te overtuigen dat ik beter
alleen ging. Uiteindelijk hield hij dan toch op met aandringen. Ik
voelde zijn ogen in mijn rug branden toen ik mijn jasje van de kapstok
pakte en zonder om te kijken de deur uit ging.

Ik reed plankgas naar Watermaal-Bosvoorde, parkeerde mijn auto in
de buurt van de villa en liep als verdoofd het grindpad op. Zonder een
plan in gedachten, maar met de brief in mijn jaszak.

Pas na twee keer aanbellen ging de zware voordeur langzaam
open. Een geblokte, verweerde vijftiger met dunnend haar en brede

wallen onder zijn ogen nam me vragend op. Ik herkende vaag de man die ik die eerste keer achter het raam op de eerste verdieping had gezien.

'Is Paul thuis?' vroeg ik onzeker.

'Ja.'

'Kan ik dan binnenkomen?'

'Liever niet.'

Toen hij mijn verbazing zag, kwam hij wat dichterbij – dicht genoeg om zijn lichaamsgeur te kunnen ruiken – en fluisterde dat Paul een ongelukje had gehad. De diepe stem was duidelijk die van aan de telefoon gisterenavond.

Toen ik hem eraan herinnerde dat hij mij zelf had uitgenodigd, begon hij in zijn nek te krabben en zei iets over een beschamend ongelukje op weg naar het toilet. Ik wist niet of hij dom stond te grijnzen vanwege de onsmakelijkheid van de situatie, of omdat hij ingenomen was met zijn uitvlucht.

Ik probeerde hem nog om te praten, maar aandringen had bij deze lomperd geen zin. Hoe langer hij me stond aan te gapen, hoe ongemakkelijker ik me voelde. Zelfs toen hij de voordeur weer voor mijn neus dichttrok, bleef hij me strak aankijken.

'Zeg aan Paul dat ik langs ben geweest en dat ik morgen terugkom', wist ik nog te zeggen voor de deur in het slot viel.

Beteuterd en verward liep ik terug naar mijn auto. Ik kon maar niet begrijpen waarom hij me eerst zelf stiekem zou uitnodigen, en de dag erna de laan uitsturen.

Toen ik weer achter het stuur zat, voelde ik de brief opnieuw een gat in mijn jaszak branden. Ik besefte dat ik niet terug naar Vilvoorde kon rijden zonder Paul gesproken te hebben. Hoe dan ook.

Ik haalde het verfrommelde vod papier weer uit de omslag, vouwde het met bevende handen open en las de onheilspellende tekst opnieuw, alsof ik hem nog niet woord voor woord uit het hoofd kende.

'Elizabeth,

Het spijt me dat je al zo lang niets meer van mij gehoord hebt. Ik schrijf je omdat het mogelijk is dat iemand mijn gsm-gesprekken bijhoudt. Ik geloof dat de politie me op het spoor gekomen is. Heb jij ze misschien iets gezegd? Ik zal niet boos zijn als dat zo is, maar ik wil wel weten wat je precies verteld hebt en wat niet.

Het is te riskant om te schrijven waarmee ik mezelf nu weer ingelaten heb of waar ik ben, maar je kunt je antwoord sturen naar rs1965elsene@gmail.com.

Robbie S.

P.S. Ik denk nog vaak aan je en al het moois dat we samen beleefd hebben. Die nachten die wij samen doorbrachten in mijn flat in Anderlecht zullen me altijd dierbaar blijven.'

Naast de handtekening stond er een vluchtige schets van twee opgestoken vleugels.

Het beeld van het markante front van Malfliets Lancia in mijn zijspiegel deed me uit mijn mijmeringen opschrikken. Toen de wagen voorbijreed, zag ik dat er enkel een bestuurder in zat, en dat kon zeker Malfliet zelf niet zijn. Dit was mijn kans.

Ik rende terug naar de villa, maar maakte deze keer niet de fout om eerst aan te bellen.

Al bij het tweede raam dat ik probeerde, had ik geluk. Malfliet zat in gedachten verzonken en alleen in de voorste kamer, met zijn gipsbeen op een poef.

Ik tikte tegen het raam en wuifde naar hem. Zo kon hij me niet negeren. Het was te donker in de kamer om zijn reactie goed te kunnen zien, wat misschien ook maar beter was. Wat ik wel zag, was dat hij halsoverkop zijn krukken pakte en de kamer uit hinkte.

Pas een volle minuut later ging de voordeur eindelijk open. Het gezicht achter de kier zag er doodop en ziek uit.

'Wat kom jij hier doen?' vroeg hij kortaf.

'Ik moet je spreken, Paul', wist ik uiteindelijk uit te brengen in een poging het zakelijk te laten klinken. 'Mag ik binnenkomen?'

'Het verbaast me dat je hier überhaupt nog een voet wilt binnenzetten', antwoordde hij zuchtend, maar de deur ging wel verder open. Toen hij de klink weer losliet, leek hij even zijn evenwicht te verliezen, maar hij wist nog net op tijd de steun van de tweede kruk terug te vinden. De blik die hij weer op mij richtte, had iets ontwapenends. Voor ik het wist, had ik met hem te doen.

'Kun je het mij niet hier zeggen? Ik heb weinig tijd', zei hij.

Als antwoord haalde ik de brief uit mijn jas en reikte hem het ding aan.

'Wat is dat?' vroeg hij zonder hem aan te nemen.

'Lees het. Je zult begrijpen waarom ik je meteen wou spreken.'

Hij keek me fronsend aan. 'Als dit weer...'

'Het is een brief van hem. Ik heb de envelop deze ochtend in mijn bus gevonden.'

Malfliet keek ernaar alsof hij niet kon uitmaken of hij het ding wou aanraken of niet en keek dan weer naar mij.

'Hoe bedoel je, *hem*?'

Ik probeerde rustig te blijven. 'Paul, ik heb niet veel tijd. Mijn man vraagt zich nu al af waar ik blijf. Lees het gewoon.'

Het besef dat ik niet van plan was te blijven rondhangen maakte hem wat minder achterdochtig. Hij draaide zich om en gaf me met een hoofdbeweging te kennen dat ik hem naar binnen kon volgen.

Ik voelde een huivering door me heen gaan toen ik de hal in stapte en de geur en het gevoel van het huis herkende. Die weekmakende geur van vermolmde statigheid en het onbehaaglijke gevoel dat je hier getolereerd werd, maar nooit welkom was.

Ik moest mezelf overwinnen om mijn hoofd op te richten en rond te kijken.

De beuken kast in de hal met het houtsnijwerk aan de randen, de wandspiegel met de koperen lijst, de gelakte binnendeuren, het behangpapier met de paisleymotieven, de brede trap en de opzichtige traploper die ondertussen losgekomen was... nagenoeg alles was er nog zoals ik me meende te herinneren. Maar het was geen gelukkig weerzien.

De inrichting van de woonkamer was wel veranderd. De klassieke meubels waren vervangen door modernere exemplaren en de muren waren grotendeels kaal. Ook de indruk van rommelige vrijblijvendheid en ongezelligheid was nieuw.

In dit huis werd geleefd, maar niet gewoond.

Malfliet maakte aarzelend aanstalten om te gaan zitten, maar toen ik aanbood hem te helpen, weerde hij me bruusk af met een van zijn krukken. De afwijzing kwam harder aan dan ik had gedacht, maar ik verbeet de krenking en besloot niets te laten merken.

Toen hij eindelijk zat, gaf ik hem de brief. Ik volgde angstvallig zijn oogbewegingen toen hij de regels een voor een las. Het was onmogelijk te doorgronden wat er door hem heen ging. Eindelijk gaf hij het vel papier terug. Ik ging tegenover hem zitten en wachtte af.

'Wanneer heb je dit gekregen, zei je?'

'Vanmorgen.'

'Heb je de envelop nog?'

Ik gaf hem de verfrommelde omslag met de drukletters op de voorkant en zonder afzender op de achterkant. Hij bestudeerde de postzegel en de vage stempelafdruk erop, waarna hij het ding op het salontafeltje keilde.

'Robbie?'

'Zo noemden zijn vrienden hem', legde ik uit. 'En ik.'

Hij keek me met een verveelde frons aan.

'Heb jij dit zelf geschreven?' vroeg hij.

Het kwam aan als een klap in mijn gezicht.

'Waarom zou ik?'

Zijn enige antwoord was een gesnuif. Dacht hij dat dit een zoveelste poging van me was om in zijn leven binnen te dringen? Mijn angst was echter groter dan mijn verontwaardiging, dus slikte ik mijn trots in en bleef zitten.

'Paul, dit is ernstig. Besef je wat die brief betekent?'

Als er al iets tot hem doordrong, was daar aan zijn doffe gelaatsuitdrukking niets van te merken. Zijn priemende ogen maakten me nog nerveuzer en onzekerder.

'Eerst dat telefoontje van de politie en nu dit. Of denk je dat ik dat telefoongesprek ook verzonnen heb?' ging ik verder.

Hij antwoordde niet, maar legde zijn slechte been met een grimas terug op de poef die hij met zijn kruk in positie had geschoven. Ik probeerde het gevoel van eenzaamheid dat zich in me vastbeet te negeren.

'Waarom ben je ermee naar hier gekomen?' verwaardigde hij zich uiteindelijk te vragen. 'Wat wil je dat ik doe?'

Ik begreep er niks van. Slechts met de grootste moeite kon ik mijn stem onder controle houden: 'Ik wil dat je beseft wat er aan het gebeuren is. Dit belangt jou evenzeer aan, dat hoef ik je toch niet te vertellen?'

'Nee...' Hij leek voor het eerst de kwestie ernstig te overdenken. 'Heb je ooit met iemand anders over het voorval gesproken?'

'Nee, natuurlijk niet. Wat had ik dan moeten zeggen? En tegen wie?'

Zijn ogen vernauwden weer tot spleetjes. Ik kon zien dat hij me maar half geloofde.

'Hoeveel mensen wisten van jullie relatie af?'

'Enkele van zijn vrienden. Ik zou er geen enkele meer bij naam kunnen noemen.'

'Heb je nog contact met een van hen gehad... sindsdien?'

'Nee. Nadat ik weer bij mijn ouders was ingetrokken, heb ik niemand van die lui ooit nog gezien.'

'Wat niet noodzakelijk betekent dat ze je ondertussen niet gevonden hebben', zei hij ijzig. 'Ik neem aan dat je ze geen adres gegeven hebt bij je verhuis?'

Mijn adem stokte. Kon hij het bij het rechte eind hebben? Zat hij me gewoon te jennen? Beide?

Mijn gedachten flitsten onwillekeurig terug naar die verstikkende jaren in de kleinburgerwoning van mijn ouders. Mijn vader die ieder moment dankbaar aangreep om mij uit te horen over mijn verspilde verleden, mijn moeder die geen woord hoefde te zeggen om haar minachting door mijn strot te duwen. Al die avonden dat ik alleen en doelloos op mijn jeugdkamer zat en mij inbeeldde dat de muren met het vergeelde strepenbehang op mij afkwamen.

Ik had mij steeds voorgesteld dat heel de buitenwereld mij vergeten moest zijn. Was het mogelijk dat ik mij had vergist? Hadden mijn ouders een telefoontje gekregen van iemand die naar hun dochter had gevraagd en wiens accent en toon hen niet had aangestaan? Was dat de reden waarom ze maar waren blijven doorvragen en waarom ze zo zeker waren dat ik het nooit in mijn eentje zou redden? Had ik er dan misschien toch goed aan gedaan mij daar in dat parochiegat te verbergen zonder mijn hoofd buiten te steken?

Het duurde even voor het tot me doordrong dat Malfliet mij iets vroeg.

'Heb je een antwoord gestuurd naar dat e-mailadres in de brief?' herhaalde hij toen ik bedremmeld naar hem opkeek.

Ik staarde hem niet-begrijpend aan. 'Natuurlijk niet.'

Hij keek strak terug. 'Dat kun je beter wel doen. Zo kom je er misschien achter wat ze willen.'

Ik schudde verward mijn hoofd. 'Wat moet ik dan terugschrijven?'

'Verzin maar iets...' Opeens speelde er een glimlachje om zijn mond. 'Over je uitgebluste huwelijk met de arm der wet, dat je de goede, oude tijden mist en heel benieuwd bent hoe het nu met hem gaat.'

Het was de zoveelste kaakslag, maar wel één die mij wakker schudde: wat als Malfliet zelf dat ding had geschreven en opgestuurd? Eerst de foto van mij in de galerie, dan het telefoontje zonder antwoord en nu de brief. Probeerde hij me uit mijn schulp te lokken of was het gewoon uit kwaadaardigheid?

De verbeten uitdrukking op mijn gezicht moest hem in de war gebracht hebben, want zijn grijns maakte opnieuw plaats voor gefrons.

'Laat ook maar', voegde hij eraan toe.

Een tijd lang zaten we daar in die woonkamer vol toegedekte herinneringen langs elkaar heen te staren. Ik herkende het strokleurige velouté behang achter het nieuwe wandmeubel, ik herkende nu ook het vlekkerige tapijt onder de salontafel, maar de uitgebluste hufter tegenover mij had evengoed een volslagen vreemde kunnen zijn. Behalve dat hij iets van mij leek te willen dat hij nog het liefst van al met zijn klauwen uit mijn lijf wou rukken. Maar ik wist niet wat en nog minder hoe ik het aan boord moest leggen om erachter te komen voor het te laat was.

Net op het moment dat ik het punt bereikt had waarop ik het er niet meer kon uithouden en zonder verder iets te zeggen wou opstappen, sneed het geluid van de deurbel door merg en been. Zelfs na al die jaren had dat onmiskenbare, schelle, door alles heen dringende gedrein nog altijd dezelfde misselijkmakende uitwerking op mij. Eerst verroerde geen van ons beiden een vin. Enkele tellen later hoorden we de voordeur vanzelf opengaan. De ruwe stem van Malfliets logé leek door heel het huis te schallen: 'Paul, ik ben terug!'

Malfliet antwoordde niet, maar keek me vragend aan alsof ik nu aan zet was.

Voor ik kon bedenken wat Malfliet van mij verwachtte, stak zijn gast het hoofd om de deur, zag mij half staan, half zitten en slikte meteen zijn volgende zin in.

Hij leek wel eerder verbaasd dan ontstemd om mij hier te zien. Even leek hij zelfs een glimlachje te forceren. Ik was zo in de war dat ik heel even teruglachte.

Als de man al geïnteresseerd was in de reden waarom ik hier zat, een halfuur nadat hij de deur in mijn gezicht had dichtgeslagen, liet hij daar niets van merken.

Hij liep recht naar zijn gastheer, gaf hem de tijdschriften die hij meegebracht had en vroeg hem of hij nog iets voor hem kon doen. Malfliet verwaardigde zich niet hem te bedanken, te antwoorden of zelfs maar de tijdschriften te bekijken. Dat leek de kerel geenszins te ergeren. Hij bleef geduldig naast Malfliets fauteuil staan zonder de zak met de rest van de boodschappen los te laten.

Weer tot mijn verbazing sprak hij me vriendelijk aan: 'Paul heeft nog veel pijn en zal nog een tijdje niet zo veel zelf kunnen doen. Ik help hem zo goed als ik kan.'

Ik knikte zonder hem aan te kijken. Iets aan die vent beviel mij niet en ik meende aan Malfliet te zien dat ook hij zich ergerde.

De man ging onverstoorbaar opgeruimd verder: 'Ik hou de boel hier wat op orde, kook voor Paul en doe er nu ook wat verpleegwerk bij. Kwestie van mijn kost en inwoon te verdienen.' Ik wist niet wat mij het meest stoorde, zijn opgewektheid of zijn aanwezigheid.

'Blijft u lang...?'

Hij bleek mijn afgemeten toon niet eens opgemerkt te hebben. 'Eigenlijk was ik op doorreis. Maar ik kan Paul in zijn toestand niet alleen achterlaten, zeker niet nadat hij zo vriendelijk voor mij geweest is.'

Malfliet keerde zich verveeld naar hem toe en snauwde iets over eten dat zichzelf niet ging klaarmaken.

De man gehoorzaamde prompt en liep de kamer weer uit. In het voorbijgaan knipoogde hij naar me. Ik nam aan dat hij te kennen wou geven dat Malfliets toon niets te betekenen had, maar zeker was ik er niet van.

Toen ik meende dat hij me niet meer kon horen, ging ik naar voren leunen en vroeg Malfliet op de man af hoelang die klaploper al bij hem inwoonde.

Hij gromde een antwoord. Toen ik aandrong, zei hij mij botweg me met mijn eigen zaken te bemoeien. Deze keer liet ik me niet zo snel uit het veld slaan.

'Doet hij echt al die dingen voor je? Wat doet hij nog meer?'

Malfliet reageerde opvallend gepikeerd. 'Insinueer je iets?'

'Welnee, Paul. Ik bedoelde gewoon... Wat weet je eigenlijk van die vent? Ik weet niet waarom, maar hij lijkt me niet te vertrouwen.'

Malfliet leek dit een ogenblik te overdenken. 'Hij heeft gelegenheid genoeg gehad om mij te bestelen, me in mijn slaap te vermoorden en de benen te nemen, maar hij heeft het nog altijd niet gedaan. Dus heeft hij al een streepje voor op sommige andere mensen die ik ken...'

Ik voelde dat ik het subtieler moest aanpakken. Als Malfliet inderdaad kwade bedoelingen had, kon hij maar beter geen loyaal hulpje bij de hand hebben. Ik knielde naast de arm van zijn fauteuil neer, negeerde zijn afwerend gebaar en leunde naar hem toe zodat ik hem in het oor kon fluisteren: 'Ronduit gezegd, Paul, ik denk dat het maar beter is als we geen vreemden in de buurt hebben. We weten toch niet of...'

Hij onderbrak me meteen en deed geen moeite om zijn misprijzen te verbergen: 'Er is geen "we". Daarbij heb ik op dit moment een "vreemde" nodig om voor me te zorgen, dus voor mijn part kan dat evengoed Frank zijn.'

Een lichtpuntje.

'Maar dat kan ik toch ook voor je doen, Paul! Veel beter zelfs... Weet je nog?' Malfliets enige reactie was dat zijn mondhoeken nog verder naar beneden krulden.

'Ik kan iedere dag langskomen, het huishouden voor je doen, je verzorgen, je...'

Net toen mijn vingertoppen het haar boven zijn slaap raakten, greep hij mijn pols en gooide mijn hand van zich af.

'Zo is het welletjes...'

Met zijn andere hand graaide hij naar zijn kruk en begon ermee op de vloer te hameren.

Nog voor ik opstond, verscheen de zwerver in de deuropening.

'Ja, Paul?'

'Ben je daar eindelijk? Kun je zo vriendelijk zijn de dame uit te laten? Ze moet dringend naar huis, waar haar echtgenoot op haar wacht.'

Zodra ik die laatste sneer had weggeslikt, liep ik zonder nog iets te zeggen of om te kijken de kamer uit. Malfliets geïmproviseerde lakei maakte de vernedering compleet door de voordeur voor me open te houden.

Thuis had ik de grootste moeite om te verbergen dat ik gehuild had.

Eric volgde mij voortdurend door de flat met een spervuur van vragen over mijn 'gezondheidswandeling'. Toen hij dan toch de rode randen rond mijn ogen zag, probeerde ik zijn achterdocht te sussen door te zeggen dat ik zo lang weggebleven was omdat ik me schaamde voor mijn onverklaarbare stemmingswisselingen en mijn stomme gesnotter. Dat bleek hij te kunnen begrijpen.

Toen ik daarna mijn armen om hem heen sloeg en hij het gebaar beantwoordde door zijn wang tegen de mijne aan te vleien en mij bij de heupen te grijpen, kwam het maagzuur in mijn mond.

8

Sinds ik de hele bovenverdieping voor mij alleen had, had ik alle kamers nogmaals zorgvuldig uitgekamd op zoek naar eender wat dat naar Robin zou kunnen verwijzen. Niet zozeer omdat ik nog verwachtte er iets te vinden, maar eerder omdat mijn rusteloze gesnuffel ondertussen een vorm van bezigheidstherapie voor mij was geworden. Het herinnerde mij eraan wat ik hier eigenlijk was komen doen, het bracht me op een manier die ik niet kon verklaren dichter bij mijn vermiste broer en het gaf me iets te doen. Of toch in ieder geval iets wat niet om de grillen van Malfliet draaide.

Deze morgen had hij mij nog berispt omdat ik het huis minder op orde hield dan voorheen. Ik had al mijn zelfbeheersing moeten aanspreken om geen vuist in zijn gezicht te planten. Hoewel ik besefte dat Malfliet zelf mij geen stap dichter bij Robin kon brengen, bleef ik mijn rol van toegewijde huisvriend en onbetaalde butler verder spelen. Zonder hem zou ik immers op geen enkele manier productief contact kunnen leggen met Elizabeth Verstraete, de enige van wie ik zeker was dat ze meer wist over Robin.

Daarbij was het hier nog altijd beter dan in het benepen flatje van mijn moeder, *zonder* werk, *zonder* vooruitzichten en *met* haar eindeloze gemekker aan mijn hoofd.

Om Malfliet te paaien had ik hem beloofd dat ik een intercom zou installeren waarmee we altijd in contact met elkaar konden blijven, ook al zaten we op verschillende verdiepingen. Als hij iets wou of dringend hulp nodig had, zou hij niet eens zijn stem meer moeten verheffen.

Het idee van de klok rond op zijn wenken bediend te worden beviel hem duidelijk en tegen de middag was zijn humeur alweer wat opgeklaard.

Ik moest het sluwer aanpakken. Mijn pogingen om aan de boom te schudden hadden tot nog toe wel wat losgemaakt, maar een concrete aanwijzing was er nog niet gevallen.

Bovendien had dat Verstraete-mens nog altijd niet gereageerd op de brief. De webmailbox die ik speciaal had aangemaakt, was nog altijd leeg. Had ze door dat de brief vals was? Wou ze geen contact meer met Robin nu ze getrouwd was? Of had ze nog steeds contact met hem en wist ze daarom dat de brief door iemand anders geschreven was? Zou Robin doorhebben dat de brief van mij kwam? Waarschijnlijk wel. Hoeveel andere mensen zouden zijn persoonlijke embleem met de opgestoken vleugels kennen?

Robin had het als kind op de rug van een of ander jeansjasje gezien en had het sindsdien als zijn persoonlijke blazoen overgenomen. Wat het precies voor hem symboliseerde, was mij altijd ontgaan: vrijheid, stoerheid, rebellie? Hij had het plichtsgetrouw in zijn schoolboeken getekend en met viltstift op zijn kleren aangebracht. Op zijn twintigste had hij het uiteindelijk op zijn schouder laten tatoeëren. Het oorspronkelijke doodshoofd tussen de vleugels had hij toen al vervangen door een Tartarenhelm.

Het was de laatste dag van Malfliets expositie en hij had mij eropuit gestuurd om zijn werk terug te halen. De galeriehouder bekeek mij wantrouwend. Ik moest hem de identiteitskaart van Malfliet laten zien voor hij me de lijvige portfolio met de foto's wou overhandigen.

Ik vroeg hem of er veel interesse was geweest. Hij antwoordde laconiek dat er inderdaad heel wat belangstelling was geweest, maar jammer genoeg slechts van een beperkt aantal bezoekers. De zakelijke kant zou hij wel met mijnheer Malfliet zelf bespreken, voegde hij er met een zuinig lachje aan toe. Was het mij of die zakelijke kant die hij zo minachtte?

In de auto bekeek ik de foto's nogmaals aandachtig. Ik herkende enkele antieke meubelstukken die ik op de zolder gezien had. Zelfs een stuk speelgoed dat daar nu in die donkere zolderhoek stond.

Een aanzienlijk deel van de foto's straalde een oubollige sentimentaliteit uit die ik maar moeilijk met de maker ervan kon vereenzelvigen.

De dromerige poses op de portretfoto's – alle drie van dezelfde vrouw – kwamen al even irreëel over. Maar het model zelf had iets echts, niet knap of jong genoeg om een beroeps te zijn, maar des te interessanter.

Toen ik het domein weer wou oprijden, zag ik een kleine sportwagen met opengeklapt dak op de oprit staan. Was Verstraete teruggekomen? Ik haastte mij uit de Lancia voor het geval ik iets belangrijks aan het missen was.

In de hal kon ik een gedempte vrouwenstem van achter de woonkamerdeur horen. Het klonk in ieder geval niet als Verstraete.

Ik klopte lichtjes op de deur en ging binnen zonder op antwoord te wachten. Malfliets gast hield abrupt op met praten en keerde zich naar me toe. Eerst dacht ik dat ik me vergiste, maar het was wel degelijk het gezicht van op de portretfoto's, en ik zag het donkere haar van de vrouw met de rode regenjas. Deze keer droeg ze een grijs mantelpakje en had ze haar haar opgestoken zodat ze iets van een directiesecretaresse had.

Andere bezoekster, zelfde reactie bij Malfliet: zijn irritatie vanwege de onderbreking leek de hele ruimte te vullen.

'Ik heb je portfolio meegebracht, Paul.'

De vrouw keek me onderzoekend aan. Het was duidelijk dat ze geen idee had wat ze van mij of mijn aanwezigheid moest denken. Malfliet maakte in ieder geval niet de minste aanstalten om mij aan haar voor te stellen.

'Zitten de foto's van mij erbij? Mag ik ze nog even zien?' vroeg ze geforceerd vriendelijk.

Ik gaf haar de map en ging in de fauteuil naast Malfliets sofa zitten. Ik negeerde zijn blikken en keek ongegeneerd naar zijn gast. In het echt zag ze er een stuk natuurlijker uit dan op de gestileerde portretten.

'Frank, heb je niets anders te doen? Anna en ik hadden net een persoonlijk gesprek.'

Ik nam aan dat het een redelijk verzoek van hem was, maar zijn superieure toon maakte mij balorig. Daarbij was ik nieuwsgierig geworden.

'Nee, Paul, ik heb niks anders te doen. Als het de dame niks uitmaakt, zou ik liever blijven zitten. Ik zou graag kennismaken met je andere vrienden.'

Ze liet de portfolio rusten en keek verbaasd naar mij en daarna naar een rood aangelopen Malfliet.

'Natuurlijk vind ik het niet erg', zei ze zonder veel overtuiging en haalde de drie portretfoto's uit de map.

Ze bekeek ze een voor een met een glimlachje waaruit ik niks kon opmaken. 'Ze waren werkelijk heel geslaagd, Paul', zei ze terwijl ze de zware map op de salontafel legde. Het klonk eerder hoffelijk dan gemeend. Het viel me op dat er helemaal niets flirterigs van haar uitging en dat er niet de minste romantische spanning in de lucht hing. De bezoekster maakte daarentegen bijna een zorgelijke, moederlijke indruk. Malfliet scheen het niet te deren. Dit was blijkbaar precies waarvoor hij haar die avond had gebeld.

'Kennen jullie elkaar al lang?' vroeg ik om de stilte te breken.

Malfliet hield zijn lippen stijf op elkaar en keurde mij geen blik waardig. Zijn gast antwoordde voorzichtig dat ze elkaar al een hele tijd kenden. Toen niemand reageerde, voelde ze zich verplicht eraan toe te voegen dat ze elkaar ongeveer twaalf jaar eerder tijdens een fotosessie hadden leren kennen.

'Bent u model? Professioneel?' Ik probeerde het als beleefd gekeuvel te laten klinken.

Het vleiende misverstand deed haar glimlachen. Ze legde verontschuldigend uit dat ze destijds enkel de kledij leverde. Ze bleek haar eigen boetiek te hebben. 'Maar Paul vindt me blijkbaar wel fotogeniek. Hij zegt dat ik hem inspireer', verklaarde ze met een zekere koketterie.

'Werken jullie vaak samen?'

'Niet echt. Ik zie het ook niet als werken.' Ze toonde de portretfoto's: 'Deze hier waren in nauwelijks een kwartier tijd gemaakt.'

Malfliet was duidelijk niet van plan zijn mond open te doen zo lang ik in de kamer was. Het verbaasde me dat hij zich zo snel gewonnen had gegeven. Maakte zijn afhankelijkheid hem onzekerder of wou hij gewoon niet als een onbeschofte bullebak overkomen bij zijn vriendin?

'En jullie,' vroeg ze onverwachts, 'hoe kennen jullie elkaar precies? Ik heb begrepen dat u hier een tijdje bij Paul logeert?' Blijkbaar had hij haar dan toch iets over mij verteld.

'Ja, ik ben op doorreis, als het ware. Ongeveer een week geleden heb ik Paul geholpen met een klusje en ik ben dat sindsdien blijven doen.'

Ze glimlachte niet-begrijpend.

'Paul is heel groothartig en genereus voor mij', zei ik er schaapachtig bij.

'Ik vind het in ieder geval goed dat Paul iemand heeft die hem een beetje kan helpen en hem gezelschap houdt. Vooral nu hij zelf niet uit de voeten kan.' Weer die moederlijke toon en weer geen reactie van Malfliet.

'Zijn die foto's hier in de tuin genomen?'

'Die van mij? Ja, je ziet nog vaag de takken van de beuk achteraan op het domein op de achtergrond. Paul, wat voor een lens had je ook alweer gebruikt om dat effect te krijgen?'

In plaats van te antwoorden nam Malfliet zijn krukken en hinkte moeizaam de kamer uit. Anna keek hem na en wierp me een verontschuldigend lachje toe. Ik negeerde Malfliets nukken.

'Het is een prachtig domein. Lijkt me ideaal voor sfeervolle foto's', zei ik inschikkelijk. 'Ik neem aan dat Paul u wel vaker gefotografeerd heeft hier?'

De vraag leek haar in verlegenheid te brengen. 'Ja, ik geloof van wel.'

Ik boog mij vertrouwelijk naar haar toe en liet mijn stem wat zakken: 'Ik hoop dat ik niet te vrijpostig overkom, maar is het huis altijd in zo'n staat geweest? Zo verwaarloosd?'

Dat was een vraag die ze duidelijk niet verwacht had. Ze keek me onzeker aan.

'Ik bedoel er niets mee. Maar u bent een vriendin van Paul... en als ik zo eerlijk mag zijn, de eerste vriend of kennis die ik hier gezien heb. Buiten zijn huisarts komt hier eigenlijk niemand over de vloer. U kent hem beter dan ik. Ik maak me een beetje zorgen om hem en de manier waarop hij zich laat gaan.'

De vrouw sloeg haar ogen neer alsof ze zich persoonlijk verantwoordelijk voelde.

'Weet u,' antwoordde ze met een zichtbare inspanning, 'Paul heeft het niet makkelijk gehad. U denkt misschien dat hij heel bevoorrecht is omdat hij van zo'n goede komaf is, maar hij heeft veel tegenslagen gekend.' Ze keek me strak aan. Ik kreeg de indruk dat ze polste in hoeverre ze me in vertrouwen kon nemen.

'Op persoonlijk vlak?' moedigde ik haar wat aan.

'Ook. Maar eveneens professioneel. U weet dat hij een tijdje de fotografie heeft opgegeven om zich met het bedrijf van zijn familie bezig te houden?'

'Hij heeft ooit eens zoiets gezegd.'

'Dat was een verkeerde beslissing. Paul heeft geen hoofd voor zaken, cijfers of leidinggeven. Na een paar jaar heeft hij het dan maar opgegeven. Ik heb nooit goed begrepen waarom hij destijds zo opeens een compleet andere weg is ingeslagen.'

We konden Malfliet horen stommelen in een van de achterkamers van de villa. Hopelijk bleef hij daar nog even verder bokken.

'Ja, maar ondertussen fotografeert hij weer. En hij heeft zelfs een expositie georganiseerd. Alles is dus weer goed gekomen. Toch?'

'Zijn vroegere werk was beter, weet u. Ik denk dat hij dat ook wel beseft. Hij had er toen ook meer plezier in, hij deed het met meer passie. Nu heb ik soms de indruk dat hij het doet omdat hij niet weet wat anders te doen.' Malfliets freule sloeg haar ogen neer en keek van haar schoen naar de tafelpoot. Had ze de indruk dat ze haar mond voorbijgepraat had?

'En persoonlijk gaat het ook niet zo goed met hem?' probeerde ik voorzichtig.

Ze keek abrupt op. 'Wel, u hebt nu al een tijdje bij hem ingewoond. Wat denkt u ervan?'

'Ik denk dat hij vereenzaamd is. En in de war. Waarom zou hij anders een compleet vreemde in huis halen?'

'Ja. Daar hebt u gelijk in', antwoordde ze kortaf.

'Is hij altijd zo geweest?'

'Oh nee. Vroeger was hij veel opgewekter en socialer. Toen ik hem leerde kennen, was hij nog getrouwd.'

'Hij heeft me nooit iets over een ex verteld. Zijn vrouw is toch niet gestorven, hoop ik?'

'Nee', zuchtte ze veelbetekenend, 'ze zijn een hele tijd geleden gescheiden. Ik geloof dat het nogal een bittere echtscheiding is geweest. Hij heeft er in ieder geval veel bij verloren, ook financieel.'

'Hij lijkt mij nog altijd rijk genoeg.' Ik probeerde het luchthartig te laten klinken, maar zij keek mij ijskoud aan.

'Voordien was hij een stuk rijker. Niet lang na de scheiding heeft hij zelfs zijn andere huis moeten verkopen.'

'Had hij er dan nog een?'

'Een enorm fin-de-siècleherenhuis in Vorst. Dat is waar hij vroeger gewoonlijk zat. Hij kwam hier slechts heel zelden. Dat is nog iets wat ik nooit begrepen heb van hem: waarom hij destijds niet dit huis heeft verkocht.'

'Waarom zijn ze uit elkaar gegaan?'

'Ik ken niet alle details.' Ze keek weg, legde haar fijne handen op de leuningen van haar fauteuil en maakte aanstalten om op te staan.

'Had hij misschien een verhouding met iemand anders?' Het was gewaagd, maar ik moest iets proberen om het gesprek op Elizabeth Verstraete te brengen.

Ik keek wat beduusd naar beneden en merkte dat haar vingers om de leuningknoppen verkrampten, waarbij het me opviel dat ze geen enkele ring droeg, dus ook geen trouwring.

Toen ik weer opkeek, zag ik dat ze hevig bloosde en mij fronsend zat te bestuderen alsof ze van mijn gezicht kon aflezen wat ik met die vraag precies bedoeld had. Antwoorden deed ze niet. Uiteindelijk nam ze haar handtas op haar schoot en rommelde erin tot ze gevonden leek te hebben wat ze zocht. Ze gaf me met uitgestrekte arm en een onvriendelijke uitdrukking op haar gezicht het visitekaartje dat ze opgeduikeld had. Er stonden de naam en gegevens van een kledingzaak op, maar haar naam zag ik nergens.

'U kunt me contacteren als...' ze zocht even naar de juiste woorden, 'als dat nodig mocht blijken te zijn.'

Daarna stond ze op en liep ze de kamer uit. Op zoek naar Malfliet, nam ik aan.

Hoewel ik niet kon verstaan wat ze tegen elkaar zeiden, kon ik wel horen dat het niet opgewekt klonk. Hadden ze het over mij? Was ik te ver gegaan? Zou ik ook naar de achterkamer gaan en mijn verontschuldigingen aanbieden of kon ik maar beter naar boven gaan en ze verder alleen laten?

Net toen ik ook wou opstaan, ging de deurbel.

De geagiteerde stemmen in het andere vertrek verstomden meteen, maar niemand scheen zich te verroeren.

Nieuwsgierig liep ik de hal in. Op het scherm van de videofoon zag ik het onbekende gezicht van een jonge vrouw. Dat bracht me op een idee.

Vanuit mijn ooghoek zag ik Malfliet op zijn krukken de hal in hinken. Anna bood aan met hem mee te gaan, maar hij wimpelde haar hulp met een hoofdbeweging af.

Halverwege de hal bleef hij staan en keek me vragend aan. Ik gebaarde dat hij wat dichterbij moest komen.

'Ik geloof dat het dat mens weer is', fluisterde ik.

Zijn gezicht verschoot van kleur.

Er werd een tweede maal op de belknop gedrukt. Ik merkte hoe het indringende geluid Malfliets nekharen rechtop deed staan.

'Ik heb niks tegen haar te zeggen. Doe jij open en vertel haar maar iets. Zeg dat ik me niet goed voel.' Hij keerde zich moeizaam om en begon terug te hinken. 'En wacht tot ik uit het zicht ben', siste hij me nog over zijn schouder toe.

Een moment later opende ik de deur op een kier. De vrouw keek me met een vermoeid glimlachje aan en toonde een grote blocnote die ze in haar hand hield. Met mijn wijsvinger op mijn lippen maande ik haar aan nog niet van wal te steken. Ik glipte naar buiten, sloot de deur achter mij en ging vlak bij de vrouw staan, precies tussen haar en de camera.

'Neem me niet kwalijk', mompelde ik, 'we hebben een zieke in huis en die is nog maar net in slaap gesukkeld...'

'Oh, dat spijt me, mijnheer', zei ze zachtjes terwijl ze bedremmeld aan haar paperassen stond te frunniken. 'Ik wou gewoon een paar vragen stellen over...'

'Beter een andere keer', onderbrak ik haar nors.

Hoogrood en diep verongelijkt droop ze af. Ik bleef haar nakijken en ging pas weer binnen toen ze van het domein was.

Daar stond Malfliet me reeds in het midden van de hal op te wachten. 'Wat zei ze?'

'Dat ze binnenkort terug zou komen.'

Malfliet kreunde misnoegd.

'Ze was erg teleurgesteld dat ze je niet kon zien, Paul. Ik geloof dat ze echt om je geeft.'

Ik had een minachtend gesnuif als antwoord verwacht, maar tot mijn verbazing zei hij niks, staarde met glazige ogen en verdrietige mond naar de gesloten deur en slikte.

Anna was er ondertussen geruisloos bij komen staan. Haar vragende blik ketste eerst op hem en dan op mij af.

Een ogenblik later bleek Malfliet weer tot zichzelf te komen, draaide zich moeizaam om en hinkte terug naar de woonkamer zonder zijn gast aan te kijken.

Ze volgde hem verbouwereerd en ik hoorde haar vaag 'Ik kom morgenavond nog wel eens langs' zeggen. Het klonk bijna schuchter.

Zonder een antwoord af te wachten of te krijgen, rende ze met haar jas in de hand langs me heen de deur uit.

9

Het duurde een volle vijf minuten voor ik de moed kon opbrengen om het portier open te maken en naar de voordeur te lopen.

Net nadat ik de sleutel uit het contactslot had getrokken, werd ik overvallen door een vlaag van vertwijfeling en moedeloosheid die mij letterlijk in de chauffeurszetel gedrukt had gehouden. Heel de tijd had ik min of meer verwacht de geblokte gestalte van Malfliets huisknecht uit de villa te zien stormen om mij te zeggen dat zijn meester mij niet kon ontvangen. Nu niet en later ook niet.

Er was echter geen teken van leven uit het huis gekomen, wat ik als een stille aanmoediging had gezien.

De moed zonk me alweer in de schoenen toen er niks gebeurde nadat ik had aangebeld. Ik besefte dat ik een grens aan het overschrijden was en kon het gevoel niet van me afzetten dat Eric me aan de andere kant ervan zou staan opwachten, klaar om het mij betaald te zetten. Maar over die grens wachtte mij ook een ander leven. Daarbij besefte ik dat ik niet terug kon en niet meer terug wou.

Na de tweede poging zwaaide de deur eindelijk open. De hoekige figuur van de zwerver leek de hele deuropening in te nemen. Hij stond daar maar te staren zonder iets te zeggen en zonder plaats te maken. Ik moest een zekere weerzin overwinnen om zelf iets tegen hem te zeggen en hield de fruitmand die ik voor Malfliet had meegebracht tussen ons in als een schild.

Pas toen Malfliet – ongekamd, ongeschoren en nauwelijks gekleed – op zijn krukken achter hem kwam staan, deed de lomperd een stap opzij.

'Paul, wat zie je eruit!' stamelde ik en stapte langs de ander heen.

Malfliet antwoordde niet, bleef midden in de hal voor zich uit staren – dwars door me heen – en draaide zich uiteindelijk loom om.

Hij had me tenminste niet meteen afgewimpeld en ik volgde hem op enkele passen afstand de woonkamer in. Terwijl we tergend traag binnenstapten, sloop de zwerver de trap op. Hij hield me heel de weg nauwlettend in de gaten.

'Sluit de deur achter je', gromde Malfliet terwijl hij zich in de sofa liet zakken.

Ik deed wat hij me vroeg. Toen ik hem de mand wou tonen, gaf hij met een hoofdknik te kennen dat ik het ding op het salontafeltje kon zetten. Omdat daar geen plaats meer was tussen de medicijnverpakkingen, de smerige vaat en andere rommel, zette ik het cadeau dan maar aan zijn voeten. Hij keurde het geen blik waardig.

'Waarom blijf je maar terugkomen?'

Ik had die vraag wel voorzien, maar niet de gelaten toon waarop hij ze had gesteld. Gelukkig had ik mijn antwoord zorgvuldig ingeoefend: 'Ik wou weten of je nog eens hebt nagedacht over mijn voorstel van eergisteren. Ik blijf erbij dat het de beste oplossing is.'

De sneer die ik had verwacht bleef tot mijn verbazing uit. Malfliet zat daar maar en keek naar mijn gezicht, schijnbaar zonder me te zien.

Ik probeerde mijn verwarring niet te laten merken en ging voorzichtig verder: 'Ik heb thuis niet zoveel omhanden, zoals je misschien wel begrepen hebt. Als je geen kinderen of huisdieren hebt, valt er aan zo'n flat niet veel schoon te maken. Het zou geen grote moeite zijn om elke dag enkele uren langs te komen... of langer, als je dat zou willen.'

'En je man dan?' Het was alsof hij de vraag aan een derde, enkel voor mij onzichtbare persoon in de kamer stelde.

'Die kan wel voor zichzelf zorgen. Het is welbeschouwd maar voor even.'

In werkelijkheid had ik geen idee hoe ik de situatie aan Eric zou kunnen uitleggen. Mijn weerzin om daaraan te denken was op dit ogenblik echter groter dan mijn angst voor het onbekende.

'Waar is hij nu?'

Stelde ik het me maar voor, of klonk er echt iets van leedvermaak in zijn schorre stem?

'Thuis,' gaf ik toe. 'Hij denkt dat ik naar de kust gegaan ben om een lange strandwandeling te maken.' Het was er nog maar uit, of ik wist al dat ik mijn mond voorbijgepraat had.

'Dat begint dan goed.'

Was sarcasme het enige waar hij nog zelfstandig toe in staat was? Mijn toekomst op het spel zetten voor dit uitgebluste randtalent begon steeds meer op een wanhoopsdaad te lijken.

'Eén verzinsel meer of minder doet er in dit huwelijk niet meer toe, Paul.'

'Mijn zaken niet...'

Met de groeiende wrevel kwam er ook een ingeving: 'Nee, je hoeft het dan ook niet voor mij te doen, maar des te meer voor jezelf. Het gaat niet goed met je, Paul. Je ziet er iedere dag slechter en onverzorgder uit. Denk je nu zelf ook niet dat ik beter voor je zou kunnen zorgen dan die dubieuze schooier die je in huis hebt gehaald?'

'Denk jij van wel?'

Hier lag misschien een kans. Ik ging naast hem op de sofa zitten, legde vertrouwelijk mijn hand op zijn arm – die hij gelukkig niet meteen wegtrok – en beloofde hem met een zachte stem dat ik er helemaal zou zijn voor hem. Om hem te troosten als hij pijn had, om hem te ondersteunen als hij wankelde, om hem in bad te stoppen als hij er zelf de fut niet voor had, om zijn natje nog natter en zijn droog-je nog droger op te dienen. En toen viel mijn blik op de portretfoto's die ik eerder in de galerie had zien hangen. Ze stonden nu vergeten tegen de zijkant van de fauteuil waarin ik daarnet nog had gezeten. De schok was er niet minder om. Een pijnlijk eenzaam ogenblik later wist ik weer wat mij hier in de eerste plaats had gebracht: achterdocht.

Malfliet had de plotselinge onderbreking gemerkt en keerde zich voor het eerst naar me toe. Hij keek me in de ogen en zei niks. Ik wou hem een kus op de lippen drukken, maar die doffe blik en dat ver-grauwde gezicht weerhielden mij ervan.

'Daarbij', ging ik half fluisterend verder, 'ik kan voor je poseren terwijl je hier thuis moet zitten. Zoals vroeger.' Zijn ogen werden opeens wat minder mat en heel even leek hij echt naar mij te kijken.

'Je maakt toch graag vrouwenportretten?' moedigde ik hem wel-willend aan.

'Vroeger wel', antwoordde hij vaag. Eindelijk kreeg ik de indruk dat ik ergens kwam.

'Nu dan niet meer?' vroeg ik ongelovig.

'Ik heb me de laatste tijd meer toegelegd op landschappen en architectuur', antwoordde hij toonloos. 'Soms straatscènes als de straat in kwestie leeg genoeg is...'

'Zoiets verleer je toch niet. Met het juiste model krijg je meteen weer inspiratie.' Zijn gezicht verhardde weer. Ik moest het omzich-tiger aanpakken.

'Wat zoek je in een model? Hoe kies je zo'n vrouw uit?'

Hij haalde zijn schouders op. 'Ik kies ze niet bewust uit. Als ze iets voor mij betekenen, wil ik ze vanzelf fotograferen. Zo simpel en zo moeilijk is het.'

Ik sprong op van de sofa en liep kordaat naar het wandmeubel waarop ik een camera had zien liggen. Ik pakte het toestel en stapte ermee naar Malfliet. Toen hij het ding weigerde van me aan te nemen, legde ik het in zijn schoot.

'We kunnen het nu direct proberen als je wil', glunderde ik alsof ik nog niet doorhad dat hij dat helemaal niet wou. Hij zei aanvankelijk niets, maar legde het toestel ook niet weg.

'Dit ding is een oude spiegelreflex. Er zit niet eens een film in', mompelde hij laconiek.

'Je hebt toch wel een andere? Ik zal hem wel voor je halen.'

'Boven, in mijn slaapkamer staat er een professioneel toestel op een statief.'

'En hier op de benedenverdieping?' Het idee om alleen naar boven te gaan waar die vent rondsloop, stond me opeens enorm tegen.

Malfliet staarde me aan. Hij vertrouwde het zaakje niet helemaal.

'Probeer eens in een van die lades daar', zei hij met een oogbeweging in de richting van het dressoir.

Gedwee liep ik ernaartoe en begon haastig de bovenste lade te doorzoeken. Er was echter geen camera te bekennen tussen de stapels gebruiksaanwijzingen, kabels, batterijen en andere rommel. In de lade daaronder lagen enkel oude videocassettes en lege fotolijsten.

Toen ik verontschuldigend naar hem omkeek, merkte ik hoe hij zijn ogen over mij heen liet glijden. Het betekende misschien niet veel, maar het was tenminste iets.

Ik boog mij wat verder voorover en schoof de derde lade uit. Mijn oog viel direct op een zilvergrijze compact camera, maar ik bleef met opzet een tiental seconden langer diep voorovergebogen door de lade scharrelen. Terwijl ik het toestel hoopvol glimlachend naar hem bracht en hij het zonder een woord van me overnam, hield hij de hele tijd zijn blik op mijn lichaam gericht. Zo ver was ik dan toch al.

'Moet hier nog een film in?'

'Het is een digitaal toestel...,' mompelde hij voor zich uit, '... en niet eens een heel goed. Ik gebruik dat ding enkel om snel impressies vast te leggen en kadreringen mee uit te testen.'

'Werkt het?'

Als antwoord schakelde hij het toestel aan, waarop de lens gehoorzaam tevoorschijn zoemde. Hij morrelde wat aan de instellingen en richtte daarna de camera op mij.

'Doen we het hier?' vroeg ik verbaasd.

'Waar anders?' antwoordde hij gelaten terwijl hij tegen zijn slechte been tikte.

Hulpeloos keek ik de wanordelijke kamer rond. Iedere hoop dat de achtergrond mij wat fotogenieker zou doen uitkomen verdampte meteen.

Voor ik er erg in had, werd ik al verblind door de flits. Malfliet bekeek het resultaat op het lcd-schermpje van het toestel, wierp mij het ding toe en vroeg smalend of het dit was wat ik in gedachten had. Zelfs in dat formaat zag het profielportret er ontnuchterend realiteitsgetrouw uit.

'Nee,' zei ik gemaakt goedlachs terwijl ik hem de camera teruggaf, 'maar de inspiratie zal wel komen, als je mij een kans geeft.'

Hij zag er plots nog vermoeider uit.

'Waarom wil je per se dat ik je fotografeer?' vroeg hij alsof het om een op voorhand verloren kwestie ging.

'Omdat je goed bent. Dat weet je zelf ook wel. En je hebt connecties.' Ik ging weer vlak naast hem zitten. 'Voor mij zou het misschien wel een uitweg kunnen zijn. Niet dat ik mezelf nog als een fotomodel zie, maar het zou een manier kunnen zijn om af en toe wat bij te verdienen.'

Malfliet keek me zijdelings aan met een mengeling van ongeloof en minachtend medelijden op zijn gezicht. Ik had niks anders verwacht en was al blij dat er toch ook een zweem van interesse in die blik te zien was.

'Een uitweg?'

'Uit mijn uitzichtloze bestaan als huissloof van een pummel.' Ik ging voorzichtig tegen hem aan leunen.

'Je hebt er zelf voor gekozen. Toch?'

'Ik had helemaal geen keuze, Paul. Dat begrijp je nu toch wel? Het was Eric en een flat in Vilvoorde of mijn ouders in helemaal nergens.'

'Wat ik niet begrijp is waarom je uitgerekend met een politieman bent getrouwd.'

Ik haalde mijn schouders op als om de futiliteit van de reden te onderstrepen: 'Hij gaf me een gevoel van veiligheid. Dat kon ik toen best gebruiken.'

'Nu niet meer?'

Ik lachte treurig. 'Nee. Ik geloof dat ik ondertussen alle veiligheid die ik kan verdragen wel gehad heb.'

'Je maakt jezelf wat wijs als je werkelijk denkt dat er nog een carrière voor je in zit', zei hij hoofdschuddend.

'Ik heb niet veel opties, Paul. Het is niet dat ik allerlei diploma's aan de muur heb hangen of noemenswaardige talenten heb.'

'Nee', zei hij onverbloemd. Ik vond het niet erg. Hoe dommer hij me achtte, hoe minder hij op zijn hoede zou zijn.

'Dus we kunnen het maar beter goed doen', voegde ik er aan toe.

Ik ging in het midden van de kamer staan, trok mijn bloes uit en liet mijn rok naar beneden glijden. 'Kun je hier iets artistieks mee doen?'

Malfliet bekeek me ongelovig. Het was onmogelijk te zeggen of hij geïntrigeerd was of gewoon verbluft. Ik was al opgelucht dat hij niks zei.

Hij zat daar maar te kijken – schijnbaar vergeten dat hij een camera in zijn hand hield – terwijl ik enkele poses voor hem uitprobeerde.

'Wat vind je ervan als ik zo ga zitten? Is dat iets?'

Er kwam geen antwoord.

Ik ging op mijn zij op de kille vloer liggen met mijn arm languit onder mijn hoofd gestrekt.

'Herinner je je dit nog?'

Hij maakte een zwak kreunend geluid dat alles en niets kon betekenen. Maar verder kwam er geen enkele reactie. Ik herinnerde het mij in ieder geval weer kristalhelder: hoe het voelde om openlijk begluurd en begeerd te worden en het gevoel te hebben dat je de toekomst kon bezweren door je in het moment te storten.

Ik rolde op mijn buik en draaide mijn gezicht naar hem toe. 'En dit?'

Hij bleef naar mijn uitgespreide lichaam kijken alsof hij niet kon uitmaken of het echt was of een zinsbegoocheling.

Ik ging verder. Verder dan ik me had voorgenomen en dan ik kon verklaren. Malfliet had het fototoestel ondertussen uit zijn handen laten glijden en staarde alleen maar. Niet dat het ertoe deed. Ik voelde iets wat ik al zo lang niet meer gevoeld had, dat ik eraan was beginnen te twijfelen of het mijn eigen herinneringen wel waren. *Dit is vrijheid*, dacht ik terwijl ik me liet gaan alsof de afgelopen tien jaren maar een misverstand waren en terwijl Malfliet mij met half open mond aangaapte, *zo voelt macht*.

Heel die tijd wist ik dat de zwerver ieder ogenblik zijn hoofd om de deur kon steken, maar ook dat hield me niet tegen. Integendeel.

Klaar voor het hoogtepunt, kroop ik op handen en voeten naar Malfliet toe. Hij volgde mij met priemende ogen en zuchtte hoorbaar. Vreemd hoe hij steeds ouder begon te lijken, terwijl ik me alsmaar jonger voelde. Toen ik me naar hem oprichtte, voelde ik zelfs iets van vertedering door me heen gaan.

'Zie je, ik ben nog niet veranderd', fluisterde ik met een lach in mijn stem, terwijl ik mijn hand naar zijn ruwe wang bracht.

'Al de rest wel', antwoordde hij nauwelijks hoorbaar terwijl hij zijn hoofd afkeerde, een gebaar dat mij met een doffe klap weer in het hier en nu bracht.

Beduusd kwam ik overeind, zocht zonder iets te zeggen mijn kleren bij elkaar en trok ze weer aan met mijn rug naar hem toe gekeerd. Mijn kaken gloeiden van verlegenheid en frustratie. Mijn blunders werden hoe langer hoe grotesker.

Toen ik genoeg zelfcontrole had verzameld om hem weer aan te kijken en een verontschuldiging uit te spugen, merkte ik dat zijn ogen vochtig waren en zijn onderlip trilde. Hij scheen in gevecht met iets in hem wat ik niet begreep en nog niet eerder gezien had.

Onthutst stond ik hem aan te kijken met mijn ene schoen nog in de hand. Dit was misschien mijn ultieme kans, maar ik had geen benul wat ik ermee aan moest.

'Wat is er, Paul?'

Zijn stem klonk rasperig, maar beslist: 'Kom terug.'

Volgzaam ging ik naast hem zitten en nog voor ik mijn hand op de zijne kon leggen, lag die al op mijn dij. Ik schrok van de klamme aanraking en zijn bizarre stemmingswisselingen, maar liet hem begaan. Ook toen zijn hand onder de zoom van mijn rok verdween en zijn hoofd van mijn schouder naar mijn borst dwaalde.

Maar niet verder, niet vandaag, niet na zijn afwijzing van daarnet en niet nu ik geen controle over de situatie had.

'Ik moet nu gaan', zei ik kortaf, duwde zijn hand weg en stond op.

Malfliet protesteerde niet.

'Maar morgen kom ik terug. Beloofd.'

Ik overwoog nog te herhalen dat hij zijn logé beter zo snel mogelijk de deur kon wijzen, maar het leek me beter mijn geluk niet op de proef te stellen en het effect van mijn plotse vertrek niet te verknoeien.

Lang duurde mijn gevoel van voldoening niet. Toen ik de voordeur opentrok, zag ik een vrouw met kort, bruin haar verwonderd naar mijn auto kijken. Nauwelijks had ik een stap naar buiten gezet, of ik herkende met een schok het profiel van op Malfliets portretfoto's.

Ik had mij dit moment de afgelopen tien jaar maar al te vaak ingebeeld. Iedere keer had ik me levendig de paniek en het afgrijzen die me zouden overvallen kunnen voorstellen. Misschien was het daarom dat ik nu een vreemde kalmte kon bewaren en nagenoeg zonder aarzeling het grindpad kon op lopen. Zelfs toen ik vanuit mijn ooghoek zag dat ze mij stond aan te staren, verloor ik mijn houding niet en liep door, mijn eigen auto voorbij en het domein af. Ik hoefde niet om te kijken om te weten dat ze mij heel die tijd was blijven nastaren. En ze hoefde niets te zeggen om mij te laten voelen dat zij mij eveneens herkend had.

Pas na vijf onnoemelijk lange minuten, durfde ik een blik om de muur te werpen om te zien of het al veilig was en rende ik met trillende benen terug naar mijn Ford.

10

Elizabeth Verstraete was de eerste die die dag langskwam.

Ik was de keukentafel aan het afruimen toen ze iets na de middag aanbelde. Malfliet zat in de kamer daarnaast zijn lunch-ontbijt te verteren en mij te negeren.

Aan zijn pijnlijke gekreun en het plotse getik van de krukken te horen, probeerde hij op eigen houtje op te staan om de deur open te maken.

'Laat maar, Paul. Ik ga wel even kijken.'

'Ik heb je verdomme niks gevraagd', blafte hij me toe, maar ik was hem al voor.

Het was de eerste volzin die hij die dag tegen mij gezegd had.

Het mens deed niet de minste poging haar wrevel te verbergen toen ze mij in de deuropening zag. Ze hield een opzichtig ingepakte fruitmand in haar handen.

Net toen ze besloot om toch maar haar mond open te doen, kreeg ze Malfliet in het oog. Hij kwam in zijn ondergoed en badjas met grote krukzwaaien de hal in gestrompeld.

'Paul, wat zie je eruit!'

Malfliet bleef haar halverwege de hal aankijken zonder dichterbij te komen. Als hij al blij was haar weer te zien, was daar niks van te merken. Ik las alleen nog berusting in die holle blik.

Je kon een speld horen vallen terwijl ik de trap op liep en ze aan elkaar overliet.

Malfliet keerde zich moeizaam om en hinkte terug naar de woonkamer. Verstraete volgde hem en wierp me nog een giftige blik toe toen ik op de bovenste trede achterom keek.

Ik sloot de deur van de logeerkamer achter mij en liep recht naar de draadloze intercomontvanger die ik de dag ervoor nog gehaald had.

Ik had de ene helft van het systeem in de woonkamer geïnstalleerd en de andere aan het hoofdeinde van mijn bed. Malfliet reageerde nauwelijks toen ik hem een demonstratie wou laten horen en wuifde mijn uitnodiging om de intercom zelf eens uit te testen weg. Het geluid van de televisie kwam krakerig, maar verstaanbaar genoeg door. Nu hoopte ik maar dat Malfliet de aanwezigheid van de zender vergeten zou zijn.

Muisstil zat ik op het bed en volgde de flarden gesprek tussen de ex-geliefden. Geen idee wat hen bezielde of waarom ze elkaar bleven besnuffelen als verlopen straathonden. Het mysterie werd nog groter toen ik hoorde hoe Malfliet haar probeerde af te houden. Ik hoorde eveneens hoe zij mij het huis uit probeerde te werken. Mijn bloed kookte, maar voorlopig kon ik niks anders doen dan verder luisteren.

Er volgde een geïmproviseerde fotosessie. De pijnlijke scène vol ellenlange stiltes herinnerde mij aan de obscene polaroids van haar die ik op zolder gevonden had. Zou Malfliet die dan toch genomen hebben? Het monotoon zoemende geruis van de ontvanger telkens als er weer een stilte viel, leek alsmaar oorverdovender te klinken. In mijn verbeelding zag ik hoe ze zich uitkleedde en de poses van de zolderfoto's weer aannam. Tot mijn verbazing voelde ik geen weerzin of medelijden. Wel een kloppend, leeg gat in mijn binnenste dat groter bleek te worden toen ik me voorstelde hoe ze boven op hem ging zitten: de ontrouwe verleidster op haar kreupele troon.

Hoe lang was het geleden dat een vrouw mij had proberen te verleiden? Of zelfs maar interesse had getoond? Ik probeerde tegen de opkomende golf van frustratie en moedeloosheid te vechten door mij op de twee figuren beneden te concentreren. Het doffe gestommel dat zwakjes uit de luidspreker kwam en ik, een blinde gluurder.

Het krassende geluid van Verstraetes stem – 'Ik moet nu gaan...' – deed me opschrikken uit mijn gemijmer. Malfliet had toegehapt, maar ze was blijkbaar van plan hem nog wat langer aan de haak te laten spartelen.

Tussen Malfliets onverstaanbare gestamel en haar reactie in, merkte ik vanuit mijn ooghoek beweging in de tuin. Ik ging schuin achter het raam staan om zelf niet opgemerkt te worden. Malfliets andere model wandelde het pad op. Mijn blik dwaalde af naar de poort. Achter het naar boven schuivende passagiersraampje van een zilvergrijze wagen aan de overkant van de laan zag ik iets glinsteren. Toen hoorde ik het geluid van de voordeur die dichtsloeg. De brunette bleef stokstijf staan en staarde voor zich uit, kennelijk naar Verstraete die het huis verliet. Beide vrouwen bleven elkaar heel even aanstaren, waarna Verstraete in een wijde boog om de andere heen liep en op een drafje het domein verliet.

Er werd opnieuw aangebeld. Deze keer liet ik Malfliet zelf openmaken en maakte ik van de gelegenheid gebruik om in zijn slaapkamer het fototoestel met de enorme zoomlens te gaan halen. Het statief met de camera stond nog altijd in de hoek waar ik het tijdens mijn eerste nachtelijke bezoek had zien staan. Ik pootte het statief schuin achter mijn eigen raam neer en zocht door de zoeker de omgeving af tot ik de zilvergrijze familiewagen in beeld kreeg. Ik zoomde verder in en zag dat er iemand achter het stuur zat die het huis in de gaten leek te houden.

De luidspreker begon weer luider te kraken. Ik hoorde Malfliet in de verte vragen of Anna niet wou gaan zitten. Ze barstte meteen los:

'Wat doet die vrouw hier weer?' Het klonk meer verbijsterd dan nijdig.

Er volgde geen antwoord.

'Ik dacht dat je definitief met haar had gebroken? Dat het allemaal een vergissing was geweest? Dat had je me toch zelf gezegd?'

Ik meende Malfliet iets te horen mompelen, maar het was onverstaanbaar.

'Als je haar niet uitgenodigd hebt, waarom komt ze hier dan?'

Ik liet de camera staan en ging dichter bij de ontvanger zitten. 'Ik hoef me toch niet te verantwoorden voor iedereen die hier over de vloer komt', wierp Malfliet tegen.

Het weerwoord klonk des te scherper: 'Voor dit wel, Paul. Ik zal nooit vergeten hoe dat mens mij destijds uit dit huis gejaagd heeft. Hoe ze mij die foto, mijn eigen foto...' – ik dacht dat ik een knik in haar stem hoorde – '... waarop jij die kinderlijke vunzigheden had getekend, onder mijn neus duwde en me vertelde hoe je mij belache-lijk maakte terwijl je met haar in bed lag.'

Malfliet wou iets inbrengen, maar kwam niet verder dan de eerste lettergreep.

'Als datzelfde mens na al die jaren hier opnieuw staat, dan ben je mij absoluut een uitleg verschuldigd. Zeker nadat jij mij nauwelijks drie dagen geleden zo goed als gesmeekt hebt om langs te komen.'

Plots kwam Malfliets stem een stuk duidelijker door: 'Ze dook op een avond gewoon weer op. Ze sprak me aan in een bar. Ik geloof dat ze me al een hele tijd daarvoor aan het bespieden was. Volgens mij was ze zelfs hier in huis geweest toen ik een avondje weg was. Ze had een gordijn op de bovenverdieping een eindje opengetrokken – zo wist ik dat er iemand in huis geweest was.'

Ik voelde mijn gezicht rood aanlopen. Hoe had ik die nacht zo'n blunder kunnen begaan?

'Sindsdien blijft ze me lastigvallen. Misschien is ze op mijn geld uit.' Het laatste kwam er zo onzeker uit dat Anna wel moest doorheb-ben dat hij het ter plekke verzon.

'Je geld? Waarom denk je dat, Paul?'

'Waarom zou ze anders terugkomen? Ik heb haar jaren geleden gezegd dat ik haar nooit meer wou zien. Ze doet het niet uit onbezon-nen liefde, eerder het tegendeel.'

'Hoe zou haar dat wat kunnen opleveren?'

Malfliet wachtte enkele seconden en antwoordde: 'Het is mogelijk dat ze mij wil afpersen of zoiets.'

Nu was het Anna die geen woorden vond.

'Weet ze dan iets?' Ik spitste mijn oren en voelde hoe mijn hart sneller begon te kloppen. Malfliet had dus wel degelijk een donker geheim.

'Mogelijk.'

Anna's stem klonk een stuk harder. 'Wat valt er dan te weten, Paul?'

'Fraude. Destijds in de zaak. Ik was er niet rechtstreeks bij betrok-ken, maar was wel op de hoogte. Wat min of meer op hetzelfde neer-komt.'

Mijn hoop verschrompelde. Weer niks bruikbaars. Malfliet was naast een hufter ook een ordinaire witteboordencrimineel. Maar was dat niet het geboorterecht van zijn soort?

'En zij weet daarvan?' hoorde ik Anna vragen.

'In een dronken bui heb ik er ooit eens op gealludeerd.'

'Heeft ze je om geld gevraagd?'

'Nee. Niet in die woorden.'

'Maar ze heeft al een hint in die richting gegeven?'

Malfliet antwoordde niet. Was dat een bevestiging of wou hij zich niet nog verder in de knoop praten? Zelf had ik Verstraete nooit iets over geld horen zeggen, maar misschien begreep ik de afspraken tussen haar en Malfliet gewoon niet voldoende.

'Paul, je moet de politie waarschuwen als ze je blijft lastigvallen. Je zegt zelf dat ze al eens heeft ingebroken.'

'Ze hoefde niet echt in te breken. Ik had die nacht een achterdeur niet goed afgesloten.'

Zijn bekentenis bracht blijkbaar haar moederlijke aard weer naar boven, want ze schakelde over op die bezorgde toon die ze gisteren ook had aangeslagen: 'Ze is zonder jouw toestemming in jouw eigendom geweest om er rond te snuffelen, Paul. Dat lijkt me al bezwarend genoeg. Licht de politie in. Ik dacht dat je daar kennissen had.'

Als ik het niet dacht.

'Ja, had. Laat ons zeggen dat ik mijn sociale contacten de afgelopen jaren wat laten verwateren heb. Ik heb ook geen bewijs dat ze hier effectief geweest is die nacht, enkel een sterk vermoeden. Wat wil je dat ik de plaatselijke recherche vertel? Dat een aangewaaide oude bijslaap mij misschien wil chanteren omdat ik medeplichtig ben aan fraude?'

'Sorry', voegde hij er na een zucht aan toe.

'Dat mens zint op iets, Paul. Ik heb het in haar ogen gezien toen ze mij zag en mij herkende. Je had moeten zien hoe ze met opengesperde ogen om mij heen sloop.' Er kroop wat paniek in haar stem: 'Wat weet ze eigenlijk van mij? Je hebt haar toch niks gezegd over mij of waar ik woon of...?'

Malfliet onderbrak haar: 'Natuurlijk niet.'

Enkele seconden lang was er weer niets te horen.

'Kan ik je helpen, Paul?'

'Nee, het gaat wel. Anders roep ik Frank wel even.'

Ik schrok op. Wat als hij zich plots herinnerde dat ik een intercom geïnstalleerd had om vlotter te hulp te kunnen schieten? Zou hij doorhebben dat ik hem had zitten afluisteren?

Het leek me beter om de indruk te geven dat ik de afgelopen uren boodschappen had gedaan. Ik griste mijn jasje van het bed en liep zo geruisloos mogelijk de trap af. Via een achterdeur glipte ik het huis uit en via het achterpoortje in de omheiningmuur weg.

Ik kocht snel wat conserven in een buurtwinkel en haastte me met mijn inkopen vervolgens de hoek om. Terug in de Wilgenlaan, zag ik hem opnieuw: de zilvergrijze familiewagen, nog steeds tegenover de villa geparkeerd.

Ook de chauffeur zat er nog en keek meteen weg toen hij merkte dat ik naar hem tuurde. De scène deed me denken aan mijn eigen observatieavonden achter het stuur.

De man keek lusteloos voor zich uit terwijl hij op de bovenrand van zijn stuurwiel trommelde. Zelfs toen ik hem tot op een meter genaderd was en ongegeneerd naar binnen keek, bleef hij me negeren. Er was niets opvallends aan de man zelf, maar ik had duidelijk gezien dat naast hem een camera met een telelens lag.

Toen ik het domein via de vooringang op liep, voelde ik zijn blik in mijn rug.

Met de boodschappenzak in mijn hand klopte ik discreet op de deur van de woonkamer. Geen reactie. Ik stapte voorzichtig naar binnen, mijn ingestudeerde verontschuldiging al op mijn lippen, maar de kamer was leeg. Ik wierp een blik op de intercom om te zien of Malfliet het toestel nog niet had uitgeschakeld. Dat was gelukkig niet het geval.

Ik trof hem in de keuken op een taboeret, alleen. Blijkbaar had juffrouw Anna zijn gezelschap niet aangenaam genoeg gevonden om langer te blijven. Hij zat zijn bovenbeen te masseren en zag er nog miserabeler uit dan enkele uren geleden. Eerst keek hij niet eens op, om te laten uitschijnen dat ik lucht voor hem was. Toen ik niet vanzelf wegging, verwaardigde hij zich eindelijk mij een blik toe te werpen die boekdelen sprak.

'Waar heb jij gezeten?'

'Rondgewandeld en boodschappen gedaan.' Ik hield de plastic zak in de lucht.

'Zorgzame Frank', sneerde hij.

'Paul, er is iets wat je moet weten', zei ik zonder hem aan te kijken terwijl ik de conserven langzaam in de keukenkast stapelde. 'Ik geloof dat iemand het huis begluurt, ons in de gaten houdt.'

Hij snoof verachtelijk. 'Had je me dat al niet eens verteld? Ze doet inmiddels wel wat meer dan enkel gluren...'

Ik keerde mij naar hem toe. 'Nee, Paul, niet die vrouw. Iemand anders: een kerel die vanuit zijn wagen foto's van het huis neemt.'

Eindelijk had ik dan toch die minachtende grimas van zijn gezicht kunnen vegen. Hij staarde me indringend aan.

'Toen ik na de middag om boodschappen vertrok, stond hij er al en nam hij een foto van mij. Daarna draaide hij snel zijn raampje weer naar boven. Zo-even was hij er nog, in de auto en met een fototoestel met zo'n kanon van een lens. Als je naar buiten komt, kun je zijn wagen misschien nog voor de ingang zien staan.'

Hij schudde zijn hoofd en zonk weg in gepeins.

'Ben je zeker dat het een vent was?' vroeg hij uiteindelijk.

'Heel zeker.'

'Heb je hem ooit eerder gezien?'

'Nee.'

Ik zag dat hij bang werd.

'Paul, ik denk dat het beter is als je er de politie bij haalt. Je hebt zelf gezegd dat deze buurt door inbrekers geviseerd wordt. Misschien...'

'Waarom zou een inbreker een foto van jou nemen?' onderbrak hij mij wrevelig.

'Heb je liever dat ik de politie in jouw plaats contacteer?' blufte ik met onvaste stem.

'Nee, jij bent zo al behulpzaam genoeg', antwoordde hij scherp.

'Zolang er niets gebeurt, contacteert er hier niemand wie dan ook.'
Hij *was* bang, maar van wie precies?

'Wie weet is het wel een toerist of een student die plaatjes van Brusselse residentiële architectuur wil schieten', voegde hij er binnensmonds aan toe.

'Urenlang van hetzelfde huis? En vanuit zijn auto?'

Malfliet probeerde zich recht te hijsen, maar hij lette niet op hoe hij zijn krukken zette. Ik kon hem nog net op tijd opvangen, maar hij stootte zijn elleboog wel tegen de keukentafel. Even dacht ik dat ik hem hoorde snikken.

Terwijl ik hem stapje voor stapje naar de woonkamer begeleidde, zei hij mij bijna verontschuldigend dat we onze problemen zelf wel zouden kunnen oplossen.

'Hou gewoon je ogen open en zeg het me als je die vent hier nog eens ziet.'

Ik knikte en schonk hem een bel cognac in. Hij nam het glas gretig aan.

II

Voor de eerste keer was ik blij Malfliets kostganger in de deuropening te zien. Hij nam me taxerend op, zijn blik bleef even ter hoogte van de lage uitsnijding van mijn jurk hangen. Pas na enkele seconden drong het tot hem door dat hij ook iets kon zeggen.

'Paul kan nu geen gasten ontvangen', zei hij kortaf. 'Het spijt me.'

'Waarom niet?'

Hij haalde zijn brede schouders op. 'Hij is er erg aan toe. Erger dan gewoonlijk.'

'Zijn been?' vroeg ik geschrokken. Zo'n wending had ik niet voorzien in mijn plan.

Hij schudde het hoofd en maakte een drinkbeweging.

'Ik had hem gisteren beloofd dat ik terug zou komen. Kan ik hem niet heel even zien? Anders is hij misschien teleurgesteld.'

'Hij kan nauwelijks rechtop zitten en is niet gekleed', wierp de pummel tegen. 'Hij is zelfs nauwelijks aanspreekbaar.'

'Kan ik jou dan even spreken? Onder vier ogen?'

Eerst was hij van zijn stuk gebracht door mijn onverwachte voorstel, maar dan hapte hij toe met een gretigheid die ik moeilijk kon verklaren. Hij trok de massieve deur achter zich dicht en kwam vlak voor me staan, alsof hij me van dichtbij wou bestuderen.

'Zullen we wat door de tuin wandelen?' stelde ik onbeholpen voor. Hij knikte en kwam naast me lopen, zijn ogen op mij gefixeerd. Wou hij me doelbewust in verlegenheid brengen? Dat lukte hem prima. Ik kon maar beter meteen ter zake komen.

Zonder hem aan te kijken vroeg ik achteloos of 'Paul' gisteren iets over mijn bezoek gezegd had.

Het kostte hem enige moeite een antwoord te vinden: 'Ja, hij heeft iets gezegd. Hij is blij je weer te zien.'

Weer voelde ik het bloed naar mijn gezicht stromen, en niet enkel vanwege wat Malfliet hem allemaal kon gezegd hebben over mijn vertoning van de vorige dag. Het was voorzichtiger om van onderwerp te veranderen.

'Ik wou je eigenlijk spreken over Pauls toestand. Jij woont nu al een tijdje bij hem in, dus dacht ik dat jij wel wist wat er met hem aan de hand is. Behalve zijn been dan, bedoel ik.'

Opnieuw kwam het antwoord aarzelend en onzeker. 'Ik denk dat het de eenzaamheid is. Hij krijgt niet veel bezoek. Of misschien is het wel een soort midlifecrisis. Hij heeft minder bereikt dan de vorige generaties van zijn familie. Ik bedoel, je foto's exposeren is niet mis, maar je koopt er geen kast mee zoals deze.'

'Heeft hij dat gezegd?'

'Nee. 't Is gewoon een vermoeden.'

Het beviel me niet dat Malfliets schooier zo scherpzinnig was. Ik had ook het gevoel dat hij me voortdurend probeerde in te schatten terwijl wij over de tuinpaden liepen.

De rilling die door me heen ging toen we de hoek van de voorgevel omsloegen, kon hem niet ontgaan zijn. Voor het eerst in tien jaar zag ik de achtertuin terug.

'Een midlifecrisis?' herhaalde ik om zijn aandacht af te leiden.

'Als hij me al iets vertelt over zichzelf, gaat dat altijd over zijn verleden. Nooit over toekomstplannen of waarmee hij nu bezig is... Dat is al een indicatie, niet?'

Ik voelde mijn maag verschrompelen. Hoeveel wist die vent eigenlijk? Zou hij gemerkt hebben dat ik plots sneller was beginnen te lopen en kunnen raden waarom?

'Waarover heeft hij het dan?'

Deze keer had hij zijn antwoord klaar: 'Over zijn vroegere carrière. En over mensen die hij vroeger nog gekend heeft en die nu uit zijn leven verdwenen zijn.'

'Welke mensen dan?'

Hij haalde zijn schouders op. 'Ik zou ze niet bij naam kunnen noemen. Lui waarmee hij vroeger nog gewerkt heeft. Oude kennissen...'

'Vroegere modellen?'

'Zoals jij?'

Ik kreeg geen antwoord door mijn keel.

'Ja, die ook.'

'Zoals die vrouw op de foto in de woonkamer? Die met dat korte, bruine haar?' Mijn woorden waren nauwelijks uit mijn mond, of ik wist dat ik een blunder had begaan. De portretfoto's waren zwart-wit. Hij zou nu wel begrepen hebben dat ik haar persoonlijk kende.

'Bedoel je Anna?'

'Heet ze zo?'

'Nee, over haar spreekt hij niet. Maar ze komt hier af en toe op bezoek.'

Ik ging tegen een beuk leunen en hij kwam pal voor me staan. Probeerde hij mij nerveus te maken?

'Om te poseren?' kon ik met een uitgestreken gezicht vragen.

Hij trok een gezicht dat hoegenaamd niet bij zijn scherpe blik paste. 'Geen idee. Erg veel foto's neemt hij de laatste tijd niet meer. Ik heb de indruk dat ze hem wat bemoedert. Hoe hun relatie was voor het ongeluk, weet ik niet.'

'Hem bemoederen?' smaalde ik. 'Ik dacht dat dat jouw werk was.'

Ik kreeg al meteen spijt toen zijn gezicht weer de gewone, achterdochtige trekken kreeg.

Voor ik een verontschuldiging kon bedenken, kwam het antwoord al terug als een zweepslag: 'Dat heb je goed gedacht.'

Malfliet had hem over mijn voorstel gesproken. Misschien had hij het gedaan om de pummel op stang te jagen, misschien om mij achter mijn rug uit te lachen, maar het resultaat bleef hetzelfde. Hij kwam nog ietsje dichter bij me staan zonder iets te zeggen. Ik kon me nauwelijks nog verroeren.

'Misschien is ze wel verliefd op hem', zei ik met een stuntelig glimlachje.

'Misschien wel', antwoordde hij laconiek. Zijn blik sneed door me heen.

'Maar het zijn natuurlijk mijn zaken niet...'

'Blijkbaar ben je toch geïnteresseerd', merkte hij droog op.

Ik drukte mijn rug tegen de beuk aan, te geïntimideerd om gewoon weg te lopen.

Ik moest iets antwoorden. 'Je had waarschijnlijk wel geraden dat ik zelf iets voor hem voel', zei ik terwijl ik verlegen wegkeek om van die priemende blik verlost te zijn. 'Vandaar dat ik de vrijheid genomen heb om je al die vragen te stellen.'

Hij zei niks.

'Je weet toevallig niet waarover ze praten? Of ze nog andere mensen zien?'

Hij plaatste zijn hand tegen de beukenstam en kwam over me heen leunen.

'Mijnheer Malfliet is heel erg op zichzelf. Hij krijgt niet veel bezoek en al helemaal niet als Anna er is. Ik weet niet over wie of wat ze praten. Ik blijf niet in de kamer als ze samen zijn. Maar...' Hier stopte hij. Zelfs ik had meteen door dat het hem enkel om het effect te doen was. 'Ze hebben het wel af en toe over een zekere Robin.'

Mijn adem stokte. Ik had de tegenwoordigheid van geest het gesprek abrupt een andere wending te geven en mijn paniek te bedwingen. Toch had hij iets van de spanning die mij overviel gemerkt. Ik kon zweren dat hij ervan genoot.

'Hoe gaat het eigenlijk met zijn been... afgezien van zijn algemene toestand?'

Hij ging weer wat verder van me af staan, ik kon opnieuw wat rustiger ademen.

'Hetzelfde. Zoiets verbetert niet van de ene dag op de andere.'

'Heeft hij nog pijn?'

'Ik neem aan van wel. De dokter schrijft hem in ieder geval heel wat pijnstillers voor.' Voor het eerst keek hij even weg. 'Soms denk ik dat hij niet wil dat ook de pijn hem verlaat.'

'Ik wil hem zien', zei ik zo vastberaden als mijn zenuwen het toelieten. 'Het kan me niet schelen dat hij er niet toonbaar uitziet.'

'En niet aanspreekbaar is', herhaalde de zwerver.

'Interesseert me ook niet.'

Tot mijn verbazing volgden er geen verdere bezwaren.

'Oké', zei hij uiteindelijk, 'maar vergeet niet dat je er zelf om gevraagd hebt.'

Hij keerde zich om, deed me teken hem te volgen en ging me via de pergola voor naar Malfliets schuilhol. *Robin*, maalde het bij iedere stap door mijn hoofd, hoe kon Malfliet die naam kennen? Tenzij het om iemand anders ging. Ik kon me niet veroorloven in nog meer toevalligheden te geloven. Hij *wist* het en dat betekende dat het mens van de foto het ondertussen ook wist. Hoeveel had hij haar verteld en waarom? Hoeveel mensen zouden er ondertussen al op de hoogte zijn?

Binnen hield de zwerver de deur van de kamer die ik me als de Victrolakamer herinnerde voor me open. De muffe geur was hier nog ranziger dan in de woonkamer.

'Hier is je remedie tegen hardnekkige liefdes', fluisterde hij me nog in het oor. Daarna trok hij de deur weer dicht en was ik alleen in de halfdonkere kamer met de uitgebluste erfgenaam van betere generaties.

Hij lag in een eenpersoonsbed dat iemand in het midden van de kamer had neergezet. De vloer rondom het bed was bezaaid met afgeworpen dekens, kussens en kleren. Op een bijzettafel naast het hoofdeinde stond een zilveren dienblad met een soort radio en een half leeggegeten bord erop. De schok van herkenning deed me naar adem snakken.

Ik herkende ook de statige boekenkasten langs de muren en de koperen luchter boven het bed, maar de Victrola stond er niet meer.

'Paul?'

Er volgde een langgerekte kreun die plots afgebroken werd.

Er volgde een tweede toen ik de zware gordijnen opentrok en het licht op zijn onfrisse gezicht viel. Hij leunde met zijn elleboog op de matras en keek me verward aan. Er zaten drankvlekken op zijn pyjama en de lakens.

Ik kwam voorzichtig dichterbij, maar kon de moed niet opbrengen om naar hem te glimlachen.

'Hoe voel je je vandaag?' vroeg ik terwijl ik naast het bed neerhurkte om hem een knuffel te geven. Zijn lichaamsgeur en voorkomen zorgden er echter voor dat ik de moed daartoe snel verloor. De volslagen apathie waarmee hij reageerde op mijn aai over zijn stoppelige wang deed mijn hart ineenkrimpen.

Ik kwam nog wat dichterbij en fluisterde vlak bij zijn oor: 'Zie je wel dat ik teruggekomen ben.' Hij antwoordde met een onbewogen, misselijke uitdrukking op zijn doffe gezicht. Als hij al ten volle doorhad dat ik er was, leek hij mijn aanwezigheid niet te kunnen waarderen.

'Paul,' fluisterde ik verder, 'er is iets dat ik absoluut moet weten. Ik heb begrepen dat je Anna, je model, nog regelmatig ziet. Vind je dat wel verstandig?'

'Bemoei je er niet mee', sleurde hij er moeizaam uit. 'Dit heeft niks meer met jou te maken.'

Ik had zin om hem bij de schouders te grijpen en door elkaar te schudden, maar was bang dat hij dan zeker het bed zou onderbraken.

'Paul, wat heb je haar allemaal verteld? Hoeveel weet ze?'

Hij liet zijn hoofd met een pijnlijke kreun weer in de kussens ploffen.

'Ik heb het recht om het te weten.'

Hij sloot zijn ogen.

'Weet ze het van hem? Geef mij antwoord.'

Hij opende zijn ogen en keek mij lang en wezenloos aan.

Dat was genoeg. Hij hoefde niets meer te zeggen. Zij hadden hun plannen gesmeed en ik stond er alleen voor. Al wist ik niet wat hun drijfveer was, ik besefte dat er geen tijd meer was voor halve maatregelen.

Ik trok wat er overbleef van de lakens weg, rolde hem voorzichtig op zijn rug, schopte mijn schoenen uit, klom in het bed en ging schrijlings boven op hem zitten. Zo hoefde ik tenminste de zurige geur van zijn adem niet van te dichtbij te ruiken en kon ik de knoopjes van zijn pyjamajasje plagerig langzaam losmaken. Zijn lichaam gaf me hetzelfde gevoel van herkenning als het huis: bizar vertrouwd, verwaarloosd en onvermijdelijk. Ik streelde het en probeerde me te herinneren hoe het ooit had gevoeld. Het lukte me niet.

Malfliet zelf lag me met half open ogen en half open mond aan te staren en liet begaan.

Ik masseerde langzaam zijn borst en net toen mijn handen naar zijn onderlichaam afdaalden, werd ik opgeschrikt door het gejengel van een telefoon die ergens in huis overging. De beltoon hield gelukkig na enkele uithalen weer op. Malfliet leek niet eens gemerkt te hebben dat het geluid me had doen verstijven. Ik dwong mijn vingers om verder te gaan.

'We hebben samen een band, Paul, een band waar al die jaren van eenzaamheid geen vat op hebben gehad', drong ik aan, zonder tot hem door te dringen. 'Ik weet dat jij het ook voelt. Dat mag je niet ontkennen.'

Hij ontkende het niet en ondanks zijn toestand, bleek hij na wat in deze omstandigheden voor een voorspel moest doorgaan, zelfs tot een erectie in staat. Gelukkig kwam hij snel klaar. Hij liet een ziekelijke kreun ontsnappen, maar gaf verder nauwelijks een teken van leven. Ik gaf hem een kus op zijn klamme voorhoofd en klom van hem af.

'Zie je, Paul, we kunnen nog steeds heel veel voor elkaar betekenen', fluisterde ik in zijn oor. 'Dit is nog maar het begin. We hebben niemand anders nodig.'

Ik trok mijn slipje weer aan, fatsoeneerde mijzelf wat en deed een poging de krop in mijn keel weg te slikken. Het was de eerste keer dat ik Eric ontrouw was geweest. Waar had ik al die jaren met mijn gedachten en gevoelens gezeten?

Ik moest Malfliet definitief overtuigen van mijn onmisbaarheid. Het was duidelijk dat de zwerver nauwelijks nog naar Malfliet omkeek.

Ik zou hem eerst helpen met wassen en kleden, hem dan iets lichts te eten klaarmaken. Zodra hij wat ontnuchterd was, zou ik verder op hem inpraten. Alle kleren die ik rond het bed en in de woonkamer kon vinden waren echter vuil.

De keuken was de tweede tegenvaller. Van onder het aanrecht kon ik een plastic teil opduikelen, maar zeep of andere toiletartikelen waren nergens te bekennen.

Ik moest dus naar boven, naar de badkamer en de slaapkamers, iets wat ik liever had vermeden.

Voorzichtig liep ik de trap met de loszittende loper op. De overloop met zijn gesloten deuren bood dezelfde troosteloze aanblik als de benedenverdieping. De empirestoelen waren weggehaald en de olieverfschilderijen waren vervangen door ingelijste affiches.

De badkamer was de eerste deur aan de linkerkant, ook dat herinnerde ik mij moeiteloos. Tussen de rotzooi en het verweesde wasgoed vond ik al gauw enkele spullen die van dienst konden zijn: handdoeken, een haarborstel, een scheerapparaat en halflege flacons. Ik gooide het allemaal in de teil en schepte moed.

Malfliets slaapkamer leek nog het meest aan mijn herinneringen te beantwoorden. Het kingsize bed stond er nog, de ingebouwde kasten, de hifi aan de muur. Het onbelemmerde uitzicht op de voortuin en zelfs de kleur van het dekbedovertrek zeiden me dat alles nog niet verloren was.

Ik griste wat kleren bij elkaar en kon het niet laten om te kijken of hij zijn seksspeeltjes nog steeds in dezelfde lade bewaarde. De lade in kwestie was helemaal leeg. Moest ik nu ontgoocheld of gerustgesteld zijn?

Ik had mezelf voorgenomen meteen weer naar de boekenkamer te gaan, toch schuifelde ik willoos, voetje voor voetje, naar de deur aan het eind van de overloop.

Ze openen kon ik niet. Zelfs de klink aanraken ging niet.

In deze kamer had hij het laatste restje waardigheid dat ik toen nog had uit mijn ziel gerukt, en mij rillend en misselijk achtergelaten. De smet was in al die jaren enkel nog donkerder geworden, net zoals hij het had gewild.

Instinctief wendde ik mijn blik naar een lichtstreep in mijn ooghoek. Voor ik het besefte, keek ik recht in het oog van de zwerver die me vanuit de deurspleet van de naastliggende kamer stond te bespieden. Met een gil liet ik de teil en al wat ik nog in mijn handen had vallen, waarop hij zich vlug weer terugtrok.

Trillend raapte ik het toiletgerei en de kleren weer bij elkaar. In mijn haast om de trap af te komen, struikelde ik bijna over de losliggende loper.

Malfliet liet zich wassen, scheren, kleden en kammen zoals hij zich had laten bestijgen: zonder tegenpruttelen en zonder mee te werken. Toen hij eindelijk min of meer presentabel op de sofa in de woonkamer zat, was ik nat van het zweet, het zeepwater en tranen van ellende.

Malfliet zag er ondanks de opknapbeurt nog altijd grauw en ziekelijk uit. Hij zat mij sprakeloos gekrenkt aan te staren. Als hij er de kracht voor had gehad, zou hij mij waarschijnlijk een klap hebben gegeven. Niet erg, hield ik mezelf voor, afhankelijkheid was nu belangrijker voor mij dan dankbaarheid.

Ik maakte iets lichts te eten klaar en bracht Malfliet zijn bord en bestek op een vleesplank die ik in de keuken had gevonden.

'Het zilveren dienblad staat nog naast het bed, weet je', mompelde hij onverwachts. 'Dat zou het plaatje pas echt compleet gemaakt hebben, vind je niet?'

Ik negeerde de insinuatie en ging naast hem zitten met mijn bord op mijn schoot. Als om het goede voorbeeld te geven, beet ik een punt van mijn sandwich en kauwde er langzaam en nadrukkelijk op. Malfliet leek niet van zin het voorbeeld te volgen.

'Je moet iets eten, Paul. Zelfs al voel je je niet zo goed', zei ik zacht. Hij gromde iets onbegrijpelijks.

'Ik versta niet waarom je je zo laat gaan, Paul. Je moet echt wat beter voor jezelf zorgen.'

'Ik dacht dat jij dat ondertussen al op je genomen had', zei hij met minachting in zijn stem.

Ik negeerde hem, nam wat van zijn pasta op zijn vork en bracht die naar zijn mond alsof ik een lastig kind wou voeren. Zijn mond vertrok tot een verachtelijke grijns en hij schudde het hoofd.

Ik kon me niet langer inhouden: 'Wat is er toch in godsnaam met jou aan de hand? Je zit hier weg te kwijnen en als iemand je helpt, sla je dat af. Heb je jezelf al eens goed bekeken? Wat zie je eruit, Paul! En je villa! De sporen van verwaarlozing zijn overal.'

'Je hebt blijkbaar je ogen al de kost gegeven.'

'Zelfs een blinde zou zien wat een puinhoop je ervan gemaakt hebt. Het behang valt letterlijk van de muren en boven ontbreekt er zelfs een binnendeur.'

Hij wreef met een vermoeide hand over zijn voorhoofd alsof hij tegen de slaap en het zelfverwijt vocht. 'Het is niet allemaal mijn schuld, als je dat bedoelt. Enkele jaren geleden hebben enkele krakers hier lelijk huis gehouden, schade aangericht.'

'Krakers, zeg je? Waarom heb je ze er niet uit laten zetten?'

Hij hield op met wrijven en keerde zich met een ruk naar me toe.

'Denk je dat ik de politie hier over de vloer wou, misschien?' beet hij me toe.

'Waarom heb je de beschadigingen dan niet laten herstellen?' vroeg ik beteuterd.

'Of een horde vaklui?'

Ik begreep het.

'Hebben ze iets gestolen?'

Hij slaakte een zucht. 'Van alles en nog wat. Ook wat waardevol antiek van mijn grootouders.'

'Hoe heb je ze dan uiteindelijk uit je huis gekregen?'

'Eerst heb ik natuurlijk wel met de politie gedreigd, maar ik geloof niet dat dat veel indruk op ze maakte. Op een dag waren ze gewoon verdwenen en ze zijn nooit meer teruggekeerd.'

'Dat is goed', zei ik zwakjes.

Hij haalde zijn neus op. 'Niet noodzakelijk, weet je. Misschien hadden ze wel iets gevonden.' Hij wierp me een veelzeggende blik toe. Mijn keel werd dichtgesnoerd. Als verdoofd zette ik mijn half-volle bord naast me op de vloer.

Mijn instinct had een spoor geroken en mijn gedachten raasden het achterna. Een verklaring voor de gebeurtenissen van de laatste tijd begonnen zich in mijn verbeelding af te tekenen en het voelde als een koortsaanval.

'Het is al lang geleden. Het heeft geen zin erover te piekeren', zei Malfliet, die iets van mijn emoties merkte.

'Paul, kende je die mensen, die krakers?' vroeg ik zonder hem aan te kijken.

'Nee, natuurlijk niet. Het waren schooiers die een groot, leeg huis gevonden hadden om in te bivakkeren. Oost-Europees tuig aan hun accent te horen.'

'Paul, dat telefoontje van die politieman van wie Eric nog nooit gehoord had, de brief die ik je laten zien heb, denk je dat het moge-lijk is dat zij daar iets mee te maken hebben, aangenomen dat zij toen inderdaad iets gevonden hebben?'

Aan zijn uitdrukking zag ik dat hij me niet kon volgen.

'Misschien zijn ze terug om ons af te persen, Paul. Was dat nog niet bij je opgekomen?'

Hij keek me aan alsof ik gek geworden was.

'Waarom zouden ze er zeven jaar mee gewacht hebben om mij te chanteren? Om de taal te leren om een correcte dreigbrief te schrij-ven?'

Ik schudde het hoofd: 'Ze hoeven niet alleen te handelen, Paul. Misschien hebben ze ondertussen Belgische handlangers gevonden... of hebben ze ergens hun mond voorbij gepraat en heeft iemand anders lucht gekregen van wat er gebeurd is.'

Malfliets grijns had plaatsgemaakt voor een zorgelijke frons. Dat zag ik als een aanmoediging. 'Je zei toch dat ze allerlei dingen gesto-len hadden? Misschien had de politie ze wel opgepakt voor andere misdrijven en hebben ze nu hun straf uitgezeten. Misschien hadden ze zich gewoon zo snel mogelijk uit de voeten gemaakt met hun buit, hebben ze ondertussen alles verkwanseld en zijn ze nu terug om meer te halen.'

Nu schudde hij zijn hoofd. 'Je ziet spoken. Als iemand mij had willen bedreigen, was hij wel wat duidelijker geweest. Een som genoemd hebben. Waarom zou hij zich bezighouden met krankzinnige brieven en zich voor een politieagent uitgeven aan de telefoon?'

De beklemming stond op zijn gezicht te lezen. De angst leek hem in ieder geval beter ontnuchterd te hebben dan al mijn geploeter van daarnet.

'Om ons zenuwachtig te maken', zei ik op een fluistertoon, 'in de hoop dat we een fout begaan. Waarschijnlijk weten ze nog niet alles en proberen ze zo meer te weten te komen. Ze houden ons in de gaten, Paul, dat is toch duidelijk.'

Hij zag er plots nog bleker uit en het zweet parelde op zijn voorhoofd. Ik had zelf geen idee waarheen dit spoor zou leiden, maar ik voelde dat ik goed zat.

'Die Anna, Paul, weet je zeker dat je haar helemaal kunt vertrouwen? Vind je het zelf niet vreemd dat ze je nog wil zien na wat er toen gebeurd is?'

'Hou haar erbuiten!' snauwde hij, maar het klonk eerder als een smeekbede dan als een bevel.

'Je weet dat ik gelijk heb, Paul. Wie kunnen we vertrouwen buiten onszelf?'

Hij liet zijn hoofd hangen en zijn stem dalen: 'Je hebt in ieder geval gelijk dat ik bespied word. Gisteren stond er een vent aan de overkant van de straat die met een telelens foto's van het huis nam.'

Een schok van paniek en opwinding schoot door mijn lijf. 'Foto's? Hoe weet je dat? Heb je hem gezien?'

'Nee, maar Frank heeft hem gezien. Ik kon mijn hoofd nog koel houden toen hij het me vertelde, maar nadien sloeg mijn fantasie op hol. Ik voelde mij steeds meer opgesloten in mijn eigen huis en mijn eigen verleden. Met mijn gipsbeen als loden bal. Mij een beroerte zuipen is het enige wat ik kan doen om hier niet compleet gek te worden.'

'Frank?'

Hij knikte.

Ik stond voorzichtig op om niet duizelig te worden en bood hem zijn kruk aan. 'Ik denk dat we allebei wat frisse lucht kunnen gebruiken, niet?'

Enkele minuten later zaten we in de voortuin op een gietijzeren bank. Verder geraakte Malfliet niet in zijn toestand. Ondanks het warme weer zat hij te rillen.

Toen ik zeker was dat alle ramen op de bovenverdieping dicht waren, kwam ik weer ter zake: 'Wat weet je eigenlijk van Frank, Paul?'

Hij keek me argwanend aan. 'Hoe bedoel je?'

'Weet je waar hij vandaan komt? Wanneer hij van plan is op te krassen? Wat zijn familienaam is?'

Malfliet gaf geen antwoord, maar dat hoefde ook niet. 'Waarom vertrouw je hem eigenlijk, Paul? Vaklui wil je niet over de vloer, maar een wildvreemde die uit het niets komt aangewaaid, laat je weken aan een stuk in je huis logeren en overal rondsnuffelen.'

'Ik weet dat je Frank niet mag en niet vertrouwt', protesteerde hij zwakjes, 'maar hij zorgt wel voor mij en...'

'Toen ik je deze namiddag in dat bed zag, dacht ik met een levend lijk te maken te hebben', onderbrak ik hem scherp. 'Noem je dat verzorgen?'

Hij antwoordde niet.

'Die schooier voert iets in zijn schild, Paul. Zie je dat niet? Hij is maar wat blij dat je zo slecht te been bent. Zo kan hij van je gastvrijheid blijven genieten, rustig rondneuzen en zijn slag voorbereiden. Het zou me niets verbazen als hij met die traploper had geknoeid.'

Malfliet maakte een krassend geluid dat voor een lach had kunnen doorgaan.

'Zijn *slag voorbereiden*... Wat denk je dat hij van plan is? Als hij mij wil beroven, heeft hij daar al alle tijd en gelegenheid toe gehad.'

'Misschien doet hij het wel gewoon onder je neus. Weet jij wat hij uitvoert als jij slaapt of stomdronken bent?'

Het duurde even voor hij een weerwoord kon bedenken.

'Waarom zou hij mij vertellen dat er iemand het huis bespiedt, als hij dan toch zo onbetrouwbaar is... als hij een van hen is, zoals jij lijkt te willen suggereren?'

Ook daar had ik een antwoord voor klaar: 'Wie zegt dat hij heel dat verhaal niet verzonnen heeft? Om je uit je schulp te lokken misschien...'

Hij begroef zijn bleke gezicht in zijn handen om na te denken. Ik vroeg hem meteen: 'Paul, hebben jij en Anna het ooit over een zekere Robin gehad?'

'Over wie?' vroeg hij verward en misnoegd. Ik wist genoeg.

'Paul, weet je wat ik denk?' Hij kreunde. 'Ik denk dat jouw Frank op de een of andere manier iets met die krakers van toen te maken heeft. Een bende klaplopers en een rondreizende vagebond met een onduidelijk verleden... Het lijkt me goed mogelijk dat die elkaar getroffen hebben in Brussel. Zij vertellen hun inheemse vriend over hun avontuur in die grote villa in Watermaal-Bosvoorde en vooral over wat ze daar gevonden hebben. Zelf weten ze niet hoe ze geld kunnen slaan uit die vondst, maar hun vriend wel. Eerst wil hij meer informatie en vooral: harde bewijzen. Daarom dringt hij zich aan je op en komt bij jou inwonen. Terwijl jij je laat bedienen, zoekt hij alles bij elkaar wat hij nodig heeft om jou te chanteren. Waarom denk je dat hij anders zo lang blijft rondhangen? Vanwege je innemende persoonlijkheid?'

Hoe meer ik praatte, hoe meer ik zelf overtuigd geraakte dat dit de enige logische verklaring moest zijn. Het kon echter niet de volledige verklaring zijn. Hoe wist hij het van mij? Was hij het die die portretfoto's in de galerie had laten ophangen en niet de galeriehouder?

'Hij neusde inderdaad in mijn huis rond', mompelde Malfliet door zijn beverige vingers. 'En de manier waarop hij me de laatste tijd bekijkt...'

'Je moet van hem af, Paul', zei ik beslist.

Malfliet tastte naar zijn kruk. 'Help me recht, wil je? Ik ga hem zoeken en stuur hem meteen de laan uit.'

Met een ruk aan zijn mouw trok ik hem terug op de harde bank.

'Denk na, Paul. Hij zal heus niet gedwee zijn koffers pakken, nu hij zo dicht bij zijn doel is. Hem de laan uitsturen volstaat nu niet meer.'

Malfliet staarde me aan met een blik die mij kippenvel bezorgde.

Ik voelde me misselijk worden.

'Daarvoor is het nu te laat', hoorde ik mezelf met kurkdroge mond zeggen.

Een koel briesje streelde over mijn gezicht.

Twee seconden later braakte ik mijn lunch-ontbijt weer uit.

12

Zelfs met de volumeknop helemaal opengedraaid kwam er niks verstaanbaars uit de luidspreker van de intercomontvanger. Enkel flarden gemompel en hard gezoem en kraakgeluiden. Waarom praatten ze opeens zo zacht? Zou Malfliet vermoeden dat ik hem afluisterde? Waarom zette hij het apparaat dan niet gewoon uit?

Ik draaide het volume weer wat lager en liet me op het bed neervallen. Met mijn hoofd in mijn handen probeerde ik mijn geest leeg te maken, maar het lukte me niet.

Deze nacht had ik nauwelijks een oog dichtgedaan. Toch moest ik even ingeslapen zijn, want ik herinnerde mij nog levendig een nachtmerrie over deze plek: *ik word wakker in dit bed, ga de kamer uit en de overloop verandert in de cellengalerij van de gevangenis, ik loop de trap van Malfliets villa af, maar kan nergens een deur naar buiten vinden. Heel de tijd heb ik de indruk dat iemand mij volgt door deze doolhof.*

De sfeer in huis werd iedere dag grimmiger. Malfliets vijandigheid was wat getaand, maar dat kwam enkel omdat de man zelf alsmaar dieper leek weg te zinken. Eerst dacht ik dat hij zich gewoon in zijn levensmoeheid wentelde. Maar nu had ik het gevoel dat het angst was die hem verlamde – angst voor een alles verterende leegte die op de loer lag. Naar ik vermoedde, was dat ook de reden waarom hij mij nog tolereerde. Helemaal alleen zou hij nog banger zijn.

Ik kon het ondertussen niet langer opbrengen om schoon te maken of klusjes op te knappen. Mijn persoonlijke hulp weigerde hij botweg. Toen ik voorstelde hem te helpen bij het wassen, mepte hij de kom warm water uit mijn handen. De kam en haarborstel die ik voor hem op het tafeltje onder de spiegel in de hal had gelegd, had hij niet aangeraakt. De pastalunch die ik deze middag voor hem had klaargemaakt al evenmin. Hij at wat hij in de keuken vond en wat er nog eetbaar uitzag. Lopen op krukken lukte hem ondertussen wel alleen. Ritjes op de achterbank van de auto interesseerden hem niet meer.

Praatten ze zo stil omdat ze het over mij hadden? Verwachtten ze dat ik aan de deur zou luisteren? Vermoedden ze iets? Het zou in ieder geval verklaren waarom Verstraete om mijn mening vroeg. Ook al was het maar over de amoureuze voorkeuren van Malfliet.

Net toen ik ons gesprek in de tuin probeerde te reconstrueren in mijn gedachten, werd ik brutaal afgeleid door een riedel schorre piepgeluiden.

Het duurde even voor ik doorhad dat het de draadloze telefoon was die ik mee naar boven had genomen. Het geroezemoes uit de luidspreker van de intercom verstomde. Beneden hadden ze het geluid ook gehoord. Zouden ze zo dadelijk doorhebben dat ik de telefoon bij Malfliet had weggehaald? Ik dook naar de handset die op het nachtkastje lag te trillen en drukte op de groene knop.

'Paul Malfliet', zei ik zachtjes.

De mannenstem aan de andere kant van de lijn antwoordde des te harder: 'Zo! Dus jij bent dat stuk verdriet! Denk maar niet dat ik niet doorheb wat er daar allemaal gebeurt! Ik heb de bewijzen, jij misselijk mannetje.'

'Hoe bedoelt u?' kon ik er met moeite tussen krijgen.

Eerst herhaalde hij smalend mijn vraag en toen ging de toon nog verder omhoog: 'Alsof je het niet weet! Ik durf wedden dat die del nu op dit eigenste ogenblik weer bij jou zit. Of niet soms? Zeg haar dat ze de rekening later nog wel krijgt. En wat jou betreft, jij gedegenereerd rijkeluiswatje...' De man had duidelijk een hele tijd op zijn verwensingen en beledigingen zitten broeden. Ik liet hem tieren en luisterde geïntrigeerd verder. '... Als ik jou was, zou ik 's nachts niet meer rustig slapen!'

'Hoe bedoelt u?' zei ik nogmaals zo kalm mogelijk, in de hoop hem nog meer op stang te jagen.

'Ik heb connecties in allerlei milieus, arrogante zak. Meer zeg ik voorlopig niet!'

'Met wie spreek ik?'

Hij spuugde de woorden er een voor een uit: 'Met de echtgenoot van de troel die je aan het bespringen bent.' Toen werd de verbinding abrupt verbroken.

Peinzend legde ik het toestel neer. De 'troel' kon niemand anders dan Elizabeth Verstraete zijn. In al die tijd dat ik hier in huis was, waren er maar twee vrouwen over de vloer geweest: zij en Anna van wie ik wist dat ze niet getrouwd was.

De man van Verstraete dacht dus dat zijn vrouw iets had met Malfliet. Dat verbaasde me niet, maar wat bedoelde hij met 'bewijzen'? Had hij de brief gevonden?

Het begon me te dagen toen ik mijn hoofd draaide om naar buiten te kijken en Malfliets camerastatief weer voor het venster zag staan. De fotograaf in de zilvergrijze familiewagen, dat moest mijnheer Verstraete geweest zijn. Of een privédetective die hij had ingehuurd.

Vanachter het gordijn wierp ik een blik door het venster. De zilvergrijze familiewagen was niet te bekennen. Toen ik de omgeving van de poort door de zoeker van de camera afspeurde, zag ik evenwel dat er in een donkerblauwe break die schuin tegenover de villa geparkeerd stond iemand achter het stuur zat. Dat kon geen toeval zijn.

Ik besloot snel op onderzoek uit te gaan nu de auto er nog stond. Ik pakte mijn sjofele, oude jas uit de kast en de versleten knapzak die ik een eeuwigheid geleden had meegebracht. Net toen ik de logeerkamer uit wou gaan, hoorde ik iemand naar boven komen. Door de deurspleet zag ik Elizabeth Verstraete de badkamer ingaan. Even later kwam ze er terug uit met een teil, enkele handdoeken en wat flacons in haar handen.

Als Malfliet haar mijn job van verzorger had toevertrouwd – iets waar zij ongetwijfeld beter voor geschikt was dan ik – zouden mijn dagen hier zo goed als zeker geteld zijn.

In plaats van terug de trap af te lopen, ging ze onbeschroomd Malfliets slaapkamer binnen. Het gestommel aan de andere kant van de muur bevestigde mijn vermoeden: ze was zinnens haar intrek te nemen in het huis. Ik kon aannemen dat ze niet wilde terugkeren naar die bullebak die ik daarnet aan de telefoon had gehad. Het gestommel hield op, maar er volgde geen gekraak op de trap. Nieuwsgierig keek ik om de deurlijst en zag dat ze bewegingsloos voor de gesloten deur van de derde kamer stond. Alsof ze aarzelde. Ze moest gemerkt hebben dat iemand naar haar stond te kijken, want ze keerde zich met een ruk naar mij om. Ik zag nog net hoe ze de teil en het stapeltje kleren dat ze over haar arm droeg liet vallen, voor ik de deur weer dichttrok. Er viel geen moment meer te verliezen.

Deze keer liep ik langs de vooringang de Wilgenlaan op. Ik herkende de vent in de blauwe break meteen als de fotograaf van gisteren. Hij volgde mij niet al te discreet van achter zijn donkere brilglazen. Hij moest zich wel afvragen wat zo'n verlopen stumper als ik in zo'n deftige buurt te zoeken had. Ik ging een eindje van zijn auto vandaan staan, zette de vieze knapzak naast mij op het trottoir en wierp hem af en toe een steelse blik toe alsof ik iets in mijn schild voerde. Hij keek me de hele tijd onderzoekend en – naar ik aannam – afkeurend aan. Hij draaide niet eens zijn hoofd meer weg telkens als onze blikken elkaar kruisten.

Tijd voor actie. Ik liep bedachtzaam op hem af, spiedde even om mij heen alsof ik zeker wou zijn dat er niemand anders in de buurt was, en tikte dan tegen zijn portierraampje.

Een oogwenk later schoof het al naar beneden. Het viel me op dat de man geen enkel kenmerk had dat hem waar ook zou doen opvallen. Een nietszeggend gezicht dat mij fronsend en onvriendelijk aankeek en de kleren van een ambtenaar op zijn vrije dag. Naast hem zag ik het fototoestel met de enorme lens liggen.

'Wel?'

Ik grijnsde eerst wat dommig en boog me dan wat verder naar

hem toe. Dat stelde hij duidelijk niet op prijs en even dacht ik dat hij zijn neus zou dichtknijpen.

'Jij stond hier gisteren ook, hé?'

De man antwoordde niet, maar was zichtbaar ontstemd. Had ik hem in zijn beroepseer gekrenkt?

'Hou jij dat huis daar in de gaten?'

'Doe niet zo belachelijk en laat me met rust', antwoordde hij stug en het raampje gleed alweer naar boven. Even was ik bang dat ik het al verprutst had.

Ik greep snel het raam vast en zei: 'Het gaat om die vrouw, hé? Die Elizabeth Verstraete...' Het portierraam ging weer wat omlaag.

'Wat wil je mij nu eigenlijk zeggen?' vroeg hij scherp.

'Ik ken haar, weet je. Mijnheer Malfliet...' – en ik wees naar de villa – '... laat mij af en toe wat in zijn tuin werken. Een vriendendienst, begrijp je wel. En daar zie en hoor ik van alles.'

Over de rand van zijn bril kon ik zien hoe hij zijn ogen verder dichtkneep. Hij herhaalde zijn vraag, deze keer wat minder stug: 'Wat wil je van mij?'

Ik grijnsde kruiperig: 'Ach, zie je, vriend, ik heb het niet breed – zoals je misschien wel ziet. En ik dacht dat wat interessante informatie wel wat geld waard zou zijn.'

Hij grijnsde. Een tel later pakte hij een biljet van twintig euro uit zijn broekzak en liet het mij zien. 'Voor als je mij iets zinnigs kan vertellen', voegde hij eraan toe.

'Misschien kan ik beter in de auto komen zitten?'

'Blijf daar maar.'

Ik hield mijn gezicht vertrouwelijk vlakbij het half open raam.

'Die Verstraete is een vriendin van mijnheer Malfliet. Je denkt nu natuurlijk *wat wil een keurige, succesvolle mijnheer met een getrouwde vrouw van tegen de veertig?* Wat als ik je nu zeg dat die twee gewoon bevriend zijn – voor zover ik weet natuurlijk – maar dat die keurige mijnheer er wel mee akkoord gaat dat ze haar minnaar in zijn chique huis ontmoet?'

Hier wachtte ik even om zijn reactie te peilen.

'En dat heb je met je eigen ogen gezien?' vroeg hij uiteindelijk wantrouwig.

'Jaja. Niet dat dat de bedoeling was, natuurlijk', grinnikte ik met een vettige knipoog.

'Kun je die minnaar voor mij beschrijven?'

Hij hapte toe. Ik was zo opgetogen dat ik uit mijn rol van achterbakse schlemiel dreigde te vallen.

'Ja, natuurlijk: het is een grote, struise kerel die iets ouder is dan zij. Hij heeft bruin haar, diepliggende, lichtbruine ogen, een grof gezicht met een brede neus en hij heeft een tatoeage van een paar vleugels op zijn rechterschouder.'

De wantrouwige frons werd nog dieper. 'Je hebt die kerel wel *heel* goed gezien.'

Als een betrapte kwajongen kon ik enkel maar wat dom staan knikken. Gelukkig had de man blijkbaar niets anders verwacht van een ordinaire gluurder.

'Kun je mij nog wat meer zeggen?'

De grijns kwam als vanzelf weer op mijn gezicht. 'Ik kan je zelfs zijn naam en voornaam zeggen, vriend. Maar dan wil ik wel boter bij de vis.'

Hij stopte me prompt het biljet toe.

Dat was het eerste geld dat ik in weken verdiend had.

Via de achterdeur liep ik het domein weer op. Het verbaasde me opnieuw hoe mistroostig een tuin er eind mei in het zonlicht kon bij liggen. Mijn plichtsbesef zei me dat het weer tijd was om naar mijn logeerkamer te gaan en daar te horen of er nog iets af te luisteren viel, maar ik kon het niet opbrengen mij weer in dat stoffige hol van verval te slepen.

Ik liet mij op het schrale gras tussen de bomen zakken. Ik voelde dat ik alles gedaan had wat ik kon doen voor Robin, tot indirect een detective inschakelen toe. Ik had zo veel mensen proberen te laten geloven dat hij terug was, dat hij nu meer onvindbaar leek dan ooit.

Was het mijn verbeelding, of had het huis in de afgelopen weken echt iets naargeestigs en beklemmends gekregen? Ik staarde naar de grauwe achtergevel en de Franse ramen staarden uitdagend terug.

Wat had die Anna ook weer gezegd? Dat ze niet begreep waarom

Malfliet niet *dit* huis had verkocht. Ik begreep het ook niet. Aan de staat ervan alleen al kon je zien dat het niet veel voor hem betekende. Had hij het herenhuis in Vorst verkocht omdat het waardevoller was geweest? Had hij al het geld dat hij bijeen kon schrapen nodig gehad om de sporen van zijn financiële wanbeleid in het familiebedrijf uit te wissen? Omdat hij werd afgeperst? Hij had zelf toegegeven dat hij een fraudeur was.

Tenzij het natuurlijk allemaal veel simpeler lag. Hij was immers gescheiden. Waarschijnlijk was het gewoon zijn ex die hem had uitgekleed. Vermoedelijk had ze van zijn amoureuze avontuurtjes geweten en was hij een hapklare brok geweest voor haar advocaten.

En toen zag ik het eensklaps haarscherp. Het kleine lichtpunt dartelde al dagen aan een stuk als een vuurvliegje voor mijn geestesoog. Malfliet had een ex-vrouw. Tien jaar geleden waren zij nog getrouwd. Misschien was zij het wel die in dit huis zat toen Robin zijn slag probeerde te slaan. Op een avond dat ze net de villa voor zich alleen had. Vandaar dat Malfliet zelf nergens van wist. Dat was dus de link met Elizabeth Verstraete geweest: het lepe mens had dubbelspel gespeeld... voor Robin. Ze had gewoon met Malfliet aangepapt om persoonlijke details over hem en zijn huishouden te weten te komen. Achter Malfliets rug gaf ze al die inlichtingen door aan haar echte vriend, zodat die zijn inbraak beter kon plannen... Misschien had ze er zelfs voor gezorgd dat zij en Malfliet die nacht ergens anders zouden zijn. Misschien was mevrouw Malfliet het fatale detail geweest dat ze over het hoofd hadden gezien?

Zat er iets anders achter die bruuske echtscheiding dan een bedrogen rijkeluisdochter die een fikse alimentatie geroken had?

Malfliets stem ergens aan de andere kant van de tuin maakte dat ik me naar binnen haastte. Het was al dagen geleden dat hij zich nog eens buiten had gewaagd en hij zou wel eens naar mij op zoek kunnen zijn. Had hij eindelijk de intercom uitgeprobeerd en geen reactie gekregen?

Op mijn kamer schoof ik het gordijn wat verder opzij en zag hem en zijn bezoekster op het bankje aan het grindpad zitten. Recht in het zicht van de detective wiens blauwe break nog steeds aan de overkant van de Wilgenlaan geparkeerd stond.

Ik besefte dat dit misschien de enige gelegenheid was die ik nog zou krijgen om ongemerkt de benedenverdieping te doorzoeken.

Muisstil liep ik naar Malfliets kantoor en ging als een bezetene op zoek naar dossiers die ik voordien gemist had.

In mijn haast liet ik een zware ringmap uit mijn hand glijden, ze belandde met een harde smak op de parketvloer. Ik hield mijn adem in, maar gelukkig was er nergens in het huis een geluid te horen. Met beverige handen zocht ik verder in de kasten en laden die niet op slot waren. In een weggemoffelde hangfolder waarop met viltstift *advocaten* geschreven stond, vond ik dan toch wat ik zocht: een uitdraai van een e-mail aan een advocatenkantoor met als onderwerp 'alimentatiegeld najaar 2004 voor Karen Sierens'. Ik stopte het document voorzichtig terug en kon eindelijk weer wat rustiger ademen.

Die avond reed ik opnieuw door de stad op zoek naar een telefooncel in een rustige omgeving. In het telefoonboek had ik in het Brusselse één Karen Sierens en drie keer K. Sierens gevonden. Ik hoopte maar dat het mens ondertussen niet hertrouwd was.

Karen nam niet op. De eerste K. bleek nog nooit van de Wilgenlaan gehoord te hebben, maar de tweede K. was raak.

'Mevrouw Sierens? Dit is de politie van Watermaal-Bosvoorde. Ik bel u in verband met de inbraak in uw villa aan de Wilgenlaan in 1999.'

De stilte aan de andere kant van de lijn maakte me nog onzekerder dan ik al was. 'Inbraak? Waarover hebt u het?' antwoordde de stem kortaf.

'U bent toch mevrouw Karen Sierens, de ex-echtgenote van de heer Paul Malfliet?'

'Ik begrijp niet waar u heen wilt.' Het klonk zo achterdochtig dat ik bang werd dat ze mij doorhad.

'In het voorjaar van 1999 is er ingebroken bij u, mevrouw. Dat moet u zich toch herinneren?'

'Waarom denkt u dat? Wie heeft u dat gezegd?'

Ik voelde mijn mond steeds droger worden en mijn bluf verdween. 'Uw man heeft toen aangifte gedaan, mevrouw.'

Weer een stilte.

'Daar heeft hij mij nooit iets over gezegd.' Dat klonk dan weer oprecht verbaasd.

'Ik mag aannemen dat u niet in uw villa in Watermaal-Bosvoorde verbleef, toen het gebeurde?' Weer een spoor dat vervloog. Ik kwam in de verleiding om zonder meer op te hangen, toen het gesprek plots een bijzondere wending nam: 'Nee, daar kwam ik niet zo vaak. Het was ook meer zijn villa dan de onze, als u begrijpt wat ik bedoel.'

Waarom die plotse persoonlijke noot?

'Uw man heeft het nooit met u over een inbraak gehad?'

'Nee, ik kan u echt niet helpen. Belt u hém maar.'

Dan maar mijn laatste troef gebruiken: 'Heeft hij met u nooit over een zekere Robin Schaeffer gesproken?'

Ik kon horen dat ze naar woorden zocht.

'Houdt dit verband met die gijzeling van tien jaar geleden? Is dat het?' antwoordde ze uiteindelijk twijfelend. Ik stond perplex, kon nauwelijks bevatten wat ik gehoord had.

'Het is mogelijk dat de twee zaken met elkaar te maken hebben', hoorde ik mijzelf zeggen.

'Nee me niet kwalijk. Het is allemaal al zo lang geleden en...' Ze maakte haar zin niet af. Ze was duidelijk van streek.

'Het is misschien beter als ik morgen even langskom, mevrouw Sierens. Dan kunnen we de zaak wat rustiger bespreken', zei ik met bemoedigende aandrang. 'Is dat goed voor u?'

13

Toen ik me eindelijk weer wat beter voelde en de ergste maagspasmen waren weggeëbd, stamelde ik een verontschuldiging tegen Malfliet en wankelde naar de achtertuin op zoek naar een spade om het braaksel onder te spitten. Toen ik besefte dat ik daarvoor in de gereedschapsschuur zou moeten zijn, voelde ik een tweede golf van misselijkheid opkomen. De asschop van het haardstel in de woonkamer zou maar moeten volstaan.

Nauwelijks had ik de klink van de achterdeur in mijn hand, of een doffe klap uit een van de aanpalende kamers deed mij bevriezen. Ik spitste mijn oren, maar hoorde verder niets meer in huis behalve een gedempt gestommel. Aarzelend trok ik mijn schoenen uit en sloop verder in de hoop dat de zwerver me niet zou horen binnenkomen. Ik was niet in staat om een rechtstreekse confrontatie met hem aan te gaan.

Het onbestemde geluid bleef aanhouden, zonder dat er iemand mijn kant op kwam. In de gang kon ik pas duidelijker horen van achter welke deur het geluid kwam. De kier was wijd genoeg om goed naar binnen te kunnen kijken... Daar zat hij, gehurkt voor een open-geschoven dossierlade en met een stapel ringmappen naast zich.

Ik onderdrukte de impuls om meteen Malfliet te gaan halen en hem met zijn neus op de feiten te drukken. Eerst meer te weten komen, mijn grote gelijk zou wel volgen. Hij bleef lange tijd naar één document staren en mompelde iets binnensmonds. Daarna stopte hij het omzichtig terug en plaatste de mappen op hun vertrouwde plaatsen. Het teken voor mij om mij uit de voeten te maken.

Ik sloop met grote stappen de trap op en verschool me in Malfliets slaapkamer, die net naast de logeerkamer lag. Met mijn oor tegen de muur zou ik vast wel iets van een telefoongesprek naar een compagnon kunnen opvangen...

Maar er was niets te horen. Zelfs geen voetstappen op de trap.

Door het raam zag ik nog net hoe Malfliet zich moeizaam met behulp van zijn krukken van het bankje ophees en naar de voordeur pikkelde. Even later hoorde ik stemmen beneden. Ik hoopte maar dat Malfliet gewiekst genoeg was om niets te laten merken aan de zwerver.

De indringer zou voorlopig nog wel even beneden blijven. Dat gaf me de moed om de slaapkamer te verlaten en voorzichtig de klink van de logeerkamerdeur te proberen. Die was niet op slot. Ik opende ze terwijl ik mij concentreerde op het staccato gemompel van beneden. De stemmen bleven geruststellend monotoon.

In tegenstelling tot de rest van het huis, was de logeerkamer opvallend netjes. Het bed was opgemaakt, nergens stonden er vieze borden of glazen en het enige wat op de vloer rondslingerde, waren enkele versleten schoenen en een overmaatse reiszak. Zelfs de schrijftafel was leeg.

In de kleerkast hingen wat muffe kleren. Zonder te twijfelen ging ik door de jas- en broekzakken, maar vond er enkel een paar kassabons, muntstukjes en een autosleutel. Zelfs ik kon zien dat dit niet de sleutel van Malfliets dure Lancia kon zijn.

De grote reistas maakte mij extra nieuwsgierig, maar de zwerver had een hangslot aan de ritssluiting bevestigd. De lade onder de schrijftafel was eveneens afgesloten. Op het nachtkastje lag er een handset van een draadloze huistelefoon, maar een gsm was nergens te bekennen.

Op een boekenplank boven het hoofdeinde van het bed stonden er een boek over oosterse filosofie, een exemplaar van *Ulysses* en een radiotoestel zoals ik er ook een naast het ziekenbed van Malfliet gezien had. Het zacht zoemende geruis trok mijn aandacht en ik pakte het ding achteloos op. Pas toen ik van heel ver de stem van de zwerver uit de luidspreker hoorde komen, besefte ik wat het werkelijk was en waarvoor het gebruikt werd.

Ik tilde de logge verenmatras op, maar er lagen alleen maar enkele beduimelde blootblaadjes. Toen herkende ik de spiraalbodem aan de metaalkrassen op het frame en liet de matras met een gesmoorde gil van afschuw terug op zijn plaats vallen. Ik rende de logeerkamer uit en bleef trillend op mijn benen uithijgen op de overloop. Pas toen ik zeker was dat niemand mij gehoord had en kwam kijken, durfde ik de kamer weer binnen te gaan om snel nog het jasje dat over de stoel hing van naderbij te bekijken. In de binnenzak vond ik een balpen en een zakmes. In een van de zijzakken vond ik een visitekaartje waarop een telefoonnummer geschreven stond. Het mijne.

Beneden trof ik Malfliet en zijn logé aan in de woonkamer. Hun gesprek over het avondeten viel stil toen ze mij in het oog kregen. Malfliet leek geërgerd, de ander bijna aangenaam verrast. Ik verontschuldigde mij tegenover Malfliet voor mijn plotse verdwijning en zei dat ik me zo misselijk had gevoeld dat ik een tijdje in de badkamer had moeten blijven. Het klonk aannemelijk genoeg.

'Blijft u vanavond bij ons dineren?' vroeg de zwerver gemaakt vriendelijk.

Ik schudde het hoofd, antwoordde dat ik beter naar huis kon gaan en dat ik nog even afscheid wou nemen van Paul, maar dan liefst onder ons tweeën.

De zwerver volhardde in zijn rol van hoffelijke huisknecht, knikte mij welwillend toe en liet ons discreet alleen.

Het eerste wat ik deed zodra hij de deur achter zich gesloten had, was nagaan of de intercom niet in de kamer stond.

Malfliet keek mij verbaasd aan, maar ik gaf hem een teken dat hij stil moest zijn.

Toen ik er zeker van was dat het ding er niet stond, ging ik naast hem zitten en vertelde hem met een fluisterstem wat ik had gezien. Malfliet trok wit weg en begon te zweten.

'Wat moeten we doen?' kreunde hij.

'Niets', drukte ik hem op het hart. 'Doe of zeg voorlopig niets. Zorg dat hij geen argwaan krijgt en dat hij blijft. Zolang hij hier in huis rondhangt, hoeven we ons niet al te veel zorgen te maken.'

'En die intercom?...'

'Blijf er gewoon af en let op je woorden.'

Hij keek me ongemakkelijk aan.

'Je hebt de afgelopen dagen toch niks gezegd dat...' de rest van de zin stokte in mijn keel.

Hij grijnsde schamper. 'Zie ik eruit alsof ik me nog herinner wat ik de laatste dagen allemaal gezegd heb?'

Op de terugweg naar Vilvoorde leken het hele bezoek en alles wat er in de villa gezegd en gedaan was opeens heel ver weg en irreëel. Ook het overspel. Ik probeerde de zaken nog eens op een rijtje te zetten, maar de wazige feiten en vage vermoedens bleven maar door elkaar dwarrelen. De zwerver wist te veel, maar hoeveel precies? Blijkbaar nog niet genoeg, anders zou hij zijn slag al geslagen hebben. Hoe kende hij Robin, of nog belangrijker: hoe kende hij mij? Bewees het telefoonnummer in zijn vestzak dat hij de nepagent was die mij had opgebeld? Het leek aannemelijk, maar verklaarde niets. Daarbij had hij me onlangs opgebeld om op ziekenbezoek te komen.

Was het mogelijk dat hij Anna kende en dat ze samen iets bekokstoofd hadden? Had ik mij vergist toen ik dacht dat zij en Malfliet onder één hoedje speelden? Was hij het slachtoffer of de intrigant? Alle twee? Stelde hij zich dezelfde vragen over mij?

Hoe dichter ik bij het flatgebouw kwam, hoe ouder ik me voelde en hoe minder diep ik het gaspedaal induwde.

Ik had Eric die middag niet eens een reden gegeven waarom ik de deur uit ging. Nu ontbrak het me helemaal aan fut om nog een uitvlucht te bedenken.

Bij mijn thuiskomst stond Eric me op te wachten in het halletje van onze flat. Zijn vuurrode kop stond op onweer. De uitbarsting liet nog geen vijf seconden op zich wachten.

'Waar heb je gezeten?'

'Nu niet, Eric.'

Hij deed een stap dichterbij. Ik durfde me nauwelijks te verroeren of hem aan te kijken.

'Ik heb je een vraag gesteld.' Ik voelde een laffe traan van onmacht en frustratie opwellen. In plaats van ze weg te vegen, liet ik ze vrijuit over mijn wang rollen in de hoop dat hij daardoor wat zou inbinden. En weer verachtte ik mijzelf ervoor.

'Hou op, Eric. Je weet dat ik in de war ben en depressief. Ik heb tijd nodig om na te denken... om tot mijzelf te komen.'

Hij was niet onder de indruk. Met een van minachting vertrokken grimas, greep hij me bij de schouders en trok me tegen zich aan. De dranklucht sloeg me het eerst in mijn gezicht.

'Hoe achterlijk denk je eigenlijk dat ik ben? Denk je werkelijk dat ik nog een woord geloof van je smoesjes?' Hij schudde me brutaal door elkaar, wellicht om een antwoord uit me te krijgen.

'Denk je dat ik ondertussen niet weet wat je doet, met wie je het doet en waar je het doet?' beet hij me toe. 'Ik krijg op mijn werk wel met minder doorzichtige bedriegers en praatjesmakers te maken.'

Het had geen zin hem tegen te spreken of wat dan ook te zeggen. Hij verstevigde zijn greep en dwong me hem in de ogen te kijken. 'Hoe lang dacht je me nog voor de gek te kunnen houden? Ik heb het bewijs van je vunzige affaire met die parvenu. Genoeg bewijs om meteen een scheiding geregeld te krijgen en je geen rooie cent te hoeven betalen. Zorg er dus maar voor dat je het niet verbruit bij je scharrel. Je bent te oud en te nutteloos om nu nog ergens een job te vinden en in je eigen levensonderhoud te voorzien.'

'Ben je me gevolgd?' stamelde ik.

'Je geeft het dus toe?' blafte hij terwijl hij me tegen de muur duwde. In een flits zag ik het FN-pistool op het halkastje liggen. Wat was hij in godsnaam van plan?

'Laat het me tenminste uitleggen, Eric. Je begrijpt het niet. Het is een oude kennis. Hij is alleen en heeft een ongeluk gehad. Ik ga erheen om hem wat te verzorgen en hem gezelschap te houden.'

Hij ontblootte zijn tanden in een valse grijns. 'In al die jaren dat ik je ken, heb je nog nooit voor wie dan ook gezorgd of "oude kennissen" opgezocht. Ik ken je beter dan je denkt en in ieder geval beter dan dat jij liegt.'

Ik probeerde hem van me af te duwen, maar ik slaagde er alleen in hem nog nijdiger te krijgen.

'Hou op met die onzin, Eric. Je weet niet wat je zegt. Het is een vriend van vroeger die toevallig een tentoonstelling had...' De schok van de eerste klap in mijn gezicht deed me ineenkrimpen.

'Ik *weet niet wat ik zeg*? Ik weet meer dan genoeg! Ik weet dat jij mijn FN uit de safe genomen hebt en dat je dus liegt dat het gedrukt staat als je zegt dat je de code niet kent.' Hij wees met gestrekte arm naar het wapen naast de telefoon. 'Een collega van mij had snel genoeg door dat er vingerafdrukken op zaten die niet van mij waren. Wat moest jij daarmee?'

Ik kon geen woord uitbrengen. Ik kon nauwelijks geloven dat hij het pistool echt had laten onderzoeken omdat hij het omgekeerd in de safe had gevonden.

'Een mannetje van mij volgt je al een paar dagen en heeft me al op de hoogte gebracht van jou, mijnheer Schaeffer en je mankepoot', ging hij alsmaar driester verder.

Het begon me te duizelen. Ik voelde mijn hart tekeergaan en mijn hele lijf trillen. Het enige wat er nog door mijn hoofd dreunde was dat ik hier weg moest, hoe dan ook.

Een forse knietrap in zijn kruis verraste Eric compleet en deed hem kreunend dubbelplooien. Met al de kracht van mijn paniek gaf ik hem een duw die hem tegen de vloer gooide. Ik kon de deur van het slot doen, het wapen grijpen en naar buiten rennen. Hij schreeuwde mij allerlei verwijten en dreigementen achterna, maar volgde mij gelukkig niet de trappen af.

Terug in mijn auto stortte ik in elkaar, begon te snikken en mijn vuisten tegen het stuurwiel te slaan. Een stel voorbijgangers bleef geamuseerd staan kijken en liep pas verder toen ik verdwaasd de motor startte.

Uren aan een stuk bleef ik rijden, zonder onderbreking en zonder bestemming. In de achteruitkijkspiegel zag ik de plek verkleuren waar Eric mij geraakt had. Voor de rest van de rit bleef ik dan ook maar liever voor me kijken. Er was nu toch geen weg meer terug.

14

Door allerlei wegenwerken verliep de rit naar Koekelberg tergend traag. Mijn afspraak met Karen Sierens was om tien uur, maar het leek erop dat ik er onmogelijk voor halfelf zou geraken. Ik had mijn excuus al klaar, maar de mogelijkheid dat mevrouw Sierens naar de echte politie zou bellen om te vragen waar inspecteur Saeys bleef, maakte me behoorlijk nerveus.

Met tegenzin viste ik mijn gsm uit mijn jaszak en belde haar nummer. Hopelijk had ze geen toestel met nummerherkenning. Het was weliswaar niet zo evident om de eigenaar van een mobiel nummer op te sporen, maar toch had ik liever ook dit minieme risico niet gelopen. Geen gehoor. Ze zou er toch wel zijn?

Ik verbrak de verbinding en wurmde het toestel in het handschoenkastje van de Lancia.

Misschien had ik wel een stommiteit begaan door de wagen te nemen zonder Malfliets toestemming. Ik kon me voorstellen dat hij niet zou aarzelen de politie te waarschuwen dat ik zijn auto gestolen had. Er zat niets anders op dan te maken dat ik terug was voor hij wakker werd.

Toen ik eindelijk ter plekke arriveerde, begon ik te twijfelen. Sierens' rijhuis was een stuk bescheidener en onpersoonlijker dan ik had verwacht. Misschien stelde de alimentatieregeling dan toch niet zo veel voor. Met een slecht voorgevoel parkeerde ik de Lancia om de hoek, voor het geval mevrouw Sierens de auto van haar ex kende.

De vrouw die opendeed, leek een stuk jonger dan Malfliet. Ze had een fijn gezicht, maar strenge ogen, die mij taxerend opnamen. Ik vertrouwde er maar op dat mijn beste kleren en mijn zwarte das zouden beantwoorden aan het beeld dat ze van een politie-inspecteur had. Blijkbaar had ik geluk, ze vroeg me niet eens om enige identificatie. Het internetdocument dat ik op mijn laptop wat had bijgewerkt en achter het vergeelde plastic raampje van mijn portefeuille had gepropt, zou nog geen blinde overtuigd hebben.

Enkele ogenblikken later stonden we in haar woonkamer. Ze bood me een koffie aan, die ik beleefd weigerde. Geen van ons beiden ging zitten.

'Dank u dat u mij zo snel kon ontvangen, mevrouw Sierens.'

Ze bleef me strak aankijken alsof ze naar iets zocht in mijn gezicht.

'Ik zal het zo kort mogelijk houden: u had het gisteren over een gijzelingssituatie?'

Ze ontweek wantrouwig de vraag: 'Heeft mijn ex-man u ingeschakeld? U zei iets over een inbraak.'

'Ja. Er is in het voorjaar van 1999 ingebroken in uw villa aan de Wilgenlaan. Misschien had uw toenmalige echtgenoot u daar niets over gezegd omdat er niks gestolen was en hij u niet onnodig ongerust wou maken.'

'Zo attent was hij anders niet', sneerde ze. 'Waarom komt u daar nu op terug? Na al die tijd?'

Ik kon nog net *Ik stel hier de vragen* inslikken. 'Kunt u mij misschien eerst wat meer vertellen over die gijzeling? Ik heb gisteren onze dossiers gecontroleerd en ik heb daarover niks teruggevonden.'

De bluf werkte. Ze vroeg niet verder naar de inbraak en ging bedachtzaam zitten. Ik nam tegenover haar plaats en pakte een blocnote en een pen uit mijn binnenzak.

'Telt dit als een officiële verklaring?' vroeg ze fronsend.

Ik keek haar verward aan.

'Het is niet dat ik nu nog een klacht wil indienen, of zo', verduidelijkte ze.

'Nee, dat begrijp ik', zei ik snel. 'We willen gewoon wat meer informatie omtrent alle voorvallen die verband kunnen houden met de inbraak.'

'Heeft mijn ex-man u niets over de gijzeling gezegd?'

'Vertelt u nu maar.'

'Wel, in april 1999 was ik samen met mijn ex op vakantie aan de kust. Af en toe moest hij terug naar Brussel om iets te regelen op kantoor of in ons huis in Vorst. Op een keer bleef hij wel erg lang weg en liet niets van zich horen. Mijn ex had zo zijn luimen en grillen en ik stond er aanvankelijk dan ook niet bij stil. Maar toen kreeg ik een telefoontje van hem.' Haar blik boorde zich in mijn ogen. 'Of beter: van zijn gsm. Ik herkende zijn nummer en antwoordde. Het was een mannenstem die ik niet kende. Hij zei dat hij mijn man in zijn macht had en dat ik een grote som moest betalen als ik wou dat hij ongedeerd bleef.'

Haar stem klonk al even emotieloos als het tikken van de antieke wandklok achter haar.

'Hoeveel?'

'Veel.'

'100.000 frank? 10 miljoen?'

'Eerder dat laatste getal', zei ze gortdroog.

'Hebt u toen de politie gewaarschuwd?'

'Nee, dat durfde ik niet. De man had duidelijk laten verstaan dat ik er spijt van zou krijgen, als ik dat probeerde.'

'Hebt u een vermoeden wie de man in kwestie geweest zou kunnen zijn?'

Haar frons werd nog dieper. 'Hoe zou ik dat kunnen weten?'

'Misschien had u de stem herkend'. De irritatie was iets te duidelijk te horen in mijn stem. 'Het is niet ongewoon in dit soort situaties dat de schuldige een bekende van het slachtoffer is. Een zakenpartner zelfs.'

Weer die grijns. 'Zo klonk hij in ieder geval niet.'

'Hoe klonk hij dan?'

Ze zocht even naar de juiste woorden zonder haar ogen van me af te wenden. 'Onbehouwen: lage bromstem, dialectische tongval...'

Ik probeerde bedaard en zakelijk te blijven. Robin was niet de enige met een stem als die van een kolensjouwer.

'Wat deed u nadat u die oproep gekregen had?'

'Ik keerde meteen terug naar Vorst. Eerst maakte ik mijzelf nog wijs dat het misschien om een flauwe grap van hem ging. Maar de volgende morgen vond ik een omslag in de bus met mijn naam in viltstift erop. Er zaten twee dingen in: zijn trouwring en een polaroidfoto, een close-up van zijn gekneusde gezicht. Ze hadden zijn mond dichtgesnoerd met plakband.'

Was het mogelijk dat mijn eigen broer zoiets op zijn geweten had? Kleine Robin die voor de buis zat te grienen als er een beest doodging in een of andere serie? Robin die pestkoppen op het schoolplein te lijf ging omdat ze de eerstejaarssukkels treiterden? Ik moest me vergissen. Dit was iemand anders.

Ik liet het hoofd zakken – ook om die indringende blik van het mens even te ontwijken – en merkte dat ik nog niks had genoteerd op mijn blocnote.

'Wanneer nam hij opnieuw contact met u op?'

'Diezelfde dag nog. Hij herhaalde zijn dreigementen en zei me waar en wanneer ik het geld moest geven.'

'Waar was dat?'

Ze dacht even na. 'In een bos ergens in Waals-Brabant. Ik moest de biljetten in een gemarkeerde rugzak stoppen en die op een bepaalde plek begraven.'

'En hebt u dat gedaan?'

Ze trok haar schouders op. 'Had ik een keus?'

'Het zal niet gemakkelijk geweest zijn om zo snel zo veel geld in contanten bijeen te krijgen.'

'Dat zijn mijn zaken', antwoordde ze bits terwijl ze me uitdagend in de ogen bleef kijken. Ik kreeg alsmaar meer het gevoel dat ze me doorhad en dat ze een bizar spelletje met mij aan het spelen was. Zo'n toon zou zelfs een omhooggevallen Brusselse parvenu niet durven aan te slaan tegen een gezagdrager. Hoe lang kon ik me nog veroorloven om op deze manier verder te bluffen?

'Hebt u iemand gezien daar in dat bos... toen?'

'Nee. Maar ik geef toe dat ik zo bang was, dat ik niet eens durfde op te kijken terwijl ik als een gek die kuil aan het graven was.'

'En toen?'

'Toen reed ik terug naar huis. Plankgas.'

'Wanneer werd uw ex-man dan vrijgelaten?'

'Niet. De dag nadien kreeg ik weer een telefoontje van op het toestel van mijn ex. De gijzelaar maakte me allerlei verwijten en zei dat ik met het leven van mijn man speelde. Ik zwoer bij hoog en bij laag dat ik gedaan had wat hij mij had opgedragen, maar hij zei dat ik heel gauw nog een bewijs zou krijgen dat het menens was. Ik was radeloos en heb de volgende dagen doodsangsten uitgestaan. De onzekerheid was nog het ergste. Had ik de rugzak misschien aan de verkeerde boom begraven? Had iemand anders hem gevonden? Loog die vent en wou hij gewoon meer? Wat zou hij Paul aandoen?'

Ze pauzeerde en voor het eerst liet ze haar blik even zakken. Ik kreeg de indruk dat de herinnering haar te veel geworden was.

Daarna ging ze op een minder hooghartige toon verder: 'Ik bleef me maar inbeelden wat hij kon bedoelen met zijn "bewijs". Een gruwelijke foto, een afgehakte vinger? Toen ik de klep van de brievenbus hoorde dichtslaan, kreeg ik bijna een paniekaanval. Maar er zat geen tweede omslag in de bus, enkel de ochtendkrant. De minuten en de uren kropen voorbij en er gebeurde niets. Ik was een wrak. Tegen de avond kon ik het niet meer aan en besloot toch maar de politie te waarschuwen. Maar toen ging mijn gsm weer. De moed zonk me in de schoenen toen ik Pauls nummer weer op mijn schermpje zag. Ik kon geen woord uitbrengen toen ik het toestel tegen mijn oor hield.

Maar toen kwam de verlossing: Pauls stem. Hij was ontsnapt en was oké.'

'Hij was ontsnapt?' vroeg ik ongelovig. Ik kon het beeld van de rijkeluislummel die nog geen spijker in een muur kon slaan niet rijmen met enige vorm van heldhaftigheid.

Zijn ex leek in een trance: 'Ik herinner mij dat ik gewoon niet wist wat te zeggen. Zelfs niet toen hij zei dat hij wat tijd alleen nodig had om alles te verwerken. Daarna heeft hij zich dagenlang opgesloten in zijn villa in Watermaal-Bosvoorde. Geen telefoontje, geen verdere uitleg, niks. Ik ben erheen geweest omdat ik met eigen ogen wou zien hoe hij eraan toe was, maar ik had geen sleutel en hij weigerde mij binnen te laten. Toch was hij er, zijn auto stond er.

Ik maakte mij grote zorgen. Dus sprak ik diezelfde avond nog een boodschap in op zijn antwoordapparaat. Ik zei dat ik er de politie zou bij halen als hij het niet deed en dat hij gespecialiseerde begeleiding nodig had na zo'n traumatische ervaring.

Nog geen tien minuten later belde hij terug om mij op het hart te drukken dat hij helemaal geen hulp nodig had en dat ik niemand wat mocht zeggen over wat er gebeurd was. Zeker de politie niet. Het was te gewaagd. Daarmee moest ik het maar doen.'

Ze pauzeerde even om iets weg te slikken en kreeg opeens iets breekbaars over zich.

'Toen hij uiteindelijk terugkwam, was alles anders tussen ons. Hij leek helemaal niet blij mij te zien. Mijn pogingen om hem te troosten en de meelevende echtgenote te zijn, wekten enkel maar zijn ergernis op. Hij wou niks over het gebeurde zeggen en er nog minder over horen. Op één punt na: hij bleef mij maar verwijten dat ik het vertikt had dat losgeld – zijn geld dan nog wel – te betalen. Hij riep dat het mij waarschijnlijk wel goed zou zijn uitgekomen als die schoft hem had omgebracht. Ik bleef maar zeggen dat ik alles gedaan had wat die vent mij had opgedragen – met schrik voor mijn eigen leven – maar het had geen zin. Hij was ervan overtuigd dat ik hem had laten stikken en hij was niet van plan mij dat te laten vergeten.'

'Heeft hij ooit gezegd hoe hij kon ontsnappen?'

'Nee. En ik had geen zin om aan te dringen.'

'Over de gijzelnemer?'

'Niks. Hij had een muur rond zich opgetrokken. Het enige wat er nog door kwam, waren beschuldigingen en bedekte dreigementen. Zijn werk verwaarloosde hij ook.'

'Dat moet moeilijk voor u geweest zijn.'

Ze haalde weer haar schouders op. 'Niet voor lang. Enkele maanden later waren we al gescheiden.'

'Weet u wat er met dat geld gebeurd is?'

Ze aarzelde even voor ze antwoordde. 'Na zijn terugkomst ben ik naar dat bos gereden om er heel voorzichtig te gaan kijken of de rugzak er nog begraven lag. Dat was niet het geval. Hij was zijn buit wel degelijk komen halen, de smeerlap.'

Gedurende een minuut hing er een geladen stilte in de kamer. Zij had alles gezegd en ik wist niets meer te vragen. Waarom kon geen van ons beiden het opbrengen om weer op te staan?

'Ik denk dat ik voldoende informatie heb. Voorlopig althans', stamelde ik uiteindelijk weinig overtuigend en zonder aanstalten te maken om weg te gaan. De nagenoeg onbeschreven blocnote propte ik terug in mijn jas.

'U zei dat mijn ex-man een inbraak had aangegeven', onderbrak ze mij scherp. 'Denkt u dat er een verband bestaat?'

'Ik kan natuurlijk nog niks met zekerheid zeggen,' antwoordde ik met een kurkdroge mond, 'maar het lijkt me aannemelijk dat de gijzelnemer eerst in de woning had ingebroken om wat persoonlijke informatie over zijn slachtoffer te vinden. Om de hele zaak voor te bereiden. Dat verklaart ook waarom er niks gestolen was.'

'Maar toch had hij aangifte gedaan?'

'Er was wel enige materiële schade aan een deur', mompelde ik terwijl ik mij met zware benen uit de fauteuil hees. Zij stond ook op, nog steeds met haar ogen op mij gefixeerd.

Een flits van luciditeit bracht me weer in mijn rol: 'Mevrouw Sierens, toen ik gisteren aan de telefoon de naam Robin Schaeffer liet vallen, deed u dat spontaan aan de gijzelingskwestie denken. Waarom precies?'

Deze keer geen aarzeling: 'Nee, inspecteur, ik ken niemand die zo heet, ook al klonk de naam eerst vaag bekend. Maar ik had mij vergist.'

Ik pakte een fotokopie uit mijn jaszak en vouwde het vel papier voor haar open.

'Kent u deze vrouw, mevrouw Sierens?'

Malfliets portretfoto van Anna deed het gezicht van zijn ex nog meer verstrakken.

'Ja. Ze heet Anna Verbeeck. Ze is Pauls minnares en parttime-muze. Of dat was ze tenminste toen we nog getrouwd waren.' Er lag geen bitterheid in haar stem, eerder minachting. 'Hoe komt u aan die foto?'

Ik negeerde haar vraag. 'U wist van hun relatie?'

'Mijn ex-man was minder geslepen dan hij dacht. Ik was hem ooit eens stiekem gevolgd op een van zijn fotoshoots. Zij was er ook. De rest hoef ik u niet te vertellen.'

'Hebt u hem er ooit mee geconfronteerd?'

Ik wist niet eens waarom ik erover doorvroeg. Het waren mijn zaken niet en haar blik zei dat ze dat ook vond. Toch verwaardigde ze zich een antwoord te geven: 'Waarom zou ik? Mijn huwelijk was me destijds meer waard dan mijn trots. Daarbij, zij zal niet zijn enige "model" geweest zijn. Het had geen zin om een scène te maken over die ene.'

Ze bekeek het wazige gezicht op het vel papier nog eens goed. 'Waarom vraagt u naar haar? Denkt u dat zij er wat mee te maken had?'

'Het is nog te vroeg om conclusies te trekken', antwoordde ik diplomatisch.

Haar gezicht vertrok tot een grimas: 'Een naïef wicht als die Verbeeck? Betrokken bij een gijzeling en een inbraak?'

'De jongedame in kwestie kende waarschijnlijk heel wat persoonlijke details over uw ex-man. Zijn gewoontes, eventuele geheime adressen, en het feit dat hij rijk was natuurlijk. Zij zou hem gemakkelijk in de val gelokt kunnen hebben.' Hoewel ik de hele redenering maar net had verzonnen, was het alsof er plots iets klikte. Alsof het ene deel van mijn hersenen net het andere van een reële mogelijkheid had weten te overtuigen.

Karen Sierens leek minder overtuigd. Zij nam mij onderzoekend op, maar zei niets.

'Hebt u haar eigenlijk ooit gesproken, mevrouw Sierens?'

'Nee. Ik werd immers niet verondersteld haar te kennen, inspecteur.'

Ik voelde hoe het drijfzand onder mijn voeten weer bewoog.

Mijn stilzwijgen moedigde haar aan: 'Mijn ex-man moet u die foto gegeven hebben. Heeft hij na al die jaren weer contact opgenomen met de politie omdat hij zelf denkt dat zij er iets mee te maken heeft?'

Ik voelde mezelf weer wegzinken, spartelend, op zoek naar een antwoord dat haar niet nog achterdochtiger zou maken. Waarom kreeg ik niet over mijn lippen dat dat vertrouwelijk was? En toen vond ik opeens een houvast: 'Niet uw ex, mevrouw Sierens. Robin Schaeffer.'

Ze kwam een stapje dichterbij. Instinctief zette ik er twee achteruit. 'Wie is dat eigenlijk en wat heeft hij ermee te maken?'

'Dat kan ik u niet zeggen.'

Ze knikte begrijpend, maar zonder mij te geloven. Dat zag ik duidelijk.

Toen toonde ik haar de polaroid die al de hele voormiddag in mijn binnenzak brandde: het obscene kiekje van Elizabeth Verstraete dat ik uit de doos op zolder had meegenomen.

'En zij?'

Ze boog zich naar de foto, maar weigerde het ding in haar hand te nemen. De walging stond op haar gezicht geschreven.

'Een van zijn andere modellen?' vroeg ze schril.

'Kent u haar?'

'Nog nooit eerder gezien. Maar ik dacht dat hij meer smaak had dan dat.'

Ik vroeg me af of ze de foto zelf of het onderwerp bedoelde.

'Ik zal u niet langer ophouden, mevrouw Sierens.'

Met loden benen volgde ik haar naar de buitendeur. Ik had behoefte aan frisse lucht en tijd om alles op een rijtje te zetten. Toch durfde ik nauwelijks de deur uit. Mijn slechte voorgevoel was nog donkerder geworden. Ik had de indruk dat mijn hele wereld zou instorten op het moment dat ik deze vrouw mijn rug toekeerde. Eén indiscreet telefoontje naar haar ex zou misschien al volstaan.

Toen ze voor me openmaakte, draaide ik me langzaam naar haar om alsof mij iets te binnen geschoten was. 'Die polaroidfoto waarover u het had, mevrouw Sierens, die close-up van uw man met de plakband over zijn mond. Hebt u die toevallig nog?'

'Ja. Wilt u hem zien?'

'Graag.'

Sneller dan ik had verwacht, kwam ze terug met de foto tussen duim en wijsvinger. Ik nam hem voorzichtig van haar over.

Zelfs ik, die een hekel had aan Malfliet, was geschokt. Niet zozeer door de brutale manier waarop zijn mond gesnoerd was of de paarse kneuzingen naast zijn slaap, maar door de pijn en ontreddering in die ogen. Uit de achtergrond kon ik niks opmaken.

Ik keek haar wat beteuterd aan. Zij keek emotieloos terug.

Als ze al enige afschuw voelde, kon ze haar gevoelens heel goed onder controle houden. Ze moest echt wel een afkeer van Malfliet hebben.

Ik wou haar het ding teruggeven, maar ze hield haar armen gekruist. Dat bracht me op een idee. 'Vindt u het erg als ik dit bewijsmateriaal meeneem naar het bureau?'

Ze keek me niet-begrijpend aan.

'... Maar voor even natuurlijk. Ik breng het u later terug, als het onderzoek wat verder gevorderd is.'

Er kwam geen antwoord en dus ook geen protest. Ik stopte de polaroid bij de andere in mijn binnenzak.

'Ik zal u mijn persoonlijke gsm-nummer geven voor het geval u zich nog iets meer herinnert', zei ik met mijn inspecteur Saeys-stem van de avond ervoor, terwijl ik de cijfers op het bovenste blaadje van de blocnote pende. Ik zette er geen naam bij.

15

Doodop en geradbraakt lag ik op de passagierszetel van mijn auto naar de overkant van de Wilgenlaan te turen. Wat hield me tegen om uit te stappen en te gaan aanbellen? De weerzin om de zwerver nog eens tegen het lijf te lopen? Dat ik na een hele nacht in mijn auto er als een wrak moest uitzien?

Voor de zoveelste maal stopte ik mijn hand in mijn tas om mijn vingers over het pistool te laten glijden. Ik werd er rustiger en minder wanhopig van. Eric had me heel die tijd niet gebeld of ge-sms't. Ondanks al mijn gepieker, wist ik nog niet of dat nu een goed of een slecht teken was.

Schoolkinderen staarden me aan met dezelfde onverschillige, holle blik als de volwassenen die voorbij kwamen gelopen. Het deerde me ondertussen al niet meer.

Ik wist niet waarop ik eigenlijk wachtte, maar toen gebeurde het plots gewoon: de opvallende voorkant van de Lancia verscheen bij de poort en verdween een moment later tussen de rest van het verkeer in de Wilgenlaan. Net als de vorige keer was dit mijn cue.

Ik bekeek mezelf nog eens in de achteruitkijkspiegel. De kneuzing aan mijn slaap was nog duidelijk zichtbaar. Malfliet zag er waarschijnlijk nog een stuk erger uit. Ik greep mijn handtas en hees me moeizaam uit de autostoel. De frisse buitenlucht deed me goed.

Na twee volle minuten wachten was er nog geen reactie op de deurbel. Alsof iedere seconde nog niet lang genoeg duurde in mijn toestand.

Door het raam van de woonkamer zag ik hem languit op de vloer liggen met zijn gezicht tegen het tapijt en zijn kruk naast hem. Ook toen ik geschrokken tegen het glas bonsde, verroerde hij zich niet. In een flits maakte mijn vermoeidheid plaats voor lichte paniek. Ik liep om het huis en probeerde iedere deur en ieder raam die ik kon vinden te openen, maar tevergeefs.

Was hij onwel geworden en had hij dringend een dokter nodig? Had de zwerver hem iets aangedaan en was die daarnet op de vlucht geslagen? Beide mogelijkheden deden me huiveren.

Ik rende zo snel als ik kon terug naar mijn auto, pakte de zware kruissleutel van onder het reservewiel en griste de plaid die ik vannacht als deken gebruikt had van de passagierszetel. Een man zat me vanuit een geparkeerde break aan de overkant van de laan aan te gapen. Ik hoopte vurig dat hij niet zou aanbieden om te helpen.

Zodra ik uit het zicht van mogelijke voorbijgangers was, wikkelde ik de plaid om mijn hand en voorarm en keek of ik achteraan het huis ergens een raam kon vinden zonder dubbel glas. Het venster in de achterdeur onder de pergola zag er broos genoeg uit. Ik nam de kruissleutel in mijn hand en één harde klap volstond om het glas in te slaan. Ik maakte de vensterrand naast het sleutelgat vrij van scherven, stopte mijn omwikkelde hand naar binnen en draaide de sleutel om.

Tot mijn opluchting kon ik Malfliet horen roepen van vooraan in het huis. Mijn ergste vermoeden was tenminste ongegrond gebleken.

Hij lag nog steeds op de vloer van de woonkamer. Nu had hij zich op zijn handen opgericht en zijn nek geplooid om de inbreker te kunnen zien. Hij deed me denken aan een varaan in een kamerjas.

'Wat... wat kom jij hier weer doen?' wist hij te brabbelen. Ik hoorde meteen dat hij weer te veel gedronken had. Zijn vieze adem bevestigde de indruk.

'Wat is er gebeurd, Paul? Ben je gestruikeld?' Ik hielp hem met veel moeite recht, gaf hem zijn kruk en begeleidde hem naar de zetel. Hij greep naar zijn slechte been en kreunde van de pijn. Ondanks de voorzichtigheid waarmee ik zijn been op de poef hielp te leggen, rolden de tranen hem over de wangen. Als hij nu maar geen dokter nodig had of naar het ziekenhuis moest.

'Waar zijn je pijnstillers?'

Hij antwoordde niet, maar liet zijn klamme hoofd op zijn borst zakken.

Ik vond ze al gauw naast het bed in de bibliotheek, nam twee stuks uit het doosje en hield ze onder zijn neus. In plaats van ze aan te nemen, opende hij gehoorzaam zijn mond. Hij slikte ze door zonder het water dat ik voor hem had meegebracht.

'Zo. Voel je je al wat beter?'

Hij werd rustiger en hield op met snikken. Ik hoopte dat het wel meeviel met zijn been. Toen hij voldoende gekalmeerd was, nam hij eindelijk het glas water dat ik hem voorhield en dronk het in een lange teug leeg. Pas daarna leek hij ten volle te beseffen dat ik er was.

'Hoe ben jij hier binnengekomen?'

'Ik heb een ruit moeten inslaan. Heb je dat niet gehoord?'

Hij leek het zich echt niet meer te kunnen herinneren.

'Paul, wat is er gebeurd? Was je niet goed geworden?'

'Frank...' zei hij.

'Wat is er met hem? Heeft hij je tegen de grond gegooid?'

Hij schudde het hoofd. 'Nee, dat is het niet. Vanochtend sliep ik maar half en hoorde hem de deur dichtslaan en de wagen starten', zei hij alsof hij een droom navertelde. 'Ik ben hem meteen achterna gegaan om hem te zeggen dat hij mijn auto niet mag nemen zonder mijn toestemming. Maar ik was zo groggy dat ik mij niet eens recht kon houden op die krukken en voorover gevallen ben. Ik geloof dat ik mijn hoofd ergens tegen gestoten heb.'

Ik betastte de bult op zijn voorhoofd. 'Je hebt er een buil aan overgehouden. Ik zal wat ijs halen voor een kompres...'

Zonder op zijn instemming te wachten, liep ik naar de keuken. Ik stopte een handvol ijsblokjes uit het vriesvak in een nat washandje en haastte mij terug.

'Hier. Het voelt zo meteen wel beter', zei ik terwijl ik het washandje tegen zijn voorhoofd drukte.

'Dank je', fluisterde hij nog, waarna wij beiden zwegen en elkaar aankeken.

Hij vernauwde zijn ogen tot spleetjes alsof hij mijn gezicht zat te bestuderen. Totaal onverwachts stak hij zijn hand uit naar mijn slaap en liet zijn vingers zachtjes over de kneuzing glijden. Sprakeloos liet ik hem begaan. Toen pakte hij mijn hand vast en legde die samen met het geïmproviseerde kompres tegen de zwelling naast mijn oog.

'Jij hebt het harder nodig dan ik', verklaarde hij met een opflakkering van tederheid in zijn ogen.

Ik was te verbouwereerd en te zeer aangedaan om iets te zeggen of te doen. Ik keek in die vermoeide ogen en opeens leken de afgelopen tien jaar niet meer dan een misverstand, de afgelopen dagen niet meer dan een haperend voorspel.

'Mijn man...' mompelde ik ter verklaring.

Paul knikte alleen maar. Hij begreep het.

Tegen de middag lagen we samen in het nauwe ziekenbed in de bibliotheek: Paul op zijn rug en ik op mijn zij tegen zijn lichaam aan. Voor alle zekerheid had ik de batterijen uit de intercomzender genomen.

Paul had nauwelijks nog een woord gezegd sinds die morgen en zo was het maar beter. Wat er tussen ons aan het bloeien was, was nog te teer voor woorden. Te teer voor de realiteit van de buitenwereld. Terwijl ik daar lag en zijn buik streelde, besefte ik dat ik alles zou doen om het te beschermen. Maar net daarom kon ik het me niet veroorloven om lang te wachten.

'Zal ik ons iets lekkers klaarmaken?' fluisterde ik in zijn oor.

'Laat liever iets aan huis leveren', antwoordde hij. 'Dan kun jij in bed blijven liggen.' Inwendig juichte ik, maar toch stond ik op. Het idee die voordeur te moeten openmaken voor de buitenwereld stond me tegen.

Helemaal alleen in de keuken, tussen de glasscherven op de vloer en de vuile vaat, voelde ik hoe mijn prille geluk weer plaatsmaakte voor onrust. De sporen van de zwerver waren overal, in de koelkast, op tafel. Er moest iets gebeuren, anders zou hij alles kapotmaken.

'Kan ik niet gewoon aan de keukentafel eten?' vroeg Paul terwijl ik hem in bed een lepel soep uit blik voorhield. 'Het is niet omdat ik een kater heb, dat ik bedlegerig ben.'

'Hier is het toch veel gezelliger... en intiemer', lachte ik zijn bezwaar weg. 'Je hebt je been flink bezeerd vanmorgen, wat platte rust zal je goeddoen'. In werkelijkheid was ik bang dat de luchtbel waarin we zweefden uit elkaar zou spatten.

Gelukkig drong hij niet verder aan en liet hij zich gedwee voeren. Zelf was ik te opgewonden om ook maar enkele happen binnen te krijgen.

'Paul, weet je waar die klaploper naartoe is... met jouw auto?'

Hij haalde geïrriteerd zijn schouders op.

'Hij gebruikt jouw dure slee dus al voor zijn persoonlijke zaken?'

Paul hield op met kauwen alsof hij plots een vieze smaak in zijn mond gekregen had.

'Zijn eigen auto is al niet pronkerig genoeg meer?'

Paul slikte de hap moeizaam weg. 'Hij heeft geen eigen auto.'

Ik kwam nog dichter tegen hem aan leunen en liet mijn stem zakken: 'Paul, ik heb de sleutels van zijn japanner in zijn jaszak gevonden.'

Hij keek me niet-begrijpend aan.

'Toen ik gisteren zijn kamer doorzocht', legde ik uit. 'Zie je wel dat hij je maar wat voorliegt.'

Hij bleef me maar aanstaren. 'Je slaap ziet er nog niet beter uit', merkte hij op. 'Hoe heeft je man het eigenlijk ontdekt?'

Het was een van de vragen die mij de hele nacht wakker hadden gehouden. Ik had geen zin om ze hier en nu te beantwoorden en mijn eigen bange voorgevoelens te benoemen.

'Daar hoeven we het nu niet over te hebben.'

'Het hoeft niet, maar ik wil wel graag weten hoeveel hij precies heeft uitgevist', bracht hij opvallend nuchter in. 'Weet hij dat je hier op dit ogenblik zit? Moet ik een inval van zijn collega's of een woesteling met een knuppel voor de deur verwachten?'

Opeens voelde zijn hand op mijn schaamstreek ijzig kil aan. Zover had ik nog niet eens gedacht. Onbewust had ik dit huis als een beschermende cocon beschouwd, iets wat enkel voor en door mijn herinneringen bestond en waar Eric en de rest van de wereld me niet konden bedreigen. Ik ging rechtop zitten met een opgerold deken tegen me aan geklemd.

'Eric zei dat hij mij had laten volgen. Hij weet dat ik hier zat.'

Paul schoot zo snel als de pijn in zijn been het toeliet recht in bed. 'Hij heeft je laten volgen?'

'Ja.'

'Door wie?'

Ik schudde mijn hoofd en staarde voor mij uit. De luchtbel leek definitief uiteengespat.

'Heeft hij niks anders gezegd?'

'Iets over bewijzen voor een scheiding.' Ik wou er niet verder over nadenken. Niet over Erics dreigementen, niet over de job die ik moest zoeken en al zeker niet over hoe hij Robin Schaeffer kende.

Malfliets brein leek daarentegen aan een startkabel te hebben gehangen. Van zijn kater was niets meer te merken. 'Bewijzen? Weet je waarover hij het had?'

Weer schudde ik van nee en liet mijn hoofd hangen.

'Frank heeft gezegd dat iemand het huis zat te bespieden vanuit een geparkeerde auto. Misschien was dat wel het hulpje van je man?'

Die naam had de uitwerking van een wespensteek op me. 'Frank? Geloof jij nog een woord van wat die zegt? Waarschijnlijk verzon hij maar iets om je nerveus te maken.'

'Nee, dat geloof ik niet.'

'Misschien is hij het wel.' Dat idee bleef rusteloos door mijn hoofd malen. Dit kon niet wachten. 'Misschien is jouw Frank het wel… het mannetje over wie Eric het had. Misschien neust hij hier wel rond in zijn opdracht?' Het verklaarde zijn intimiderende gedrag, de scène in de tuin, de intercom, misschien ook wel de brief, besefte ik.

'Hoe kan jouw echtgenoot Frank nu kennen?' wierp Malfliet tegen.

Half luidop redeneerde ik verder – voor Malfliet kwam het waarschijnlijk als ijlen over: 'Frank is een randcrimineel, iemand uit de verkeerde kringen, hij komt in aanraking met de politie, met Eric, en die gooien het op een akkoordje met hem: de spons erover als hij voldoende bewijzen verzamelt van…'

Malfliet greep me bij de schouder in een poging me door elkaar te schudden. 'Mens, je raaskalt. Frank was hier al lang voor wij elkaar opnieuw ontmoetten.'

Ik keek hem hard in de ogen. 'Misschien moest hij iets anders bewijzen dan mijn overspel.' Malfliet liet mijn schouder weer los. Zijn onderlip trilde.

'Wie weet is hij helemaal geen gestrande schooier…' ging ik verder. 'Misschien is hij een detective?'

'Frank, die stumper, een detective… Dat geloof je nu toch zelf niet?'

'Ken jij veel stumpers die Joyce lezen of geïnteresseerd zijn in filosofie? Dat is maar een rol die hij speelt om ons zand in de ogen te strooien.'

'Je ziet spoken. De tweede dag dat ik hem over de vloer had, heb ik de inhoud van zijn portefeuille gecontroleerd – kwestie van te weten wie ik echt in huis had gehaald – en toen heb ik zelf zijn RVA-controlekaart gezien. Het ding stond op naam van Frank Schaeffer, dus het is echt van hem en hij is wel degelijk een werkloze nul.'

Het was alsof iemand mijn keel dichtkneep en mijn zenuwen onder stroom had gezet. Mijn hoofd tolde en de plotse misselijkheid welde op tot een massieve brok in mijn maag en darmen. Ik drukte mijn achterhoofd tegen het kussen en vocht tegen de duizeligheid, terwijl ik naar adem hapte. Malfliet zag dat er iets aan de hand was en boog zich over mij. 'Gaat het? Wat is er met je?'

Het enige wat ik kon doen was met mijn hoofd schudden.

Een kwartier later was het ergste van de aanval voorbij. Ik voelde me zwak, doodop en onpasselijk, maar tenminste weer helder van geest.

'Het gaat alweer beter', zei ik tegen Malfliet, die nerveus aan het hoofdkussen zat te frunniken. Ik kon hem niet vertellen wat ik ondertussen begon te begrijpen. Tenminste niet alles, niet nu.

Hoe kon ik zo blind geweest zijn dat ik niet meteen dezelfde trekken herkende, die stem. Had Robin hem over mij verteld? Hoe had hij mijn telefoonnummer kunnen vinden na al die jaren en mijn nieuwe familienaam? Hoeveel wist hij en hoeveel had hij ondertussen geraden? Genoeg om op wraak uit te zijn? Had hij daarom Eric op de hoogte gebracht van mijn toenaderingspogingen tot Malfliet? Was hij nu op Erics kantoor met compromitterende foto's en geluidsopnames in zijn jaszak? Maar vooral: zou hij het daarbij laten? Heel mijn verdere leven zou ik mij die vraag moeten stellen... een idee dat nu al ondraaglijk was.

'Paul, hij weet het. Ik ben er zeker van.'

'Hoe bedoel je? Ik begrijp je niet.' Malfliet begon er weer zieker uit te zien.

'Je begrijpt me wel, Paul. Je *wilt* het misschien niet begrijpen, maar je begrijpt het toch. Hij weet wat er gebeurd is. Ik heb hem zelf aan het bloemperk naast het schuurtje zien rondhangen. Hij hurkte neer en begon met zijn vingers in de aarde te woelen.'

Aan zijn gerimpelde voorhoofd kon ik zien dat hij het verhaal niet geloofde. Het deed er ook niet toe. Zijn verwarring kon me beter van pas komen dan enig begrip.

'Paul, het is zijn broer.'

Malfliet probeerde nog iets te stamelen. Toen drong de ernst van de situatie ten volle tot hem door en trok hij wit weg.

'Wat moeten we doen?' Hij klonk hees en hij leek veel te klein voor de grote kamer.

'Het enige wat we kunnen doen.'

Aan zijn hoofdbewegingen en zijn ademhaling kon ik merken dat hij zijn zenuwen niet lang meer de baas zou kunnen blijven.

Ik drukte me tegen hem aan, legde mijn hand op zijn wang en draaide zijn gezicht zachtjes naar me toe.

'Het hoeft niet zo erg of zo gevaarlijk te worden als we denken, Paul', fluisterde ik. 'Het is een vagebond, een eenzaat, iemand zonder werk en zonder sociale contacten. Daarom kon hij zo lang hier bij jou blijven, dag en nacht. Waarschijnlijk zal niemand iets van zijn verdwijning merken.'

De eerste tranen van angst en frustratie prikten in Malfliets ogen. 'Dit wil ik niet.'

Ik streelde zijn haar en zijn hals. 'Ik ook niet, maar we hebben geen andere keus. Het is geen toeval dat hij hier is, Paul. Hij wil de dood van zijn broer wreken. Heb je enig idee wat er met jou gaat gebeuren als hij met het bewijsmateriaal en een spade in zijn handen naar de politie gaat? En met je reputatie? Misschien kan hij niet wachten op gerechtigheid en slaat hij je meteen de schedel in.'

Malfliet begon harder te snikken. Ik kuste zijn tranen weg en omarmde hem innig. De luchtbel waarin wij opgesloten zaten, was dan toch niet uiteengespat, enkel claustrofobisch klein geworden.

'Zie je, Paul, ik doe het voor jou. Voor ons. Wij tweeën.' Ik dacht aan de kalmeerpillen die nog in mijn handtas zaten. Misschien kon ik hem er een van geven, zodat zijn zenuwen hem niet zouden verraden als de zwerver terugkwam.

Hij duwde me fors van zich af. Ik werd bang van die betraande, bloeddoorlopen ogen die mij aanstaarden. Banger dan ik ooit voor mogelijk had gehouden.

Malfliet rolde zich met een kreet van pijn op zijn andere zij. Dat maakte het weer wat makkelijker. Ik bracht mijn mond naar zijn oor en zei, bijna zonder een geluid te maken: 'We kunnen het net als de vorige keer doen. Net als vroeger.'

16

Onmiddellijk na mijn gesprek met Karen Sierens had ik de Lancia teruggereden naar Watermaal-Bosvoorde, had hem ergens in de buurt van de Wilgenlaan geparkeerd, maar was niet naar binnen gegaan.

Ik had meer tijd nodig om alle nieuwe informatie te verwerken. Urenlang had ik in gedachten verzonken door de straten en lanen van de aangrenzende deelgemeenten gedoold.

Ik twijfelde er niet aan dat Malfliets ex de waarheid gezegd had, maar ik begreep hoe langer hoe minder *waarom* ze dat gedaan had. Had ze ook maar één ogenblik geloofd dat ik een echte politieman was? En zo niet, wou ze dan niet weten wie haar al die persoonlijke vragen stelde? Dacht ze misschien dat ik een marionet van Malfliet was die op zoek was naar een uitweg uit zijn alimentatieplicht? Was ze te weten gekomen dat haar ex-man een proletarisch manusje-van-alles in huis had genomen?

Ik kon maar niet geloven dat Robin tot zoiets in staat zou zijn geweest. Hij was altijd een verwaaid schoffie geweest, maar geen schoft. Was er iets in hem geknakt nadat ze mij achter tralies hadden gezet? Was zijn opstandigheid omgeslagen in wrok tegen de gevestigde orde? En dan die ondraaglijke gedachte: was het op een manier *mijn* schuld?

Stel dat hij het echt gedaan had. Hij had een inbraak gepland. Hij dringt de villa binnen en wordt overmoedig. Waarom wat los geld en dure snuisterijen meenemen als hij een grotere slag kan slaan? Waarom een kruimeldief blijven als hij zich kan wreken op de maatschappij?

Hij wacht tot Malfliet thuiskomt en overmeestert hem. Hij neemt de foto die mevrouw Sierens mij gegeven heeft, pakt Malfliets gsm af, vindt het nummer van de echtgenote in het geheugen en belt haar om losgeld te eisen.

Terwijl hij wacht op zijn geld, krast hij zijn persoonlijke logo in de wc-deur. Om Malfliet te intimideren. Op de afgesproken avond volgt hij de vrouw naar het bos en slaat haar gade terwijl ze de rugzak begraaft. Als ze weer vertrokken is, graaft hij de zak op, wordt bedwelmd door al dat geld en wordt roekeloos. Zijn plannetje is zo vlot verlopen dat hij meer wil. Hij belt de vrouw opnieuw op, zogezegd omdat ze zich niet aan de afspraak gehouden heeft en bedreigt haar. Maar zij begint tegen te stribbelen. Hij besluit dat het te risicovol is om aan te dringen, laat Malfliet gaan en maakt dat hij zo snel mogelijk het land uit komt met zijn geld. Hij beseft dat Malfliet veel machtige vrienden heeft die een onderzoek niet snel zullen opgeven en dat het onveilig is om naar België terug te keren... of contact te houden met oude bekenden en familie. Na het voorval heeft Malfliet behoefte aan wat rust en aan het troostende gezelschap van een maîtresse om de beproeving te verwerken. Als hij eindelijk teruggaat naar zijn vrouw, probeert hij zijn gezicht te redden door te veinzen dat hij is kunnen ontsnappen. Ondertussen is hij er wel van overtuigd dat zij nooit betaald heeft en laat haar dat niet vergeten. Hij durft echter niet naar de politie te gaan uit angst dat zijn fraude aan het licht zouden komen. Daarom reageert hij zijn woede en frustraties maar op zijn vrouw af. Enkele maanden later zijn ze gescheiden.

Het klonk allemaal aannemelijk, maar het voelde totaal verkeerd.

Voor ik het wist, was ik in Elsene beland en stond ik in een zijstraat van mijn moeders straat. Had mijn instinct mij hierheen geloodst? Probeerde mijn onderbewustzijn mij duidelijk te maken dat ik het beter kon opgeven, nu ik nog een reden had om Robin terug te vinden? Hem en mijn betere ik...

De straten lagen er nog troostelozer bij dan gewoonlijk. Ik had ooit gedacht dat jeugdherinneringen een plek extra charme konden geven, maar hier bleek het tegendeel waar te zijn.

Ik draaide me om, liep de andere richting uit en begon op andere mogelijkheden te broeden: *Robin breekt in, zoekt wat rond, vindt per toeval een trouwring, Malfliets gsm en tussen de stapels artistieke plaatjes de bewuste polaroid met de plakband.*

Malfliet leek me wel het type om zich te laten fotograferen bij zijn alternatieve seksspelletjes.

Robin is er op de een of andere manier achter gekomen dat Malfliet een tijdje bij een maîtresse wil doorbrengen en ensceneert de hele gijzeling.

Zelfs ik moest toegeven dat dit nergens op sloeg.

Bij het derde huizenblok had ik een inval die mij voor het eerst in de afgelopen uren even deed stilstaan: tenzij Robin en Malfliet de hele vertoning samen beraamd hadden.

Robin breekt in bij Malfliet en wordt door hem betrapt. Malfliet begrijpt meteen dat hij die amateurcrimineel met zijn goedige hondenkop kan gebruiken voor zijn eigen plannetjes en gooit het op een akkoordje met hem. Het gaat slecht met zijn bedrijf en er is geld verdwenen uit de boekhouding. Veel geld. Door zijn eigen gijzeling in scène te zetten met Robin als acteur kan hij die financiële put vullen met zijn privégeld zonder dat iemand vervelende vragen stelt. Misschien kon hij de som zelfs terugkrijgen van zijn verzekering. Geen wonder dat de politie niet mocht gewaarschuwd worden. Maar dan gaat het mis. Robin kan de verleiding van al dat contant geld niet weerstaan, houdt het voor zichzelf en maakt Malfliet wijs dat zijn vrouw weigert te betalen. Al snel verliest Robin zijn koelbloedigheid – ja, dat was typisch iets voor hem – neemt het zekere voor het onzekere en vlucht met het geld naar het buitenland waar hij al die tijd ondergedoken zit...

Er was nog een andere mogelijkheid die zich in mijn verbeelding aandiende: Anna Verbeeck. Als Malfliets minnares was zij goed genoeg op de hoogte van zijn doen en laten. Een geheim afspraakje dat eigenlijk een val was. Malfliet hoefde niet te weten dat zij er iets mee te maken had. Zij deed het denkwerk en iemand anders het vuile werk.

Of zij kon de trouwring en gsm van haar minnaar gestolen hebben – waarschijnlijk gelegenheid genoeg – en de polaroidfoto gemaakt hebben nadat ze hem had verleid om eens iets pikants te proberen. Maar Verbeeck hield zich niet aan de afspraak en hield het losgeld voor zichzelf terwijl ze aan haar partner vertelde dat de betaling nooit was gebeurd.

Misschien was al die zorgzaamheid het product van een slecht geweten?

Het was mogelijk, maar niet erg waarschijnlijk. Dat zou ook betekenen dat Verbeeck Robin kende. Hoe zouden die twee ooit met elkaar in contact zijn gekomen?

En wat als de man aan de telefoon iemand anders dan Robin was geweest?

Wat later kwam ik voorbij een openbare bibliotheek.

Ik ging er binnen om even te zitten en rustiger te kunnen nadenken. Ik ben nooit een fervent lezer geweest – behalve die eerste maanden in de cel dan – maar heb door de jaren dikwijls de serene kalmte van bibliotheken opgezocht. Ze hebben iets van een gebedshuis zonder geloof en de mensen laten je er met rust.

Robin had ze altijd gehaat, van kindsbeen af. Zelfs als negenjarige had hij, op een van die zeldzame keren dat ik hem had meegenomen, mij ermee geplaagd dat ik ooit nog eens als pastoor zou eindigen.

Op de eerste verdieping stond er een rij hokjes met pc's met internetaansluiting. De meeste plaatsen waren bezet door steuntrekkers en allochtone tieners, maar één toestel was nog vrij. Dat bracht me op een idee. Ik keek in mijn portefeuille of ik het visitekaartje van Verbeecks kledingzaak nog kon vinden en haastte me naar het lege zitje.

Zodra ik was ingelogd op de gmail-site, tikte ik het adres dat op het kaartje stond over. Na lang piekeren kwam ik tot het volgende bericht:

Anna, je bent waarschijnlijk wel verbaasd om na al die tijd nog wat van mij te horen. Ik moet je echter dringend ('dringend' onderlijnd en in het vet) persoonlijk spreken over het geld. Je weet wel, van tien jaar geleden. Ik kan je verzekeren dat je er alle belang bij hebt om even bij mij langs te komen. Lukt morgenmiddag voor jou?
Robin Schaeffer.

Het was waarschijnlijk weer een slag in het water, maar het was het proberen waard. Ik liep geen enkel risico, het was een anoniem e-mailadres. Als ze van niks wist, zou ze vermoedelijk denken dat het om een vergissing of een grap ging. Wist ze wel iets, dan zou ze wel een antwoord sturen. Ook al was het maar om te zeggen dat hij haar met rust moest laten. Of – als het lot mij voor de verandering eens goedgezind zou zijn – een geïrriteerd weerwoord waarin stond dat ze onmogelijk morgenmiddag al in waar-zij-dacht-dat-hij-zou-uithangen kon zijn.

Ik vroeg me af of ik niet een paar taalfouten in het bericht moest zetten om het wat geloofwaardiger te maken.

De weg terug naar de Wilgenlaan viel me fysiek zwaar. Toch bleef ik maar omwegen maken. Het vooruitzicht van die logeerkamer met de kale muren en de krakende intercom deed mijn maag ineenkrimpen. Die lege bovenverdieping. De troep op de benedenverdieping met de rondhinkende Malfliet.

Pas toen ik een duidelijker actieplan voor mijzelf had geformuleerd, kwam er weer wat meer tempo in mijn stappen. Ik zou gewoon teruggaan, er nog één nacht blijven en dan mijn spullen pakken. Ik zou Malfliet zeggen dat ik hem niet langer tot last wou zijn, maar dat ik nog af en toe eens zou langskomen om te zien of hij iets nodig had. Voor het geval ik nog iets moest zoeken. Als voorlopige oplossing zou ik weer bij mijn moeder intrekken. Ze zou wel zeuren over mijn onverklaarde afwezigheid, maar dat was ik ondertussen wel gewend. De rest van mijn onderzoek – als het dat eigenlijk nog was – zou ik wel als inspecteur Saeys of rs1965elsene@gmail.com voeren.

Ik schepte moed uit het idee dat ik vandaag voor de laatste keer mijn rol van aangewaaide huisknecht zou spelen. Als Malfliet mij überhaupt nog binnen wou laten natuurlijk.

Het was vier uur in de namiddag en de gordijnen op de benedenverdieping waren dichtgetrokken. Had Malfliet dat zelf voor elkaar gekregen? Had hij bezoek en wou hij niet bespied worden? Had hij maatregelen genomen tegen de detective met zijn telelens? Er stond in ieder geval geen auto op de oprijlaan.

Ik ging zachtjes naar binnen en had nog net de tijd om de trap op te lopen en mijn jas op het bed te gooien, voor Malfliet me alweer naar beneden riep.

Als een afgerichte hond draafde ik terug en stak mijn hoofd om de deur. Het duurde even voor mijn ogen aan de schemer in de woonkamer gewend waren. Malfliet was dan toch alleen. Ik kon zijn gezicht nauwelijks zien. Het leek alsof het weinige licht in de kamer naar de halflege flessen en de glimmende leren handtas op de salontafel werd gezogen.

'Kan ik iets voor je doen, Paul?'

'Ja. Er is een probleem met het toilet. De waterbak wil niet meer vollopen.' Hij aarzelde een moment. 'Kun jij eens kijken wat eraan scheelt?'

'Het is hier wel donker met de gordijnen dicht.'

'Ik had hoofdpijn.'

'Voel je je al wat beter? Misschien kan ik beter een raam openzetten. Het is hier erg muf. Geen wonder dat je hoofdpijn hebt.'

'Kun je eerst naar het toilet kijken?' onderbrak hij mij toonloos.

Ik knikte en was blij dat ik de deur van de woonkamer achter mij dicht kon trekken.

De wc-deur stond wijd open en de gloeipeer in het kamertje brandde. Ik kreeg een vieze smaak in mijn mond bij de gedachte aan wat ik daar zou aantreffen. Veel meer dan de hendel nog eens uitproberen kon ik toch niet doen. Ik ben geen loodgieter.

De hendel leek inderdaad niet te werken. Er kwam een kort, gorgelend geluid, maar geen water. Ik bukte me voorover om het toevoerkraantje te controleren, toen de deur met een smak achter mij dichtsloeg en ik de sleutel in het slot hoorde knarsen. Pas toen het geluid van haastige voetstappen helemaal weggestorven was, veerde ik recht.

Ik duwde de klink naar beneden. De deur was wel degelijk op slot.

Ik trachtte kalm te blijven. Misschien was het wel een vergissing. Ik klopte op de deur, tikte tegen het melkglas en riep om hulp. Die niet kwam. Met de seconde kreeg ik het benauwder. Mijn mond werd droog en mijn ademhaling moeizamer. Kloppen werd bonken en roepen werd schreeuwen.

'Hé! Doe open! Wat gebeurt er?'

Mijn getier weerkaatste tegen de muurtegels. De voetstappen kwamen niet terug.

'Paul!'

Het bloed begon door zijn hoofd te suizen en mijn benen begonnen te beven. Ik probeerde mijn ademhaling onder controle te houden en te vechten tegen de herinneringen aan mijn eerste angstaanval die nu kwamen opzetten. *De zware celdeur die achter mij dicht wordt gesmakt, de nauwe ruimte die begint te tollen en mijn benen die blubber worden.*

Als een gek begon ik met mijn schouder tegen de deur te rammen. Maar zonder de ruimte om een aanloop te nemen volstond zelfs mijn volle gewicht niet om het slot het te doen begeven.

Een diep gevoel van misselijkheid verspreidde zich door heel mijn lijf en ik zakte door mijn knieën tegen de muur aan. Het sleutelgat zat nu op ooghoogte. De sleutel was eruit genomen. Het stukje hal erachter was leeg. Ik keek naar boven. Het melkglas inslaan had geen zin. Het raampje was te klein om mij erdoor te wurmen. Daarbij zou ik door de glassplinters allang doodgebloed zijn tegen de tijd dat ik er één arm had doorgekregen.

Ik liet mijn hoofd in mijn handen zakken en probeerde na te denken. De feiten op een rijtje te zetten.

Iemand had me hier moedwillig opgesloten.

Het was niet Malfliet. Met zijn been nog in het gips kon hij mij onmogelijk zo snel en zo stil beslopen hebben. Malfliet had me in de val gelokt. Samen met een handlanger. Vandaar de voetstappen.

Ik was een bedreiging voor de twee. Ik wist te veel. Niet dat ik die indruk had, maar zij in ieder geval wel.

Niemand wist dat ik hier was. Niemand verwachtte me.

Voor de zoveelste keer doorzocht ik mijn broekzakken, maar vond niks bruikbaars. Zelfs geen muntstukje om de schroeven van het slot mee te proberen los te draaien. Ik kon me wel voor de kop slaan dat ik daarnet niet eerst de gereedschapskist was gaan halen alvoor ik de waterbakhendel probeerde.

Het geluid van de telefoon: heel zwak en ver weg, maar onmiskenbaar.

Ik duwde mijn oor tegen het sleutelgat, maar enkele tellen later stierf de beltoon al weg.

Het beeld van mijn eigen gsm in het handschoenkastje van de Lancia doemde voor mij op. Voor het eerst in meer dan tien jaar had ik zin om te janken. In plaats daarvan sloeg ik uit frustratie mijn vuist tegen de deur. De pijnscheuten waren mijn verdiende loon.

Mijn oog viel op de ingekerfde vleugels vlak naast me. Met de vingertoppen van mijn goede hand volgde ik het patroon van de krassen. Eindelijk wist ik waarom de inkerving zo laag op de deur zat: Robin had ze daar tien jaar geleden aangebracht in dezelfde houding en in dezelfde situatie als ik nu.

Malfliet had hem hier opgesloten en met een zakmes had hij de inkerving gemaakt als een wanhoopskreet. Een boodschap, die voor de juiste persoon een aanwijzing zou zijn, maar voor Malfliet niets zou betekenen... Wist hij dat ik naar hem zou zoeken en blijven zoeken... of had hij het gedaan om niet gek te worden?

Had Malfliet hem betrapt bij de inbraak, hem bedreigd of neergeslagen en hem hier opgesloten tot de politie zou opdagen? Nee, dat verklaarde al het andere niet. Waarom zou Malfliet dan blijven volhouden – zelfs tegen een zogenaamde politie-inspecteur – dat hij nooit een inbraak gemeld had? En hoe zat het dan met die gijzeling? Ik was te verward en panisch om helder te denken.

Ondanks de knoop in mijn maag begon de honger zich alsmaar duidelijker te laten voelen. Deze morgen had ik nauwelijks de tijd genomen om te ontbijten en vanmiddag had ik andere dingen aan mijn hoofd gehad dan eten. Ik voelde een pulserende pijn in mijn rechterhand die tot aan mijn elleboog uitstraalde. Mijn rug en benen voelden nu al stram aan door de ongemakkelijke houdingen waarin ik moest zitten. Liggen was helemaal onmogelijk. Ik durfde niet te denken aan de komende uren.

Met mijn benen opgeplooid tussen de closetpot en de deur zat ik door het sleutelgat naar een stukje hal te staren. Het enige wat ik kon zien was een stuk muur en de kapstok, waaraan een regenjas en een kort grijs jasje hingen.

Als ik afwisselend rechtstond, op het wc-deksel ging zitten en me op de vloer tussen de ene zijmuur en het wastafeltje plooide, kon ik de ergste krampen vermijden.

De uren kropen in een onheilspellende stilte voorbij. Er was niks te horen in het huis. Ik dacht al dat ze vertrokken waren om me hier langzaam te laten creperen, toen ik opeens iemand door mijn stukje buitenwereld zag lopen. Eerst zag ik bovenbenen en dan een romp. Tegen de tijd dat ik naar beneden gedoken was om het hoofd te zien, was zij al uit mijn gezichtsveld verdwenen. Het was een vrouw, daar was ik zeker van.

Tegen beter weten in begon ik opnieuw tegen de deur te bonzen en om hulp te roepen. Zoals verwacht, kwam er niemand terug.

Toen zag ik het voor mij. Het beeld kwam opzetten als een koortsaanval. Het grijze mantelpakjasje aan de kapstok, de handtas die ik uren geleden op de salontafel had zien staan. Het moest Anna Verbeeck zijn.

Anna Verbeeck, zij was het die de hele gijzeling had beraamd en Robin ervoor had ingeschakeld...

Ze zorgt ervoor dat hij moeiteloos binnen kan komen op een avond dat Malfliet er alleen is. Ze heeft daarvoor stiekem met haar rijke bewonderaar afgesproken hem hier te ontmoeten, maar het is niet zij die komt opdagen.

Robin overmeestert Malfliet, bindt hem vast, takelt hem toe zoals Verbeeck hem heeft opgedragen, maakt de polaroid, steelt de trouwring en verzendt alles naar het adres in Vorst. Met Malfliets gsm belt hij diens vrouw op.

Eerst gaat alles zoals gepland. Mevrouw Malfliet betaalt, Verbeeck haalt het geld op, maar is niet van plan het te delen met Robin.

Zij zegt hem dat het losgeld nooit geleverd is en zet hem ertoe aan wat hardhandiger te werk te gaan. De sufferd doet het, maar snapt niet dat hij in de val is gelokt.

Verbeeck is bang dat hij haar minnaar wel eens echt zou kunnen vermoorden of dat mevrouw Malfliet de politie erbij haalt en gaat over tot actie.

Ze komt naar het huis op een moment dat ze weet dat Robin er niet is, laat zichzelf binnen met de sleutel die Malfliet haar ooit eens gegeven heeft, bevrijdt hem en speelt de geschokte redster in nood die niet weet wat haar overkomt. Samen besluiten ze de inbreker een lesje te leren. Ze overweldigen de sukkel en slepen hem hierin. Maar dan... maar dan?

Malfliet houdt er een emotionele kater en een panische angst voor inbrekers aan over, Verbeeck een fortuin en – naar ik vermoedde – de zin in meer. Waarom zou ze anders blijven rondhangen? Het was duidelijk genoeg dat ze hem niet meer als minnaar wilde.

De tijd gaat voorbij. Het lot blijft voorlopig vergevingsgezind, maar het leven zelf niet.

Dan verschijnt er een schooier op het toneel die rondsnuffelt en vragen stelt. Vragen die niet mogen gesteld worden. Malfliet en Verbeeck zijn achterdochtig, maar de schooier wegsturen zou onvoorzichtig zijn. Dus blijft hij en snuffelt verder.

Tot hij toevallig over de gijzeling hoort en een mail stuurt.

Verbeeck moest die verdomde mail meteen gelezen hebben. Ze had door dat ik die geschreven had en dat ik te veel wist. Ze was waarschijnlijk meteen naar hier gereden om samen met Malfliet de nodige voorzorgsmaatregelen te nemen...

Ik had zin om door het sleutelgat te gaan schreeuwen, maar besefte dat ik het daarmee alleen maar nog erger zou maken voor mijzelf. Ik durfde me niet af te vragen wat 'nog erger' zou kunnen zijn.

Plots ging het gloeipeertje uit. Ik probeerde de lichtschakelaar, verschillende keren. Maar er gebeurde niets. Was de lamp stuk of hadden ze de stroom afgesneden?

De paniek gierde door mijn aderen. Ik draaide op de tast het kraantje boven de wastafel open. Er kwam een flauw straaltje en dan nog slechts wat miezerig gedruppel. De waterleiding ook al.

Ik kon mijn horloge niet meer lezen, maar het grijze schemerlicht dat door het melkglas viel, zei me dat het al laat in de avond was.

Nogmaals beukte ik met al de kracht in mijn linkerarm tegen de deur en andermaal gaf die geen krimp.

Ik slikte.

Zo voelde het dus om levend begraven te zijn.

17

Paul had het glas champagne voor hem nog steeds niet aangeraakt. Hij zat voor zich uit te staren terwijl ik me klaarmaakte voor mijn volgende act. Ik schoof de eerste de beste cd in de speler en op het ritme van een lang vervlogen succesnummer maakte ik een voor een de knopen van een regenjas los die ik aan de kapstok in de hal gevonden had.

'Herinner je je dit nog, Paul?' lachte ik. Hij keek, maar antwoordde niet.

Nog steeds lachend, gooide ik de jas van me af en stond naakt voor hem. 'Ik herinner het me nog helemaal. Ik weet nog hoe opgewonden ik werd dat je me filmde. Nee, *geïnspireerd* is een beter woord.' Ik ging op de knie van zijn goede been zitten en streelde over zijn borst.

'Ik ben moe, ik wil naar bed', zei hij onzeker.

'Ik wil ook naar bed, maar ik ben absoluut niet moe', antwoordde ik naar waarheid terwijl ik zijn glas nam en het in één teug half leeg dronk.

'Het is al na middernacht...', zei hij, waarop ik hem op de mond kuste.

Het eerste wat hij eraan toevoegde toen ik mijn lippen terugtrok was: 'Het is nu al zeker een uur geleden dat hij nog op de deur gebonkt of geschreeuwd heeft. Misschien is hij in slaap gevallen, dan kunnen wij ook gaan slapen.'

Ik had zin om hem een klap te verkopen, maar hield me in en bleef lachen. Het was een gulle lach, de lach van iemand die geen schaamte en geen angst meer voelde, enkel nog blijde verwachting.

'Zal ik je wat vertellen, Paul...' zei ik terwijl ik mijn armen om zijn nek sloeg. 'Ik voel me als herboren. Dit is een nieuw begin voor ons, Paul. Het is nooit te laat om te herbeginnen en samen gelukkig te worden.'

'Ik ben echt moe...' herhaalde hij zwakjes.

Een droge bons vanuit de gang veegde in één ruk de lach van mijn gezicht en deed ons beiden verstarren. Voor Paul zou er dan toch geen nachtrust zijn en voor mij geen vergetelheid. Ik schakelde meteen de stereo uit en we wachtten op de verwijten of de smeekbedes die de afgelopen uren altijd op Schaeffers gebonk tegen de deur waren gevolgd. Maar deze keer kwam er niets.

Ik raapte de regenjas op en trok hem weer aan.

'Denk je dat hij bezweken is?' vroeg Paul onrustig.

'Misschien is hij echt in slaap gevallen', antwoordde ik wrevelig. De roes van de drank had het schuldgevoel bij ieder geluid van de andere kant van de hal niet kunnen verzachten. Een verhitte loomte in mijn hoofd maakte het me nog moeilijker om wijs te raken uit de warboel van gevoelens die door me heen gingen. Ik was opgelucht omdat een acuut gevaar voorlopig bezworen was. Ik had me weer in een avontuur gestort en de toekomst lag voor het eerst wijd open. Ik had Paul meegesleurd in mijn vrije val en hem daardoor aan mij gebonden. Ik had hem in die mate voor mij gewonnen dat hij zijn enige vriend sinds jaren virtueel vermoord had. Tegelijkertijd had ik genoegdoening gekregen voor de manier waarop hij me tien jaar geleden gedumpt had. Ik was hitsig verliefd op de Paul van toen en teleurgesteld in de Malfliet van nu. Angstig omdat ik geen controle over hem of de situatie had. Schuldig, natuurlijk. Panisch voor de gevolgen. Kinderlijk gelukkig omdat ik het lot getart had en een luchtkasteel gekregen had waarin alles mogelijk was, zowel de mooiste als de gruwelijkste dingen.

'Moeten we niet gaan kijken?' vroeg Paul door de nevels heen.

Ik knielde voor hem neer en masseerde zijn dijen. 'Dat heeft geen zin, Paul. We hebben de deur dichtgeslagen en bij wijze van spreken de sleutel weggegooid, weet je nog? We kunnen hem niet helpen zonder dat we onszelf in gevaar brengen. Het enige wat we nu kunnen doen is de dingen laten zoals ze zijn en de tijd zijn werk laten doen. Net als de vorige keer.' Ik drukte mijn vingers hard in zijn vlees en keek hem strak aan. 'Dat besef je toch wel?'

'Net als de vorige keer...' echode hij bitter.

'Maar dan met een gelukkige afloop voor ons beiden', vulde ik hem aan. Hij wist dat zelfs ik dat nauwelijks geloofde. Misschien als ik het wat concreter maakte?

'Ik scheid van Eric, trek bij jou in, help je met je fotografiewerk en alles wordt weer net als vroeger. Of nee, veel beter.'

Hij keek me aan alsof ik kinds geworden was. 'Eén lijk was al erg genoeg, maar twee?' stamelde hij. 'Zelfs als niemand er ooit achter komt... Ik weet niet of ik met die schuld kan leven, weet je. De wroeging na de eerste keer heeft me langzaam maar zeker in een wrak veranderd, een schaduw van mijn vroegere ik... die eigenlijk ook al niet veel voorstelde.'

Ik voelde de onrust naar boven komen. Een knagend geweten in een nuchter hoofd kon onze ondergang zijn. Ik ging weer op zijn knie zitten en greep hem stevig bij de schouders.

'Paul, we hadden geen keus. Het is een harde wereld daarbuiten en soms moet je zelf nóg harder zijn om te overleven. Nu is het niet anders. Wij kunnen niks anders doen. Hij heeft bewust een risico genomen door zich met andermans zaken te bemoeien.'

Ik probeerde zijn blik te fixeren, maar ik had geen idee wat er achter die doffe ogen omging.

'Weet je nog hoe geweldig we ons voelden toen we zijn broer hadden opgesloten? Hoe bevrijd we ons voelden? Jij natuurlijk, maar ik ook. We dachten dat we alles aankonden – nee, we *wisten* het – en we leefden ernaar ook. We voelden ons niet schuldig omdat we het overleefd hadden. Herinner je je dat nog?'

Hij haalde zijn schouders op.

Ik bracht mijn gezicht nog dichter bij het zijne. 'Weet je nog hoe je me troostte toen hij me mishandeld had en hoe je direct begreep wat er in me omging? Ik had zoiets toen nooit eerder beleefd met een man. Ik wist toen meteen dat wij een heel speciale band hadden. Voelde jij dat toen ook?'

Zijn mondhoeken zakten nog verder naar beneden, zijn ogen schoten schichtig heen en weer.

Ik drukte nog een kus op zijn kin, die liet hij ook onbeantwoord.

'Herinner je je nog hoe we hier zo goed als naakt door het huis en de tuin renden, ik met een opengevouwen paraplu en jij met een camera in je hand en met een erectie? Ik heb me sindsdien nooit meer zo vrij gevoeld. Zie je het nog voor je?'

'Ik wil naar bed', mompelde hij voor zich uit. 'Met een paar pillen lukt het me wel om ondanks alles in slaap te vallen.'

Ik nam zijn hoofd in mijn beide handen en schudde het zachtjes, alsof ik het op gang probeerde te krijgen en ieder woord erin wou dreunen. 'Weet je nog hoe het was toen we elkaar voor het eerst aanraakten? En weet je nog hoe ik zei dat ik van je hield? Dat was gemeend, Paul. Herinner je je die momenten nog, hoe onwezenlijk mooi alles leek?'

'Jammer genoeg wel', zei hij stil en bitter.

Ik liet zijn hoofd los om hem een kaakslag te geven.

Hij keek me geschrokken aan.

'Doe me dat nooit meer aan', zei ik terwijl ik van hem af kroop.

Hij scharrelde overeind uit de zetel.

'Waar ga je naartoe?'

'Naar bed.'

'Zal ik je helpen?'

'Nee.'

Aan de deur van de bibliotheek keerde hij zich op zijn krukken naar me om. 'Kun je me wat privacy geven?' Hij sprak op een fluistertoon, waarschijnlijk opdat de zwerver hem niet zou horen en opnieuw zou beginnen te bonzen. 'Jij kunt boven in mijn bed slapen als je wil.'

Maar ik wou niet. Ik kon niet. Na enkele seconden aarzelen, volgde ik hem de kamer in. Hij keek naar me om met een blik die eerder wanhopig dan verveeld leek en zuchtte diep. 'Laat me alleen. Eindelijk.'

Ik trok de regenjas weer uit en ging bloot op het bed zitten.

'Het is beter dat je vannacht niet alleen bent, Paul. In je eentje zou je maar liggen piekeren. Je hebt niet eens de slaappillen meegenomen waarover je het daarnet had.'

'Dat bed is niet breed genoeg voor ons tweeën.'

'Ik lig wel tegen je aan', glimlachte ik teder.

Ik hielp hem uit zijn kleren en hielp hem in het smalle bed. Daarna vleide ik me tegen zijn lichaam aan en greep naar zijn geslacht.

'Kun je die pillen dan nu voor me halen?' vroeg hij toonloos.

Als ik deed wat hij me vroeg, zou hij misschien wat minder afstandelijk worden en quasi bewusteloos kon hij tenminste geen ondoordachte dingen doen. Aan de andere kant was ik doodsbang om hier alleen en slapeloos achter te blijven en het hele gewicht van de situatie, de angst en de schuld in mijn eentje te moeten dragen. Het idee nog meer gebons en geschreeuw te moeten aanhoren deed me letterlijk ineenkrimpen. Ik had het gevoel dat Paul me misschien voorgoed zou ontglippen, als ik hem nu liet inslapen. Dan zou ik morgenvroeg met een broodnuchtere, helder denkende Malfliet geconfronteerd worden.

'Straks. De belangrijkste dingen eerst', fluisterde ik speels in zijn oor, waarna ik zachtjes in zijn oorlel beet en harder in zijn geslacht kneep. Er gebeurde niets.

Hoe vastberaden ik zijn schaamstreek ook masseerde, zijn borst kuste of aan de tenen van zijn ingekapselde voet zoog, enige fysieke reactie bleef uit.

Met het voorval van die andere keer in gedachten ging ik schrijlings op zijn onderbuik zitten en begon ritmisch heen een weer te schommelen. 'Dit weet je vast nog wel...' knipoogde ik. De trieste weerzin op zijn gezicht maakte me wanhopig.

Toen kreeg ik een inval. Ik boog me voorover zodat mijn haar als een sluier over zijn gezicht viel en zei: 'Ik weet iets wat je weer helemaal in de stemming zal brengen. Gegarandeerd.'

Ik kroop van hem af, het bed uit. Met mijn vinger tegen mijn lippen reikte ik hem zijn krukken aan. 'Sssht... ik heb een verrassing voor je.' Hij keek me verdwaasd aan.

'Moet dit? Nu?'

'Ja, dat moet', antwoordde ik met een verbetenheid die hem nog meer verwarde. De glimlach waarmee ik in mijn verleidingspoging volhardde, paste niet bij de manische blik in mijn ogen.

Hij sleepte zich het bed uit, zodat ik de matras uit het bedframe kon halen. Ik sleepte het logge ding over de vloer de hal in. Voor de toiletdeur hield ik halt. Ik liep op mijn tenen naar Paul en trok hem aan zijn ene kruk mee de nagenoeg donkere hal in. 'Ga liggen', beval ik.

Hij schudde verbouwereerd zijn hoofd.

'Alsjeblieft, Paul. Doe het.' Ondanks de glimlach die op mijn gezicht was bevroren, klonk mijn stem beverig en smekend.

Paul was te onthutst om verder te protesteren. Moeizaam en met een pijnlijk gekreun deed hij wat ik hem had gevraagd.

Ik ging weer boven op hem zitten, greep zijn polsen en legde zijn handen op mijn borsten. 'Dit herinner je je zeker nog', grijnsde ik bemoedigend. 'Weet je nog hoe fantastisch je dit vond die vorige keer? Hoe opgewonden je werd van het idee het recht voor zijn neus te doen waar hij alles kon horen? Ieder woord en ieder orgasme?'

Hij kreunde ellendig, maar zei niks.

Ik begon harder te kronkelen en harder te lachen. 'Hij kan ons niks meer maken, Paul.'

Pauls schuchtere begin van een erectie werd keihard in de kiem gesmoord door een luide knal tegen de deur.

'Smeerlappen, laat mij hier uit! Waar zijn jullie verdomme mee bezig?'

Paul verkrampte compleet onder mij. 'Maak licht, maak licht! Nu!' siste hij me toe.

Ik vond de lichtschakelaar en toen ik hem indrukte zag ik duidelijk zijn verschrompelde lid, de afkeer op zijn gezicht en een traan in zijn ooghoek. Het bonzen en de verwensingen duurden voort, terwijl ik heel mijn wezen voelde verkillen en onbeduidend klein worden. Hoe kon ik zo stom geweest zijn, zo gretig om mijn fragiele geluk op de proef te stellen?

Net toen Malfliet recht probeerde te krabbelen, volgde er een nog hardere, onheilspellende dreun tegen het hout van de deur.

'Wacht maar tot een paar van mijn maten jullie te pakken krijgen! Klootzakken!'

In een ijzingwekkende flits schoot het door mijn hoofd. 'Zijn gsm. Paul, we zijn vergeten te controleren of hij zijn gsm niet op zak had.'

Ik sprong op, zette meteen een hectische zoektocht naar het ding in en vergat Paul recht te helpen. Ik durfde hem zelfs nauwelijks aan te kijken terwijl hij me vanuit zijn benarde positie allerlei verwensingen toesiste. Door de paniek was heel zijn vreemde, lijdzame houding omgeslagen in pure woede.

'Het is ook jouw schuld', brieste ik terwijl ik de zakken van alle kledingstukken aan de kapstok doorzocht. 'Je huisdokter afbellen met de smoes dat je voortaan een andere dokter neemt, daar denk je aan... Maar zoiets simpels ontgaat je compleet.'

In de jaszakken vond ik niets, in de woonkamer vond ik niets, in de boodschappentassen in de keuken niets en ook in de logeerkamer van de zwerver was het toestel niet te vinden. Ook niet nadat Paul zich het nummer herinnerde en het met zijn eigen telefoon had gebeld. Hoe we onze oren ook spitsten, we hoorden niks.

'De zak heeft hem op stil gezet', zuchtte Paul. 'Niets aan te doen.'

Ik haastte me om mijn kleren weer aan te trekken en kwam bij Paul in de woonkamer zitten.

'Waarom zijn ze hier nog niet?' vroeg hij terwijl hij op zijn lip beet. 'Hij heeft al uren de tijd gehad om ze te bellen. Ze hadden hier al lang kunnen zijn.'

'Misschien bluft hij maar wat?' probeerde ik voorzichtig. Te voorzichtig om ook maar enigszins overtuigd over te komen.

'Ze zijn natuurlijk een plannetje aan het beramen', ging Paul door alsof hij me niet gehoord had. 'Ze beseffen ook wel dat ze niet gewoon kunnen aanbellen.'

Ik huiverde. Het huis dat ik tot nu toe als een soort toevluchtsoord had beschouwd, leek nu op een dichtgeklapte val.

De doodse stilte aan de andere kant van de wc-deur maakte het nog erger.

'Paul, laten we hier weggaan. Zo snel mogelijk. We nemen mijn auto en nemen onze intrek in een of ander hotel.' De angst deed mijn stem breken.

'En die "maten" van hem hier helemaal vrij spel geven?' beet hij me toe. 'Ben je compleet gek geworden?'

'Hoe dacht jij je hebben en houden te verdedigen als ze hier binnenbreken?' beet ik terug. 'De politie bellen, misschien? Met je krukken in het rond slaan?'

'Net als de vorige keer: door mijn charmes te gebruiken', kaatste hij terug met een verwrongen gezicht.

Ik antwoordde niet.

Paul zat als een hoopje zenuwen en ellende aan zijn gezicht te frunniken en in zichzelf te jammeren.

'We moeten de deuren en ramen barricaderen', dacht ik luidop. Paul had het verstaan.

'Wat? Waarmee?' schoot hij uit. 'Weet je wel hoeveel er in dit huis zijn?'

'We beginnen met de benedenverdieping', zei ik zonder op zijn instemming te wachten en in het besef dat ik alles alleen zou moeten doen.

In de bijkeuken wachtte mij al meteen de eerste tegenvaller: het vensterglas van de deur naar de pergola dat ik zelf ingeslagen had. Ik had niet de tijd of het materiaal om er een plank voor te timmeren. Ik kon alleen de sleutel uit het slot nemen en de zware keukentafel met het blad rechtop tegen de deur zetten, een werk dat mij heel wat zweet kostte. Bloed kwam er al meteen daarna. Toen ik een ladekast voor het raam in Pauls kantoortje schoof, sneed ik mij aan een uitstekende nagel. Ik probeerde tevergeefs een logge, staande klok voor het lage raam van de bibliotheek te duwen. Ik was al aan het eind van mijn krachten en had nauwelijks wat bereikt. Daarbij was ik doodsbang dat het gestommel in het midden van de nacht de aandacht van de buren zou trekken – ook al woonden ze dan een heel eind verderop.

Toen we weer in de woonkamer waren, schudde Paul het hoofd terwijl hij me half vijandig en half meewarig aankeek.

'Het is beter dan niks', wierp ik zwakjes op.

Ik liep naar hem toe en gaf hem een Zwitsers mes dat ik in een keukenla gevonden had.

'Hier. Hou dit ergens bij je.'

Hij keek er vol ongeloof en met afschuw naar. 'Wat moet ik daar in godsnaam mee?'

'Het kan van pas komen', antwoordde ik stil.

De rest van de nacht kroop voorbij zonder dat er iets gebeurde en zonder dat er nog een woord werd gewisseld. Toch durfde geen van ons tweeën de woonkamer te verlaten om alleen, in een ander vertrek, het bange afwachten te doorstaan. Zo bleven we zitten. Paul dommelde met vlagen in, maar schrok steeds wakker door een pijnscheut in zijn been of onderrug. Ik had medelijden met hem, maar wist niet wat te doen. Ik had mijn handtas op mijn schoot genomen. Af en toe stopte ik mijn hand erin om het pistool in mijn hand te voelen. Zo voelde ik mij iets minder bang.

In die drukkende stilte voelde ik steeds duidelijker hoe uitgeput ik eigenlijk was. Dit was de tweede nacht waarin ik geen oog had dichtgedaan. Toch viel ik pas tegen de ochtend met mijn hoofd tegen de armleuning van de sofa in een onrustige halfslaap.

Ik wist niet hoe lang ik precies gesluimerd had, toen ik opeens brutaal gewekt werd door het ijzingwekkende geluid van de deurbel. Ik was meteen klaarwakker en was me ten volle bewust van het gevaar. Mijn blik zocht Paul, die eveneens wakker bleek te zijn en me met grote, angstige ogen zat aan te staren. Hij besefte ook dat dit het einde kon betekenen. Noch hij, noch ik durfde iets te zeggen of bewegen.

De tweede keer kwam het geluid aan als een stortbad van nagels. Het leek nu nog minder waarschijnlijk dat wie het ook was zomaar zou weggaan. Tot overmaat van ramp volgde er een gebons van vuisten tegen de toiletdeur en riep de zwerver met onvaste stem: 'Hé, hé!... Hier!'

Er was nu geen andere optie meer: ik sprong overeind, liep naar het scherm van de videofoon en herkende het profiel van de vrouw op de portretfoto's. Paul riep nog iets naar me, maar ik hoorde niet eens meer wat. Ik dwong mezelf om nuchter te blijven: één vrouw die een stuk kleiner was dan ikzelf was gemakkelijker weg te krijgen dan Eric of een bende zware jongens die de zwerver had opgetrommeld.

Zij had haar hand al opnieuw aan de belknop toen ik de voordeur openrukte, naar buiten liep en de voordeur onmiddellijk weer achter me dichtsloeg. Stelde ik het me maar voor, of kon je zelfs hierbuiten het hese gekrijs van de zwerver horen?

We stonden vlak bij elkaar, dicht genoeg om op de vuist te gaan, maar met een hoogspanningsveld tussen ons in. Het ongeloof en de afschuw stonden op haar bleke, verstarde gezicht geschreven. Ze zette een stap achteruit alsof ik haar fysiek afstootte.

'Paul wil je niet meer zien', kwam er uit mijn plakkerige mond. 'Je kunt maar beter meteen weggaan.'

'Jij weer! Hoe durf je hier te komen?'

Ik moest haar zo snel mogelijk onderbreken, maar vond de juiste woorden niet: 'Paul en ik hebben een relatie. Hij houdt van mij. Daarom is het maar beter dat je hem voortaan met rust laat.' Het klonk houterig en gelogen. Gelukkig gaf Pauls kamerjas die ik vannacht over mij heen had geslagen, nog enige geloofwaardigheid aan wat ik zei.

'Dat geloof ik niet', antwoordde ze beslist. Ik zette nog een stap vooruit en deed haar verder terugwijken.

'Je verzint maar wat. Dit is precies zoals tien jaar geleden', voegde ze er met een door walging vertrokken gezicht aan toe.

Ze had gelijk: het *was* precies zo als tien jaar geleden. Ik had de schikgodinnen uitgedaagd om de klok voor me terug te draaien en dit was hun wraak.

'Ik wil Paul spreken. Meteen!'

Telkens als ik een stap verder zette, deinsde zij er één terug. Des te beter.

'Als je denkt dat ik deze keer weer dezelfde fout ga maken door naar jou te luisteren en gewoon op te rotten, vergis je je.'

Ik zei niks, maar overwoog of het zou helpen als ik haar een mep gaf.

'Paul! Paul! Ik ben het!' riep ze langs me heen. Weer kreeg ze geen antwoord.

'Jij walgelijk mens. Heb je enig idee wat je hem en mij hebt aangedaan? En waarom allemaal?' De tranen stonden in haar woedende ogen.

'Ik weet niet waarover je het hebt', zei ik vlak. 'Paul zal je nog wel bellen om het uit te leggen. Laat ons nu alleen. We lagen nog in bed.'

Dat werkte als een rode lap op een stier. 'Nee! Ik wil Paul persoonlijk spreken. In levenden lijve. Nu! Het kan me niet schelen dat hij in bed ligt.'

'Jij hebt niks te willen. Ga nu alsjeblieft weg.'

Totaal onverwachts zette ze een stap naar voren en kwam vlak voor mij staan. 'Je hebt de keuze: ofwel laat je me nu binnen om Paul te spreken, ofwel stap ik naar de politie. Er is hier iets ergs gaande, ik voel het! Paul heeft me gezegd dat hij je niet vertrouwde en dat je enkel teruggekomen was om hem geld af te troggelen. Je kunt dus ophouden met je idiote komedie.'

Het volgende moment lag ze languit op het grindpad.

Ze krabbelde half hijgend, half grienend recht en zette het op een lopen. Eindelijk.

Paul stond me in de hal op zijn krukken op te wachten.

De zwerver had zijn gebons gelukkig weer opgegeven.

'Ik heb Anna mijn naam horen roepen. Wat wou ze?' vroeg Paul aangedaan.

'Alles verknoeien voor ons.'

'Wat zei ze?' drong hij ongeduldig aan.

Ik greep hem bij de schouders en keek hem recht in de ogen. Mijn angst deed hem meteen weer inbinden.

'Dat ze naar de politie zou gaan, dat heeft ze gezegd...'

'Waarom? Waarom dan?' stamelde hij met een knik in zijn stem.

'Om haar weg te krijgen heb ik gezegd dat we een relatie hadden en dat je haar niet meer wou zien.' Hij kreunde van ellende, zijn verdiende loon. 'Dat wou ze niet geloven en ze eiste dat ik haar binnen zou laten om jou te spreken. Nu denkt ze waarschijnlijk dat ik je iets heb aangedaan of zo en gaat ze de politie erbij halen.'

Ik liet dit even doordringen. Paul leek kleiner te worden.

'Als ze dat doet, is alles verloren, Paul. We moeten er absoluut voor zorgen dat ze dat niet doet, dat ze gelooft dat ik de waarheid sprak en dat je haar niet meer wilt zien.'

Hij schudde zijn hoofd terwijl hij me wrang aanstaarde. 'Niet dat weer... Niet opnieuw...'

Wat er nog overgebleven was van de droom, voelde ik als fijn zand door mijn vingers wegglippen. Misschien was het maar goed dat mijn angst nu groter was dan de bittere teleurstelling en de wanhoop samen.

'We hebben verdomme geen keus, Paul!' viel ik uit terwijl ik hem door elkaar schudde. 'Je moet het haar zelf gaan zeggen. Dat is de enige manier om haar tegen te houden.'

'Ik zal haar bellen...' kreunde hij zachtjes.

'Niet goed genoeg! Ze wil je in levenden lijve zien als je het haar vertelt. Je moet naar haar toe gaan!'

Hij keek me ontdaan en verward aan.

'Je weet toch waar dat mens woont?'

Hij knikte.

'Bel haar om een afspraak te maken. Zeg dat je gehoord hebt over onze discussie en dat je haar zo snel mogelijk wilt zien om de zaken zelf uit te leggen. Zeg erbij dat het je spijt. Doe het nu! Nu meteen!'

Hij bleef op zijn krukken hangen en als een geslagen hond voor zich uit staren. Er was geen minuut te verliezen. Gelukkig herinnerde ik mij nog waar ik de draadloze huistelefoon had zien liggen. Ik ging het ding halen en stopte het Paul in de hand.

'Bel haar! Je zult haar nummer wel hebben...'

Hij nam het toestel aarzelend vast.

'Probeer zo natuurlijk mogelijk te klinken', siste ik. 'Zelfverzekerd, maar een beetje in verlegenheid gebracht... hautain, bedaard, ...'

'Kun je me ten minste even alleen laten?' vroeg hij geïrriteerd. Ik bleef vlak naast hem staan.

'Ik moet dus vragen dat ze me komt halen en dat we naar haar flat gaan?' vroeg hij ellendig.

'Onder geen beding!' beet ik hem toe. 'Vraag gewoon wanneer ze ons kan ontvangen. Ik breng je wel.'

Hij keek me niet-begrijpend aan: ''Ons ontvangen'?'

'Je dacht toch niet dat ik je met haar alleen vertrouwde?'

18

Het kantoor van de chef – beter bekend als *de verhoorkamer* onder de collega's – lag aan de achterkant van het gebouw. Door de brede ramen had je een fraai uitzicht op de burgertuintjes van de aanpalende herenhuizen. Dat was meteen ook het enige wat mij aan dat kantoor beviel.

Ivo had me gewaarschuwd dat de dikzak in een rothumeur was. De chef hield er de enerverende gewoonte op na om iedere medewerker afzonderlijk aan de tand te voelen, ook al werkte de ene aan dezelfde zaak als de andere. Dat was ongetwijfeld zijn verdeel- en heers-strategie.

Hij keek van het dossier dat hij in zijn hand hield, naar de foto's die ik genomen had en naar mij. Geen van de drie leek hem vandaag erg te bevallen.

Eindelijk nam hij het woord: 'Heeft de klant die foto's al onder ogen gekregen?'

'Ja. Mijnheer Verstraete stond erop om ze zo snel mogelijk te zien. Ik heb hem gisterenavond discreet ontmoet om ze hem persoonlijk te tonen.'

'En?'

'Laten we zeggen dat alle discretie van mijn kant moest komen.' Ook mijn lachje viel niet in goede aarde.

'Was hij ontsteld?'

'Hij begon nog net niet te schuimbekken.'

'Kun je wat minder bloemrijk antwoorden?'

Ik werd vuurrood.

'Hij zei iets in de zin van "*Ik heb het altijd al geweten dat ze mij bedroog, dat rotwijf*".'

De dikzak trok zijn linkerwenkbrauw op. 'Was hij daar dan zo zeker van? Zo veel valt er op die foto's niet te zien: zijn vrouw die uit haar auto stapt, zijn vrouw die de villa binnengaat, zijn vrouw die weer buitenkomt...'

'Hebt u die al gezien?' Ik wees hem de afdruk van mevrouw

Verstraete die naast de eigenaar van de villa op een tuinbank zat en wenste dat net die wat scherper geweest was.

'Het is niet omdat je met iemand de bloemetjes bekijkt, dat je met hem vreemdgaat.'

'Mijnheer Verstraete leek te denken van wel. De foto's bevestigden zijn vermoeden. Waarom zou ze anders tegen hem liegen over waar ze naartoe gaat?'

De dikzak zuchtte. 'Je zei daarnet dat hij haar "rotwijf" noemde. Denk je dat hij het gewelddadige type is?'

'Ja, eigenlijk wel.'

'Heeft hij ermee gedreigd zijn vrouw iets aan te doen?'

'Niet letterlijk.'

Hij liet zijn onderlip zakken. 'Dat bevalt me niet. We moeten vermijden dat ons onderzoek in slagen en verwondingen of erger uitmondt. Ik wil niet dat een mishandelde mevrouw Verstraete ons bureau een proces aandoet.'

Ik begon nattigheid te voelen. 'Wilt u dat we de zaak laten vallen? De klant heeft gisterenavond nog bevestigd dat hij wil dat we ermee doorgaan. Hij wil concreet bewijsmateriaal.'

'Die twee zien elkaar overdag, hé?'

'Inderdaad.'

'Stel de klant voor om een echtscheidingsadvocaat in de arm te nemen. Die kan er dan een gerechtsdeurwaarder op afsturen. Het overspel wordt officieel vastgesteld met de politie erbij en dat is dat. Onze handen blijven verder schoon en zodra de officiële radertjes aan het draaien zijn gebracht, denkt zo'n bullebak wel twee keer na voor hij de tegenpartij te lijf gaat.'

'Ik heb eigenlijk niet de indruk dat onze klant een echtscheiding wil.'

De rimpels in het brede, bleke voorhoofd werden dieper. 'Heeft hij dat gezegd?'

'Nee, zoals ik zei was het maar een indruk.'

'Beseft hij wel dat zo'n bewijs van "duurzame ontwrichting van het huwelijk" waarschijnlijk volstaat om hem van elke onderhoudsplicht te ontslaan? Zeker als mevrouw zo'n rijke vrijer heeft...?'

'Ik vermoed dat hij een officiële vaststelling met gerechtsdeur-waarder, slotenmaker en politieagent erbij net wil vermijden. Hij werkt zelf bij de politie, ziet u. Hij lijkt mij het type dat letterlijk alles zou doen om gezichtsverlies tegenover zijn collega's te vermijden.'

'Als hij geen echtscheiding wil, wat wil hij dan wel?'

Ik haalde mijn schouders op, ook al wist ik dat dat in het geval van de dikzak als een rode lap op een stier werkte. 'De feiten. Dikwijls zijn die minder erg dan de vermoedens.'

'Omdat hij zijn liefdevolle huwelijk absoluut wil redden, neem ik aan?' sneerde hij, terwijl hij de fotomozaïek voor hem nog eens onder de loep nam. Hij pikte er een foto uit. 'Wie is dat?'

'Een of andere straatslijper die naar eigen zeggen af en toe klusjes mag opknappen voor de heer des huizes', antwoordde ik geïrriteerd. Ivo had de dikzak kennelijk al op de hoogte gebracht van mijn flater, anders had die er niet uitgerekend die foto uit gehaald.

'Is hij het die je de naam van die zogenaamde vriend van mevrouw heeft gegeven?'

De dikzak was er opnieuw in geslaagd mijn gezicht te doen gloeien.

'Ja. Ik dacht echt dat die vent... *te vertrouwen was* zou te veel gezegd zijn, maar het leek me mogelijk dat hij interessante informatie kon geven. Ik bedoel: waarom zou hij zo'n vreemde naam verzinnen? Als het hem louter om wat zakgeld te doen was, kon hij evengoed vaag blijven.'

'Heb je die naam nagetrokken?'

'Natuurlijk. Er schijnt geen enkele Robin Schaeffer in het Brusselse te wonen. Niks gevonden in de telefoongidsen, niets op het web. De klant zelf was er zeker van dat niemand in hun kennissen-kring zo heet.'

'Kent hij alle kennissen van zijn vrouw dan?'

'Dat zou hij wel willen, geloof ik. Volgens hem heeft ze nauwelijks vrienden die ze niet via hem heeft leren kennen. Ze heeft ook geen job of echte activiteit buitenshuis. Vandaar dat het zo opviel toen ze plots steeds langer wegbleef.'

De Wilgenlaan stond die namiddag bijna helemaal vol met geparkeerde auto's en ik moest genoegen nemen met een relatief afgelegen spiedplekje. Ik kon de toegangspoort van de villa nauwelijks zien, maar gelukkig had ik wel een goed uitzicht op de auto van mevrouw Verstraete. Die stond nog steeds op dezelfde plek als gisteren, wat strookte met de heetgebakerde voicemail die haar man mij deze ochtend had gelaten: zij had de nacht hier doorgebracht.

Ik stapte uit de wagen – een monovolume deze keer – en kuierde langs het domein. De poort stond zoals gewoonlijk wagenwijd open en ik kon makkelijk naar binnen kijken. Alle gordijnen op de benedenverdieping waren nog steeds dichtgetrokken. Ik beeldde me in dat het verliefde stelletje voorlopig aan de bovenverdieping genoeg had en liep verveeld terug naar mijn corveemobiel.

Urenlang zat ik achter het stuur voor mij uit te turen en na te denken. Wat zag een rijke snob als die Malfliet eigenlijk in een verveelde huisvrouw? Van min of meer zijn eigen leeftijd dan nog... In mijn beroep had ik weliswaar reeds de meest onwaarschijnlijkst buitenechtelijke koppels meegemaakt, maar al wat ik te weten was kunnen komen over Paul Malfliet zei me dat hij meer het type was voor een 'jongere vriendin om de schijn op te houden'. Zoals dat andere juffie dat ik enkele dagen geleden had zien binnenwandelen. De twijfel begon weer te knagen. Misschien hadden de klant en ik het wel bij het verkeerde eind wat Malfliet betrof en zat er echt een grond van waarheid in wat die schooier gezegd had. Misschien had hij de naam niet goed verstaan.

Stel dat Paul Malfliet inderdaad maar een behulpzame kennis was en stel dat Verstraete hem een ongeluk sloeg omdat ons bureau had laten uitschijnen dat hij de minnaar van zijn vrouw was... De gevolgen zouden catastrofaal kunnen zijn voor ons. Mensen als Malfliet hadden doorgaans zeer hooggeplaatste contacten om over de negatieve publiciteit nog maar te zwijgen. Het was duidelijk dat ik dringend een substantiëler bewijs moest zien te krijgen.

Eindelijk werd mijn geduld dan toch beloond, en hoe. Mevrouw Verstraete en de eigenaar van de villa kwamen samen naar buiten. Hij op krukken en met één been in het gips, zij constant achteromkijkend om te zien of hij nog volgde.

Ik bracht mijn camera voorzichtig in de aanslag en zoomde in. Pas toen ik hun hoofden op het lcd-schermpje zag, viel het me op hoe verwaaid en bedrukt ze er allebei uitzagen. Niet echt hoe ik mij twee tortelduifjes voorstelde.

Ze hielp hem haastig op de achterbank – waarbij hij zijn hoofd tegen het dak stootte – en liep toen ijlings naar de bestuurdersplaats. Ik startte alvast mijn motor en belde Ivo om hem te zeggen dat hij zich klaar moest houden om de achtervolging over te nemen indien dat nodig zou zijn.

Mevrouw Verstraete reed snel, met veel aarzelingen aan kruispunten en abrupte koerswijzigingen zonder gebruik van de richtingaanwijzers. Eerst was ik ongerust dat ze doorhad dat iemand haar volgde, maar enkele kilometers later werd het duidelijk dat ze zelf geen idee had waar ze heen moest en vage aanwijzingen van haar passagier volgde.

Net voor de kleine ring moesten ze halt houden voor een verkeerslicht en kon Ivo in zijn donkergroene Golf overnemen. Het was nooit goed om een subject al te lang met dezelfde wagen te volgen.

Ivo hield me via gsm op de hoogte van welke richting ze uit reden en ik probeerde via alternatieve routes in de buurt te blijven. Geen sinecure tijdens de aangroeiende avondspits.

Uiteindelijk kon Ivo me een adres in Jette doorgeven waar mevrouw Verstraete de auto aan de kant gezet had. Het kostte me vijf volle minuten om ter plekke te komen, maar gelukkig had ze zo veel moeite gehad om haar passagier uit de auto te helpen dat ik nog net op tijd was om te zien welk gebouw ze binnengingen. Zou dit misschien het echte clandestiene liefdesnestje van mevrouw Verstraete en haar minnaar zijn? Wie die laatste ook mocht wezen.

Ik zette de monovolume een twintigtal meter achter haar achteloos geparkeerde auto en liep naar het art-decogebouw aan de overkant van de laan. Er was nergens een 'R. Schaeffer' te bekennen tussen de namen naast de verlichte belknoppen. Wat had ik ook gedacht?

Dan moest het maar op een listigere manier. Godzijdank waren er maar vijf appartementen in het gebouw. Ik begon met de onderste belknop. Bijna onmiddellijk hoorde ik het kraken van de parlofoon: 'Ja?'

'Neem me niet kwalijk. Is het mogelijk dat de eigenaar van de witte Ford die voor mijn garagepoort geparkeerd staat bij u is? Ik moet dringend weg en...' De hufter had de verbinding al verbroken.

De eigenaar van bel 2 bleek er niet te zijn, maar met belknop 3 had ik meer geluk. Na een drietal pogingen, klonk er een onzekere vrouwenstem door het luidsprekertje: 'Wie is daar?' 'Mevrouw, ik kan niet uit mijn garage omdat een witte Ford de uitrit blokkeert. Is het misschien mogelijk dat die persoon bij u op bezoek is? Kunt u...'

'Een ogenblikje...' Enkele tellen later was de stem er weer: 'Ze zegt dat ze zo weer beneden zal zijn. Mijn excuses.'

'Oké. Ik wacht wel een minuutje.' Ik noteerde de naam naast de belknop in mijn notitieboekje. Waarom kon het ook geen mannenstem geweest zijn? Dat zou een stuk beter in het plaatje gepast hebben.

19

'Hier is het', zei Paul en wees een gebouw in jaren '30-stijl aan. Zijn stem was nauwelijks hoorbaar boven het rumoer van de motor.

'We zijn al laat', merkte ik op. Natuurlijk was er nergens in de buurt een vrije parkeerplaats te vinden. Ik was echter te ongeduldig om verder te zoeken en zette de auto voor een van de vele garagepoorten die de laan ontsierden. Paul maakte er een opmerking over.

'Het is maar voor heel eventjes, weet je nog?' antwoordde ik gepikeerd voor ik uitstapte. Nu moest ik hem weer uit de auto krijgen. Het werd een omslachtige en pijnlijke onderneming om hem door het zijportier wurmen zonder dat hij zijn been te ver hoefde te plooien. Bij ieder manoeuvre vertrok Pauls gezicht van de pijn. Hij klampte zich krampachtig vast aan alles wat hem onder handen kwam. Daardoor kreeg ik de indruk dat hij moedwillig tegenwerkte. Een bejaard kreng met een overvolle boodschappentas volgde ons gestuntel en gebekvecht met misprijzen.

Toen Paul eindelijk op zijn krukken op het voetpad stond, zag ik achter een raam op een van de verdiepingen een gordijn bewegen. De vernedering was al begonnen.

Paul belde aan. Vrijwel onmiddellijk schalde de stem van Anna Verbeeck uit de deurtelefoon.

'Anna, ik ben het. Sorry dat het wat later geworden is.' Het was moeilijk te zeggen welke van die twee zinnen het meest schuldbewust had geklonken.

'Dat moest "*wij zijn het*" zijn', beet ik hem toe.

'Ik kom dadelijk naar beneden om je te helpen', hoorde ik haar zeggen.

'Niet nodig', zuchtte Paul, 'ik heb iemand bij me.'

'... Oh...' Ik zette me schrap.

We werden binnengezoemd en namen zwijgend de lift naar de derde verdieping, als een koppel dat op obligaat familiebezoek ging.

De deur van de flat stond al op een kier.

'Laat mij eerst gaan', zei Paul tussen zijn tanden. Ik volgde hem op de voet.

De kier werd iets breder. De brunette keek achterdochtig het halletje in en deinsde terug toen ze mij in het oog kreeg.

'Paul, wat zie je er vreselijk uit! Wat is er met je gebeurd?'

Hij haalde zijn schouders op zonder haar aan te kijken.

'Jij kunt binnenkomen, Paul. Maar zij zet hier geen voet binnen.'

Ik kon Pauls gezicht niet zien, maar aan zijn lichaamshouding te oordelen moest hij er beteuterd uitzien.

'Anna, alsjeblieft... Je hoeft dit niet moeilijker te maken dan het al voor me is. Laat ons erin.'

De rechterhelft van haar gezicht keek me vijandig aan. 'Jij wel, zij voor geen geld. Hoe kom je er trouwens bij haar hier...'

'We kunnen het ook gewoon hier aan de deur afhandelen', onderbrak hij haar met hangend hoofd. Het oog keek hem niet-begrijpend en gekwetst aan.

'Je moet begrijpen, Anna, dat ik van haar houd', legde hij met een klein, beschaamd stemmetje uit. 'Ik ga haar niet als een hond buiten laten wachten.'

'Oké, dan doen we het hier', antwoordde ze en kwam helemaal in de deuropening staan. De haat en walging waarmee ze me aankeek waren bijna tastbaar. Mijn onverschilligheid maakte haar nog woedender.

'Wat wou je mij zeggen dat niet over de telefoon kon?' Haar stem trilde.

'Wel, zoals je gemerkt hebt is Elizabeth weer in mijn leven gekomen, bij toeval. Eerst wou ik niets met haar te maken hebben. Vandaar ook al die onzin die ik onlangs tegen jou over haar heb gezegd.' Voorlopig hield hij zich aan zijn tekst. De brunette luisterde gespannen alsof ze hem op een fout probeerde te betrappen. 'Maar als ik eerlijk ben, moet ik toegeven dat de vonk al meteen weer was overgesprongen. We ontmoetten elkaar enkele keren en het werd al snel duidelijk dat we echt iets voor elkaar voelden. Het spijt me, Anna, het was zeker niet mijn bedoeling je te kwetsen...'

Als op een teken viel de halverlichting net op dit moment uit, onze regieaanwijzing om een eind te maken aan deze trieste akte en de scène met waardigheid te verlaten. Maar we bleven staan en ik drukte nogmaals op de lichtknop.

'Wil je mij nu echt zeggen dat je verliefd bent op dat loeder na al wat ze jou, wat ze *ons* heeft aangedaan?' Ze keek hem uitdagend aan met haar armen gekruist. Mij keurde ze geen blik meer waardig.

'Ja', antwoordde Paul schaapachtig. Het schokte me dat hij zo slecht kon liegen tegen deze vrouw.

'En waarom kom je me dat hier op die manier zeggen? Paul, wat is er gaande? Kom alsjeblieft binnen, zeg haar dat ze opdondert en leg het me rustig uit!'

De warme blik van verstandhouding tussen de twee kwam aan als een klap in mijn gezicht. Ik voelde dat zij elkaar begrepen op een niveau dat ik nooit zou bereiken. Zij kwamen van een wereld waar ik nooit deel van zou uitmaken. Ik was ondertussen zo in de war dat ik niet goed meer wist wat voor gevoelens ik voor Paul Malfliet koesterde. Ik wist wel dat bezitsdrang er nog steeds één van was – misschien wel het enige. En net daarin had ze mij geraffineerd gekwetst. Dat kon ik niet zomaar over mijn kant laten gaan.

'Waar het op neerkomt, is dat hij nu met mij is en dat hij wil dat je onze privacy en onze relatie respecteert.'

'Ik had het niet tegen jou!' snauwde ze bits. 'Wie ben jij eigenlijk? Waar kom je ineens vandaan? Wat wil je van hem? Is die komedie hier jouw idee?'

Ik liet haar uitrazen, bang om te veel te zeggen en uit mijn rol te vallen.

Het plotse geluid van haar deurbel deed haar opschrikken. Enigszins van slag gebracht, greep ze naar de hoorn van de deurtelefoon.

'Wie is daar? Een ogenblikje...'

Ze keerde zich naar mij: 'De buren klagen dat je kar voor hun garage staat. Kun je ons allemaal een plezier doen, je auto gaan verplaatsen en niet meer terugkomen?'

Zonder mijn antwoord af te wachten, deelde ze de buur mee dat ik zo weer beneden zou zijn en hing op.

'Hij wacht', beet ze me toe. Ik voelde dat ik dat nest begon te haten.

'Hij kan nog wel even wachten', zei ik zo kalm en hooghartig als ik kon opbrengen. 'Ik hoop dat je wel begrepen hebt dat je niet langer gewenst bent in de villa.'

Weer ontplofte ze: 'Het enige wat ik begrepen heb, is dat er hier iets niet pluis is. Paul zou nooit tweemaal dezelfde fout maken om met een ordinaire, verlepte del als jij aan te pappen.'

Ze had erom gevraagd. 'Oh nee?' Ik deed een stap naar voren – wat haar achteruit deed schrikken, streelde door Pauls haar, trok zijn hoofd naar me toe en drukte een kus op zijn lippen. Gelukkig besefte hij de ernst van de situatie voldoende om toch een beetje mee te werken.

Voldaan keerde ik mij naar haar toe. 'Ik zou je nog een klap moeten verkopen om wat je daarnet gezegd hebt, maar daarvoor vind ik je te zielig. Een pathetische ouwe vrijster die zich vastklampt aan een illusie en nu de jaloerse furie speelt.' Het was tijd voor de genadestoot: 'Paul heeft me trouwens toevertrouwd dat je zelfs toen je nog wat jonger was er niks van bakte in bed. Nu al helemaal niet meer. Geen wonder dat hij je enkel nog uit medelijden bepotelt en ondertussen iets beters zoekt.'

Ik had gehoopt dat ze snikkend de deur zou dichtslaan of de longen uit haar lijf zou schreeuwen. In plaats daarvan keek ze verward van mij naar Paul en weer terug. Haar verbazing bracht me meer van mijn stuk dan haar woede van daarnet.

'Paul?'

Paul stond trillend en met gebalde vuisten naar de tegelvloer te staren.

20

Ik was net in de auto de stand van zaken naar mijn partner aan het doorbellen, toen de voordeur van het appartementsgebouw openging. De eigenaar van de villa hinkte naar buiten op zijn krukken. Mevrouw Verstraete liep vlak achter hem.

'Ivo, we praten straks wel verder', zei ik zonder verdere uitleg en pakte de camcorder.

Die twee waren nauwelijks langer dan een kwartier binnen geweest. Zelfs voor een vluggertje was dat wel heel snel.

Aan hun gezichten te zien was er iets lelijk verkeerd gelopen daarbinnen. Hij was rood aangelopen. Zij leek nog bleker en bedrukter dan daarnet in de Wilgenlaan. Ze probeerde haar hand op zijn bovenarm te leggen, maar hij trok meteen zijn arm weg zodat hij bijna zijn evenwicht verloor. 'Paul', meende ik haar te horen zeggen. Hij bleef stuurs voor zich uit kijken en pikkelde zo snel als de krukken en het gipsverband het toelieten naar de witte Ford.

'... Paul!'

Het klonk zowel smekend als scherp. De verhouding tussen mevrouw Verstraete en deze man – amoureus of niet – was allesbehalve gezond.

Ik moest niet lang op een bevestiging van mijn vermoeden wachten. Toen zij hem wou helpen bij het instappen, sloeg hij haar weg met een van zijn krukken en schreeuwde naar haar. Een toevallige voorbijganger bleef verbijsterd staan kijken.

Er ontstond zowaar een handgemeen tussen de twee. Het was niet duidelijk of zij hem in de auto probeerde te krijgen of hem van zich af wou slaan. Ondanks hun quasikomische gestuntel was het de bedroevendste scène die ik in tijden had gezien.

Met het raampje naar beneden kon ik enkele flarden van hun getier opvangen: '... doe het om jou te helpen...', '... laat me met rust...' Het werd allemaal nog meelijwekkender toen de man languit tegen het voetpad ging en begon te jammeren. Ook mevrouw Verstraete wist zo te zien met haar ellende geen blijf.

Ondertussen probeerde de man recht te komen door zich aan de portierklink op te trekken. Toen zij naast hem neerknielde en hem wou ondersteunen, kreeg ze nog een por, waarna hij tegen de stoeprand belandde.

Hij schreeuwde.

De geschokte voorbijganger schuifelde dichterbij en vroeg of hij misschien kon helpen. Daarop keerde mevrouw Verstraete zich met een ruk naar de arme drommel en gilde tegen hem dat hij zich met zijn eigen zaken moest bemoeien.

Uiteindelijk liet de villa-eigenaar zich wat gedweeër op de achterbank hijsen. De kreten waarmee dat gepaard ging, bezorgden me koude rillingen. Mevrouw Verstraete strompelde naar de bestuurderskant van de wagen. In close-up zag ze er met die rode vegen op haar gezicht en die gezwollen ogen tien jaar ouder uit dan ze eigenlijk was.

Toen de Ford eindelijk weggereden was en Ivo het schaduwwerk weer had overgenomen, bekeek ik de opnames opnieuw. Hoe zou de klant hierop reageren? Onthutst? Gerustgesteld? Geamuseerd misschien?

Het idee dat ik de pijnlijke beelden aan die agressieve bullebak moest laten zien, beviel me eigenlijk nog minder dan dat ik hem een hard bewijs van overspel onder de neus moest schuiven. Mevrouw Verstraete was blijkbaar het type dat op foute mannen viel. Het was tijd om even na te gaan of er op die derde verdieping nog zo'n exemplaar zat.

Deze keer kwam er geen reactie toen ik op de belknop drukte. Net toen ik het wou opgeven en een andere keer wou terugkomen, vloog de voordeur met een ruk open, en een vrouw staarde mij met vochtige, emotionele ogen aan.

Het was duidelijk dat ik niet degene was voor wie ze ijlings naar beneden was gerend.

Om de situatie niet nog gênanter voor haar te maken, nam ik maar meteen het woord:

'Neem me niet kwalijk dat ik even stoor. Bent u mevrouw Verbeeck?'

Ze slikte, streek haar haar goed, maar antwoordde niet. Haar blik verhardde. Ik vroeg me af of ze mijn stem had herkend van daarnet.

Het was een waterkansje, maar het was het proberen waard. 'Is mijnheer Schaeffer er? Robin Schaeffer?'

Ik zag haar ogen groter worden en haar mond verstrakken en ik wist dat ik tegen alle verwachtingen in een winnend lot had uitgepikt.

21

Als ik mijn horloge vlakbij het melkglazen raampje hield, kon ik zien hoe laat het was.

Drie uur. Niet dat dat ondertussen nog veel betekende voor mij. Na nauwelijks een volle dag in deze geïmproviseerde kerker, kon ik al niet meer zeggen of iets een kwartier of enkele uren geleden gebeurd was. Alle geluiden, gedachten en pijn leken tussen de muren van het nauwe kamertje te echoën tot elke volgorde en samenhang eruit verdwenen waren. Soms had ik de indruk dat de tijd stilstond en soms dat hij onverklaarbare sprongen maakte. Zoals die keer dat het licht door het raampje in een oogwenk van nachtgrauw in ochtendgrijs was veranderd. Ik dacht niet dat ik ook maar een moment geslapen had, maar volledig zeker was ik niet.

Mijn hele lichaam deed pijn. Mijn schouder en mijn rechterhand voelden nog altijd broos aan. Mijn rug was geradbraakt door de bizarre zithoudingen en de onmogelijkheid om te gaan liggen. Ik had een beukende hoofdpijn en was misselijk van de honger en de spanning. Aangezien ze de watertoevoer hadden afgesneden, was het vieze water in het reservoir het enige drinkwater dat ik nog had. Urineren deed ik in de wastafel, hoewel rechtop staan mij hoe langer hoe meer moeite kostte.

Af en toe meende ik dingen te zien of geluiden te horen, maar waarschijnlijk waren ze niet echt. Zelfs van wat ik door het sleutelgat zag, de reddingslijn van mijn zinnen, kon ik niet meer zeker zijn. Op een zeker moment had ik Malfliets lichaam op de grond zien liggen en de rug van een vrouw die schrijlings boven op hem zat. Af en toe hoorde ik haar iets mompelen, maar ik kon niet verstaan wat. Ik had op de deur gebonkt en van alles geschreeuwd. Even later was de rug verdwenen en hoorde ik Malfliet krijsen dat ze hem recht moest helpen. Dat had ik wel verstaan. Maar of het echt gebeurd was...?

Het geluid van de deurbel, toen het weer wat helderder was, dat was echt geweest. Daar was ik zeker van. Ik had zo hard als ik nog kon tegen de deur getrapt en om hulp geschreeuwd, maar er was enkel een hees gekreun uit mijn keel gekomen. Twee schrille belsignalen kwamen er en dan niets meer. Toen zonk ik op mijn knieën en begon te grienen.

Wie kon er aan de deur geweest zijn? Malfliets huisdokter? Of misschien was het wel Elizabeth Verstraete? Ze zocht Malfliet de laatste tijd bijna iedere dag op. Waarom zou vandaag anders zijn?

Had Malfliet haar gebeld dat hij haar niet meer wou zien, bang dat ze rare geluiden uit de afgesloten wc zou horen? Of had Anna Verbeeck duidelijk gemaakt dat ze geen rivales meer duldde? Was Verstraete naar hier gekomen om uitleg te eisen van de man zelf?

Voor de zoveelste maal volgde ik met mijn vingertoppen de inkervingen in de deur en probeerde niet verder te denken. Toen schoot het me in een flits te binnen: Elizabeth Verstraete was ooit Robins vriendin geweest. Misschien had ze ook opnieuw contact gezocht met Malfliet... om te weten te komen wat er met hem gebeurd was.

Misschien wist ze dat maar al te goed. Misschien had ze als zijn bijslaap en toeverlaat altijd al alles geweten. De plannen van Robin en Verbeeck, het losgeld dat ze geëist hadden en volgens Robin nooit gekregen, misschien zelfs zijn opsluiting... Had Robin haar gebeld met zijn gsm en haar gevraagd er een paar van zijn vrienden op af te sturen? Zo was hij ontsnapt, maar niet recht in de armen van Elizabeth Verstraete, zoals ze had gehoopt. Hij was gewoon verdwenen. Met het geld of zonder het geld, daar had ze het raden naar gehad. Daarom had ze Malfliet tien jaar geleden verleid, een snob die veel te hoog gegrepen voor haar was. Zij was plots alleen komen te staan en er was de mogelijkheid dat de begeerde rugzak hier nog ergens rondslingerde. Ze moest er enkel voor zorgen dat Verbeeck van het toneel verdween. Dat was simpel genoeg. Tijdens een onderonsje maakte ze Verbeeck duidelijk dat ze van het hele opzet wist en dat zij kon bewijzen dat Verbeeck erbij betrokken geweest was. Ze zou haar mond houden in ruil voor een deel van het geld. Toen bleek dat Verbeeck het geld niet had, eiste Verstraete dat ze Malfliet onmiddellijk zou laten vallen en hier nooit meer terug zou komen. Dat verklaarde de broeierige vijandigheid tussen de twee. Maar dat verklaarde niet waarom ze nu terug was.

Ik meende gestommel in de hal te horen. In de nauwe spleet die ik door het sleutelgat kon zien, gebeurde er niets, maar het extra licht dat door het melkglas viel, wees erop dat iemand de voordeur had opengemaakt. Ik legde mijn oor tegen het sleutelgat, maar kon weer niet verstaan wat die nerveuze, gedempte stemmen zeiden. Even later viel de deur met een smak dicht, waren de stemmen verdwenen en zag het er nog somberder uit dan voordien.

Een nieuwe angstaanval overmeesterde me: wat als Malfliet en Verbeeck niet meer terugkeerden? Wat als ze besloten hadden me hier te laten wegkwijnen? Zodat ze zelf niet hoefden te horen dat ik hier langzaam mijn verstand verloor, zodat ze de stank die tussen de kieren door kroop niet zouden moeten ruiken. Ik begon over mijn hele lijf te trillen. Het kleine beetje wereld dat mij nog gegund was, tolde. Ik zou omkomen van uitputting en ellende terwijl er niemand was om er getuige van te zijn.

Mijn naam is Frank Schaeffer. Ik ben geboren in 1961 als eerste zoon van een problematisch rijtjeshuisgezin. De tweede zoon, mijn broer Robin, is drie jaar jonger dan ik.

Mijn vader was arbeider. Mijn moeder zorgde voor het huishouden en ze zorgde soms ook voor ons. Ik was een erg middelmatige leerling, maar niemand rondom mij had ooit beter gedaan. Op mijn achttiende kon ik noch de energie, noch de motivatie opbrengen om verder te studeren of een baan te zoeken. In plaats daarvan liep ik hele dagen kriskras door Brussel, eerst doelloos en verveeld, later doelbewust en baldadig.

Ik had de gewoonte aangekweekt om wandelaars zo lang mogelijk te volgen. Daarbij had ik een speciale voorkeur ontwikkeld voor mensen die argeloos uit hun huis of hun geparkeerde auto stapten: forenzen, huismoeders die hun kinderen gingen ophalen, studenten met de verwaandheid van jongeren die denken dat de hele wereld voor ze open ligt. Ik liep ze uiterst discreet en schijnbaar in gedachten verzonken achterna naar hun kantoor, hun flat, hun buurtwinkels, stamkroegen of universiteitsterreinen. Aanvankelijk zonder bijbedoelingen, gewoon uit nieuwsgierigheid.

's Avonds bleef ik thuis – of beter: bij mijn ouders – en hield ik een oogje op mijn jongere broer. Hij had al vroeg de neiging om de verkeerde vrienden uit te kiezen. Ik drukte hem op het hart dat het beter was om mensen te vriend te houden dan ze als vriend te hebben. Ik had er toch ook geen. En ik was toch een voorbeeld?

Ik begon auto's en de achterhoofden van hun eigenaars te herkennen. Telkens als ik kon voorspellen waar ze naartoe gingen, voelde ik een zekere verbondenheid met ze. Soms was dat gevoel zo sterk dat ik hen zelfs volgde op de tram of bus die zij namen. Op mijn weg terug – soms een halve dag later – lette ik erop of hun auto nog steeds op dezelfde plaats stond.

Op een ochtend volgde ik een jonge vrouw die ik al eerder had opgemerkt van haar huis naar haar werk. In mijn verbeelding had ik haar al Marleen genoemd. Ik zag vanuit mijn ooghoek hoe Marleen haar huissleutel in de plantenbak op de vensterbank verstopte. Mensen deden zulke dingen toen nog.

Op het moment dat zij het verzekeringskantoor met de geelbruine ruiten binnenstapte, draaide ik me om en liep terug naar haar huis. De straat was leeg en ik greep mijn kans. Ik begrijp nu nog steeds niet wat me bezielde. Ik zocht en vond de huissleutel tussen de geraniumstengels en maakte de deur open. Ik veegde mijn voeten en ging binnen. De huiselijke, verwelkomende geur die er hing, is mij sindsdien altijd bijgebleven. Ik ging van kamer naar kamer en keek naar alles, rustig en respectvol. Het was alsof mij heel even een blik in een ander leven was gegund. Het was niet de bedoeling dat ik hier was en dat gaf me een veilig, ijl gevoel in het hoofd. De trap naar boven wenkte, maar die eerste keer durfde ik zo ver niet te gaan. Ik haastte me naar buiten (een voorbijganger zag me, maar wandelde verder), sloot de deur weer af en stopte de sleutel terug waar ik hem gevonden had.

De tweede keer, twee dagen later, ging ik wel naar boven. Haar ondergoed lag op het bed. Ik keek er met dezelfde onthechte belangstelling naar als naar de lekkende kraan van het badkamertje of de rieten wasmand op de overloop. Het was me immers niet om die vrouw te doen.

De derde keer nam ik een klein aandenken mee: een gloeipeer in de vorm van een vlam die ik uit de wandlamp van de trappenhal had gedraaid. Het kleinood had al meteen toen ik weer buiten stond een enorme emotionele waarde voor mij.

Tijdens een banale ruzie enkele jaren later heeft mijn broer de lamp onder zijn schoen verbrijzeld. Het was de eerste en enige keer dat ik hem een klap gegeven heb.

Mijn levensritme veranderde geleidelijk. In plaats van overdag rond te dolen, deed ik het steeds vaker 's nachts, nadat ik Robins lunch voor de dag erna had klaargemaakt. Ik begon met autoradio's te stelen uit wagens waarvan ik wist dat de eigenaar enkele straten verder woonde.

Maar ik had talent en ambitie en al gauw volgden de echte inbraken. 's Avonds gingen mijn broer en ik rond met een collectebus in een wijk waar men ons niet kende. Die adressen waar twee keer na elkaar niet werd gereageerd op de deurbel, kregen diezelfde nacht nog een derde bezoek. Van mij alleen dan.

Eerst ging alles goed. Ik was niet te hebberig, niet te patserig. Ik deed het hoogstens één keer per maand en wou op niemand indruk maken. Het baar geld volstond voor mij, de rest liet ik liggen. Ik wil mijn daden niet vergoelijken, en probeer ze evenmin te verklaren. Ik had andere mogelijkheden. Waarom ik precies deze had gekozen doet er niet toe.

Dat ik mijn broer heb meegenomen, dat doet er *wel* toe. Ook al leek het bij hem dan voorbestemd.

De moeilijkheden konden niet uitblijven. Robin praatte zijn mond voorbij tegen een bende amateurboefjes die hij wilde imponeren. Enkelen van hen wilden met mij 'samenwerken'. Vanwege hun nauwelijks verholen chantage had ik eigenlijk geen keus. Zeer tegen mijn zin nam ik één van hen op sleeptouw. Dat leek me in ieder geval beter dan de opbrengst met hen allemaal te moeten delen.

Toen we op een nacht via de balkons van een appartementsgebouw naar een appartement op de vierde verdieping klommen, verloor de ander zijn evenwicht en maakte een val van verschillende verdiepingen. Jammer genoeg was hij nog bij bewustzijn. De lummel begon te krijsen als een speenvarken. Een na een lichtten de ramen van de omliggende flatgebouwen op. Mensen verschenen in hun nachtkledij op de balkons, terwijl die idioot almaar om hulp lag te brullen, mijn hulp natuurlijk. Ik besefte dat ik hem niet kon achterlaten, hoe graag ik dat ook wilde. Nauwelijks een uur later lag hij in het ziekenhuis en zat ik in een politiecel.

Die eerste keer was ik een modelarrestant en een modelgevangene.

Ik werkte mee met het onderzoek, biechtte spontaan twee voorgaande inbraken op in de hoop dat ze dan niet zouden doorvragen over al die andere. Ik sprak met twee woorden telkens als mij iets werd gevraagd.

Die eerste keer achter tralies hield ik mij gedeisd, deed alles wat mij werd opgelegd zonder morren en keek nooit iemand in de ogen.

Ik kwam na anderhalf jaar vervroegd vrij wegens goed gedrag.

Die achttien maanden hadden Robin geen goed gedaan. Dat merkte ik meteen toen ik bij hem introk in zijn flatje in Anderlecht. Hij was harder en eenzamer geworden, ook al had hij heel wat nieuwe kennissen. Het soort kennissen dat ik hem zou hebben afgeraden, hypocriet als ik ben. Hij werkte deeltijds als mecanicien in een garage en vulde zijn inkomen aan met louche zaakjes. Soms bleef hij dagenlang weg en wist ik niet of hij 'werkte' of bij een van zijn vriendinnen zat. Niet één van hen had hij ooit bij hem thuis uitgenodigd.

Met onze ouders wilde hij niks meer te maken hebben en zij niet met hem.

Ikzelf probeerde verschillende jobs uit, meestal in de bouw- of horecasector en meestal in het zwart. Dat hield ik zo een jaar of zeven vol. Daarna kreeg ik wat ik mijn midlifecrisis noemde: het besef dat ik niks bereikt had en dat er ook niks meer in het verschiet lag, verlamde mij compleet. Met mijn jobs ging het als met mijn opleiding: stopgezet wegens zinloos en geen moed meer. Ook het vervolg was eender: ik begon weer onbekenden te volgen op straat tot ik het gevoel kreeg dat ze eigenlijk geen onbekenden meer waren. Ik was er slechter aan toe dan ooit.

Over mijn liefdesleven kan ik kort zijn: heb ik nooit gehad. Kinderen heb ik nooit gewild. Vrouwen maakten me verlegen en ik haatte het om verlegen te zijn. Ik wachtte liever tot een vrouw uit eigen beweging liet merken dat ze geïnteresseerd was. Enkele keren is dat ook gebeurd, maar ze veranderden van mening op het moment dat ze weer nuchter waren. Prostituees heb ik altijd deprimerend gevonden. Daarmee is alles gezegd.

Ik werd brutaal uit mijn midlifesluimering gewekt, toen een bebloede Robin bij mij voor de deur stond. Een van zijn zakenpartners, een dure advocaat, had hem hardhandig laten toetakelen nadat er iets was misgegaan met een levering. Meer uitleg wou hij me niet geven. Hij was bang.

Ik nam hem in huis, verzorgde hem en genoot ervan dat iemand mij nodig had. Hij gedroeg zich als een lastig kind en ik mij als de begrijpende ouder. Het was goed zo.

Ik kookte voor hem, we speelden spelletjes, trokken eropuit en hij scheen open te bloeien. De deur naar geluk stond op een kier.

Ik kon het beeld van zijn kapotgeslagen gezicht en die blauwe plekken op zijn lichaam maar niet uit mijn hoofd zetten en hij kon de vernedering niet vergeten. Er moest wraak genomen worden, wat het ook kostte.

Ik begon het woonhuis en het kantoorgebouw van de advocaat te bespieden, de mogelijkheden te bestuderen. Het kantoor was te goed beveiligd en bevond zich in een veel te drukke straat. De residentie van het heerschap aan de rand van het Zoniënwoud zag er veelbelovender uit.

Met de moed van bloedbroeders op een missie voerden we het plan uit. Robin schreef een cryptische boodschap neer die ik telefonisch aan de man moest overbrengen. Het had iets te maken met een levering die beter discreet bij hem thuis kon gebeuren zonder getuigen. Verder begreep ik er niets van, maar Robin verzekerde mij dat ons doelwit enkel zou luisteren en geen vragen zou stellen. Hij kreeg gelijk.

Op de afgesproken avond klommen we over de muur aan de achterkant van het domein en stookten een vuurtje tussen de struiken met wat dode takken en brandalcohol.

Daarna slopen we gemaskerd naar de achterdeur van de villa en hielden onze knuppels in de aanslag. Op het moment dat de eigenaar het huis uit kwam rennen, sloegen we keihard toe. Het mannetje, een kalende vijftiger met een hoornen bril, zakte kermend in elkaar. Robin gaf hem nog een paar gemene klappen en trapte hem in de zij.

We doofden snel het vuur met een brandblusdeken en sleepten het slachtoffer terug in het huis. In een paraplubak vonden we enkele golfclubs. Robin nam er een van, legde het mannetje op zijn rug en brak zijn neusbeen met een welgemikte slag van het ijzer. Het bloed spatte uit zijn neusgaten.

Ik pakte een kussen uit de sofa en propte dat onder zijn nek zodat zijn hoofd wat naar achteren viel en zijn mond wat openging. Zijn tong kleefde ik met plakband tegen zijn onderlip en kin. Zo zou hij tenminste niet stikken.

Robin had ondertussen wat rondgekeken in de villa en had in de werkkamer van de advocaat een enorm aantal bankbiljetten gevonden. Toen hij mij de bruine envelop toonde, nam hij zijn bivakmuts af zodat ik zijn stralende glimlach kon zien.

We belden de hulpdiensten en maakten ons uit de voeten. We voelden ons machtig en rijk.

En zo kreeg ik de smaak weer te pakken.

Ik had het pad van de misdaad teruggevonden en ik had zo weer richting aan mijn leven gegeven. Die leidde uiteindelijk naar mijn tweede arrestatie en een effectieve celstraf van tien jaar. Geen halve maatregelen voor recidivisten. Al helemaal niet als zij hun slachtoffer bewusteloos sloegen.

Die tweede keer achter tralies was heel anders dan de eerste keer. Ik besefte maar al te goed dat ik geen derde kans zou krijgen. Daar zou ik gewoon te oud en te nutteloos voor geworden zijn. Ik misdroeg me, ging op iedere uitdaging van medegevangenen in en verprutste al mijn kansen op strafvermindering.

Robin kwam me in het begin iedere week opzoeken. We konden enkel over onbenulligheden praten. Niet over de wanhoop. Niet over de zinloosheid. En slechts in bedekte termen over de inbraak die hij aan het plannen was in de Wilgenlaan.

Het ging al bij al nog goed met hem. Hij had me niet meer nodig. En zo was het maar beter ook. We hadden het over televisieprogramma's en cd's. Hij vertelde me dat hij een nieuwe vriendin had. Ik luisterde voornamelijk, knikte en vond alles best.

Iedere dag in die godvergeten cel dankte ik het noodlot dat het zo fair was geweest om toe te slaan op een avond dat mijn broer er niet bij was.

Maar toen kwam de eerste bezoekdag zonder Robin. Een week later kwam hij weer niet opdagen en de week daarna ook niet. Andere bezoekers had ik niet. Mijn vader was overleden, mijn moeder was slecht te been en nauwelijks geïnteresseerd.

Telkens als ik de telefoon mocht gebruiken, belde ik Robins nummer. Er werd nooit opgenomen. Voor de eerste keer in mijn volwassen leven stuurde ik een persoonlijke brief. Er kwam nooit antwoord.

De maanden zonder bezoek regen zich aaneen tot jaren. De eenzaamheid woekerde als een kanker.

Toen ik uiteindelijk voor de tweede maal uit de gevangenis werd ontslagen, stond er niemand op me te wachten. Het deed me niets. Vanbinnen was ik ondertussen zo goed als volledig weggeteerd.

Ik trok bij mijn bejaarde, ziekelijke moeder in zoals een kever onder een steen glipt, al kruipend. Weg van het daglicht en de buitenwereld.

Zoals nu.

22

De hele rit terug naar de Wilgenlaan was een beproeving. Paul was eindelijk wat gekalmeerd, maar zijn stilzwijgen wees erop dat hij op iets zat te broeden. Mijn enige poging tot een beschaafd gesprek was een halfbakken excuus:

'Het spijt me dat het zo is afgelopen, Paul. Het was niet mijn bedoeling haar te krenken, maar ze vroeg erom. Dat moet je toegeven. Het is beter dat ze nu een hekel aan ons heeft. Zo laat ze ons zeker met rust.'

'Houd toch je kop, mens.'

Dat deed ik dan maar. Ik probeerde mij te concentreren op het drukke verkeer, maar het lukte me niet. Terwijl de donkere wolken in mijn hoofd samenpakten, miste ik verschillende afslagen en minstens één rood licht. Op de kleine ring kon ik de flank van een invoegende auto maar op het laatste nippertje ontwijken. Ik ging bruusk op de remmen staan en gaf een ruk aan het stuur. Paul schreeuwde het uit van de pijn.

'Doe je 't opzettelijk, rotwijf?'

Toen ik eindelijk het grindpad van de villa opreed, huilde ik bijna. De hele slapstick om Paul zonder kleerscheuren uit de auto te krijgen kon opnieuw beginnen. Telkens als ik hem trachtte te helpen, snauwde hij me af. Zodra hij zich uit de auto had gewerkt, pakte hij zijn krukken op en hinkte zo snel als hij kon naar de voordeur. De drang om weg te rijden en de hele rotzooi voorgoed achter me te laten, was zo sterk dat het al mijn wilskracht kostte om het niet te doen. Ik liep hem met knikkende knieën en op een veilige afstand achterna. Er was niks meer om naar terug te rijden, prentte ik mezelf in, dit was alles wat me restte.

Ik stapte de villa binnen met een loodzwaar gevoel in mijn maag. De stilte aan de andere kant van de wc-deur maakte het nog erger. Ik hield mijn adem in terwijl ik langs de tegenoverliggende muur naar de woonkamer sloop. Vlak voor ik de kamer binnenliep, hoorde ik wat gestommel, dan een droge smak en kreunend gevloek. Ik duwde de deur open en zag Paul languit op de vloer liggen met zijn ene kruk nog in de hand. Hij probeerde zelf recht te krabbelen, maar verloor zijn evenwicht opnieuw en belandde met een doffe klap weer tegen het tapijt.

Hij keek half smekend, half verwijtend naar me op. 'Mijn kruk glipte weg op dat klotekleed', verklaarde hij knarsetandend. Het klonk tegelijk ziedend en ellendig.

'Heb je ergens pijn?' vroeg ik zacht.

'Ik heb verdomme overal pijn!' viel hij uit, waarna hij zowaar snikte.

'Help me recht en verdwijn daarna uit mijn ogen', voegde hij eraan toe nadat hij eindelijk uitgehijgd en wat gekalmeerd was.

Ik tilde zijn romp op, pakte hem stevig onder de oksels vast en hees hem met een enorme krachtinspanning recht. Zodra een deel van zijn gewicht weer op zijn slechte been rustte, slaakte hij een langgerekte pijnkreet.

'Rustig maar, rustig maar...' probeerde ik hem te sussen, hoewel ik zelf op mijn benen stond te trillen. Hij leunde met zijn volle gewicht tegen mij aan terwijl ik mijn armen om hem heen gekneld hield. Ik wist dat dit onze laatste omhelzing zou worden.

'Waar ga jij naartoe?' snauwde hij toen hij eindelijk onderuitgezakt in de fauteuil zat met zijn been op de poef.

'Je zei dat ik uit je ogen moest verdwijnen', antwoordde ik. Het was niet meer dan een fluisterend gemompel.

'Je wou me toch zo graag verplegen', zei hij met een smerige grijns op zijn gezicht. 'Wel, dit is je kans. Na die val kan ik helemaal niet meer rechtstaan... of wat dan ook.' Hij wreef met twee handen over de dij van zijn pijnlijke been. 'Het zou me niet verbazen als ik nog iets anders gebroken of ontwricht heb. Die pijn is niet normaal meer. Ik geloof dat ik een dokter nodig heb.'

Ik bevroor.

'Paul, je weet dat dat niet kan. Niet hier. Niet met... Neem een paar pijnstillers en rust eerst wat uit.' Hij wierp me een hatelijke blik toe. 'Als je je straks nóg niet beter voelt, kan ik je misschien naar het ziekenhuis brengen.'

'Als jij denkt dat ik me opnieuw in dat stuk rijdende ellende van jou laat plooien, ben je helemaal geschift.'

Ik deed alsof ik niet luisterde terwijl hij voortfoeterde en ik zijn medicijnen en drank bij elkaar zocht. Ik bracht ze hem op het zilveren dienblad dat ik naast de fauteuil neerzette. Hij stopte meteen een paar pillen in zijn mond en spoelde ze door met een teug rode wijn.

'Zal ik iets te eten voor je maken?' vroeg ik onzeker.

Hij keek me geïrriteerd aan. 'Zie ik eruit alsof ik trek heb, mens? Haal liever een dokter.' In plaats daarvan zette ik het tv-toestel aan, draaide het scherm naar hem toe en bracht hem de afstandsbediening, die hij meteen uit mijn hand rukte. Hij begon van het ene kanaal naar het andere te zappen met het geluid loeihard, maar schakelde al na een minuut de tv vloekend weer uit en gooide de afstandsbediening weg.

'Raap dat ding op', snauwde hij. Met een wrange smaak in mijn mond deed ik wat hij me vroeg. Deze keer graaide hij het apparaat niet direct uit mijn handen, maar bleef hij stuurs voor zich uit staren toen ik het hem voorhield. Ik legde het op de arm van de fauteuil en droop af naar de keuken. Ik had verloren, zoveel was duidelijk.

De keukentafel stond nog steeds als barricade tegen de achterdeur geschoven. De moed zonk me nog dieper in de schoenen. Het was allemaal één grote puinhoop.

In de ijskast vond ik een opwarmmaaltijd die ik zonder de instructies te lezen in de microgolfoven stopte. Hoe lang was het geleden dat ik nog iets gegeten had?

Ik bleef als gehypnotiseerd naar het sereen ronddraaiende prakje kijken en probeerde niets te voelen behalve mijn honger en een verpletterende moeheid. Het signaal van de timer bracht me weer enigszins tot mezelf.

Op het bed in Pauls slaapkamer schrokte ik het lauwe goedje naar binnen. De smaak was walgelijk, maar het gevoel dat iets mijn binnenste vulde deed me goed. Ik rolde me op in foetushouding en viel in een rauwe, ondiepe slaap.

Ik kon onmogelijk langer dan tien minuten geslapen hebben toen ik wakker schrok van Pauls geschreeuw. Versuft haastte ik me naar beneden.

Paul zag er nog ellendiger uit dan daarnet. Vaalbleek en zweterig. Hij zat alsmaar zijn been te betasten. De wijnfles die hij op schoot had, was al voor driekwart leeg.

'Waar bleef je, verdomme? Die pijn blijft maar erger worden.'

Ik wist niet wat te antwoorden.

Hij maakte een hoofdbeweging in de richting van de salontafel. 'Geef me die telefoon daar. Ik bel om een ambulance.' Ik wierp een wanhopige blik op het ding, maar bewoog niet.

'Komt er nog wat van? Ik kan me nauwelijks bewegen!' riep hij met zichtbare inspanning.

'Nee, Paul', zei ik kalmer dan ik zelf voor mogelijk had gehouden. 'We kunnen het niet riskeren dat hier iemand over de vloer komt. Niet nu.'

'Wat wou je dan doen? Ik verrek hier van de pijn!'

'Ik kan je naar een ziekenhuis brengen. Desnoods met jouw wagen.'

'Nee, geen sprake van...'

'Dan blijf je hier en wacht je tot het vanzelf betert.'

De woede in zijn blik deed me achteruitdeinzen. Waar was ik aan begonnen?

Hij deed een poging om recht te komen, maar moest zich al meteen weer in de fauteuil laten zakken. Voor alle zekerheid liep ik naar het tafeltje, pakte de handset en haalde er de batterij uit. Ik moest eraan denken hetzelfde met zijn gsm te doen.

'Dit is voor je eigen bestwil', legde ik uit, terwijl hij mij met een gloeiende haat in zijn ogen aankeek. Voor ik er erg in had, keilde hij de wijnfles naar mijn hoofd.

'Jij walgelijk rotwijf! Wou je mij hier laten creperen?' Ik bleef naar hem staren en liet de stortvloed van verwensingen over mij heen komen.

'Hoe ben je hier eigenlijk ooit binnengekomen? Heb ik jou uitgenodigd? Ook maar iets gezegd of gedaan waaruit bleek dat je hier welkom was? Ik had eindelijk mijn leven weer een beetje op orde na wat jij en je vriendje mij tien jaar geleden hebben aangedaan. Het was verre van perfect, maar het was tenminste leefbaar...'

Na iedere zin moest hij enkele seconden uithijgen en ging hij steeds een beetje verder voorover leunen. 'En toen moest jij terugkomen om alles voorgoed te verpesten. Eén lijk in de tuin was niet genoeg voor jou... nummer twee is al aan het gaar stoven. Het enige wat er nog op zit, is hier zitten wachten tot zijn maatjes de boel komen kort en klein slaan en mij erbij. En om het helemaal compleet te maken moest je ook nog het enige waardevolle dat ik uit de puinzooi van de vorige keer heb kunnen redden kapotmaken. Anna is me meer waard dan honderd teven van jouw soort... en nu ben ik haar dankzij jouw rottigheid, jouw venijnige leugens, definitief kwijt.' Hierop liet hij compleet onverwachts een paar miserabele snikken.

Hij haalde zijn neus op, vermande zich en ging moeizaam verder: 'Je laat me hier in mijn eigen huis wegrotten in mijn ellende.' Zijn gezicht vertrok tot een groteske grimas. 'Als ik op mijn benen kon staan, zou ik je met mijn blote handen afmaken.'

Het mocht dan een dronkenmansdreigement zijn, het klonk daarom niet minder gemeend.

Hij leek nu helemaal in elkaar te zakken en begon opnieuw te snikken. Heel zacht, alsof hij zich schaamde. Zo laag waren we ondertussen gezonken, hij en ik.

'Ik ga nu maar', zei ik nauwelijks hoorbaar. Hij keek niet op terwijl ik bedremmeld de kamer uit schuifelde.

In de slaapkamer kreeg ik opnieuw een paniekaanval. De kamer tolde en het duurde meer dan een uur voor ik opnieuw op mijn benen kon staan. Toch was de werkelijkheid niet minder beklemmend geworden. Er was geen ontkomen meer aan: ik stond er nu echt helemaal alleen voor.

Iedereen haatte me: Eric, Paul, die Verbeeck, en de zwerver uiteraard, de broer van Robin. Minstens twee van hen vormden een acute bedreiging.

Ik had geen flauw benul hoe het nu verder moest, maar putte moed uit de gedachte dat niks de situatie nog erger kon maken.

Het voortkabbelende, gedempte geluid van de televisie beneden kalmeerde me wat. Als Paul zich op één programma kon concentreren, was hij er misschien nog niet zo erg aan toe als ik dacht. Daarbij was alles beter dan die naargeestige stilte die gewoonlijk in huis hing.

Ik liep de slaapkamer uit, maar kon de moed niet opbrengen om terug naar beneden te gaan. In plaats daarvan sleepte ik me lusteloos naar de logeerkamer. Op het bed lag de jas van de zwerver. Zonder te weten waarom, doorzocht ik nogmaals de zakken. Ik vond het visitekaartje met mijn nummer erop terug, bleef ernaar staren, en kreeg een ingeving. Was het mogelijk dat hij al die tijd naar mij op zoek was geweest en was hij hier min of meer toevallig beland? Hoeveel had Robin hem eigenlijk over mij verteld? Had hij mij na de verdwijning van zijn broer opgespoord in de hoop dat Robin en ik nog samen waren en ons ergens schuilhielden? Was hij me daarna blijven volgen, ook toen bleek dat dat niet het geval was? Waarom eigenlijk? Wat kon ik voor hem betekenen? Ik was nagenoeg zeker dat hij die brief in Robins naam geschreven had. Zat hij ook achter die valse telefoonoproepen? En achter dat stille telefoontje na mijn bezoek aan de tentoonstelling? Had hij op het laatste moment de moed verloren en had hij opgehangen zonder een woord te zeggen?

Toen ik het visitekaartje terugstopte, vond ik nog een binnenzak onder aan de jas. Het bloed trok weg uit mijn gezicht toen ik de polaroidfoto die ik eruit haalde, herkende. Het ding was ondertussen helemaal beduimeld en gekreukt. Had Paul dat obscene kiekje al die tijd bewaard en had hij het aan de zwerver gegeven? Om mij uit te lachen of als bedankje voor bewezen diensten? Wat deed het nu in zijn jaszak? Aan wie had de zwerver het laten zien en waarom?

Ik herinnerde mij zijn voorraad blootblaadjes en dwong mezelf opnieuw onder de matras te kijken in weerwil van mijn afschuw voor dat bed. Het was maar een schrale troost dat ik er geen enkele andere foto van mij kon vinden.

Gejaagd zocht ik verder. De gedachte dat ik misschien de masturbatiefantasie van Robins broer was geworden, deed me nog meer walgen van mezelf.

Tussen de bladen van het boek over oosterse filosofie stuitte ik op nog een foto. Ik durfde hem pas om te draaien toen ik besefte dat dit geen polaroid was. Op de beeldzijde stonden hijzelf en een nog heel jonge Robin, een slecht gekleed schoffie en zijn nurkse oppas aan zee. Zelf had ik geen enkele foto van Robin bewaard. Het enige beeld dat mij al die tijd in mijn herinneringen en nachtmerries was bijgebleven, was dat van een levend lijk. De plotse confrontatie met Robins grijnzende gezicht en zijn levendige ogen deed me dan ook terugdeinzen. Een maalstroom van gevoelens en twijfels maakte de chaos in mijn hoofd compleet. Wat was ik eigenlijk hier in dit huis komen zoeken? *Wie* zocht ik eigenlijk?

Mijn blik dwaalde af naar het ernstige gezicht van de jongeman naast Robin. Het was geen knap gezicht, maar het had wel karakter, zelfs een zekere waardigheid waaraan het de zwerver nu volkomen ontbrak. Of was het mogelijk dat ik mij heel die tijd in hem vergist had? Dat hij die polaroid per toeval ergens had gevonden en dat hij hem tegen beter weten in op zak had gestoken?

Het geluid van de tv in de woonkamer hield abrupt op. Een tel later hoorde ik Paul krijsen: 'Hé! Kom me helpen! Waar zit je? Ik...' Het duurde even voor het tot me doordrong dat hij het tegen mij had.

Terwijl ik aarzelend en vol bange vermoedens terug naar beneden ging, stierf het gekrijs weg en ontaardde in een ziekelijk gekreun.

De rillingen liepen me over de rug toen ik de deur naar de woonkamer opendeed.

'Haal de nachtpot voor me', kermde hij zonder me aan te kijken.

De angst sloeg me om het hart.

'Waarom?'

Pas toen hij naar me opkeek, kon ik zien hoe slecht hij eraan toe was.

'Omdat ik verdomme maar moeilijk de wc hier beneden kan gebruiken nu! Mocht ik al recht kunnen staan. Of wat denk je?' Schreeuwen kostte hem ondertussen zo veel inspanning dat zijn stem halverwege brak. 'Haast je. Het is dringend.'

'Waar staat dat ding dan?' stamelde ik.

'In de bibliotheek, naast het bed... geloof ik', steunde hij moeizaam terwijl hij zijn hoofd weer liet zakken.

Hoe ik ook zocht, in de bibliotheek was er niets te vinden. 'Komt er nog wat van, mens?' hoorde ik Paul in de andere kamer roepen. Een koortsachtige zoektocht door de andere kamers begon. Het idee dat ik hem straks ook nog op en af het trieste ding zou moeten helpen deed me huiveren.

Uiteindelijk vond ik de emmer in de badkamer naast de closetpot. Vermoedelijk was de zwerver hem met opzet vergeten terug te brengen.

Met lood in de schoenen ging ik de trap terug af. De zure stank die mij in de hal tegemoetkwam, wees er op dat ik al te laat was. Met een smerige smaak in mijn mond en een knoop in mijn darmen duwde ik de deur open. Daar zat hij, een hoopje ellende in zijn eigen vuil, zijn grauwe gezicht vertrokken van de afschuw en de vernedering en nat van de tranen.

'Jij kreng... jij walgelijk wijf... kijk wat je me hebt aangedaan... je hebt het met opzet gedaan.'

Ik was volledig aangeslagen. Ik stond aan de grond genageld, hield mijn zakdoek voor mijn neus en wist niet wat te antwoorden.

'Sta daar niet zo stom te staan en kom me helpen, rotwijf!'

Maar ik kon niks anders doen dan staren en proberen niet te kokhalzen. Dichterbij komen lukte al helemaal niet.

'Is dit wat je wilt? Heb je nu je zin, gore rioolrat? Ik zweer... ik zweer het. Zodra ik uit deze stoel ben, zal ik alles doen om je dit betaald te zetten.'

Ondanks de waas van traanvocht die in mijn ogen prikte, zag ik hem helderder en scherper dan ooit tevoren; een zielige, afstotelijke figuur zonder ruggengraat. Hoe had ik ooit iets voor deze man kunnen voelen? Hoe had ik ooit iets van hem kunnen verwachten?

Na een verwoede poging om recht te komen, schoof hij uit de fauteuil, smakte met zijn losgeknoopte broek tegen het besmeurde tapijt en begon luid te snikken. Ik wist dat hij reddeloos verloren was.

23

Het geluid van de voordeur die openging bracht me weer tot de werkelijkheid. Ze waren terug. Zelfs als ik hier crepeerde, zou het tenminste niet helemaal onopgemerkt gebeuren. Ik begon me iets minder angstig en iets minder hopeloos te voelen.

Door het sleutelgat was er niets te zien, maar ik hoorde het geroep van Malfliet in een van de kamers aan de overkant van de hal. Het leek of hij dronken was. Ik kon echter geen andere stem horen. Tegen wie ging hij tekeer?

Even later hoorde ik nog meer gestommel en geroep, maar kon er niks uit opmaken.

Na een lange stilte kwam er weer een uithaal van Malfliet. Deze keer klonk het jankerig en zwak. Hij was er blijkbaar beroerd aan toe. Dat gaf me weer wat moed.

Iemand liep geluidloos heen en weer in de hal. Ik zag de schim door het melkglas verschijnen en terugkeren. Door het sleutelgat kon ik enkel af en toe een glimp van een jurk opvangen. Was het Anna Verbeeck die de wacht hield? Waarom zou ze?

De schim kwam dichter bij het raampje, aarzelde en zette een stap terug.

Het leek wel of ze twijfels gekregen had, misschien wroeging.

Tenzij het natuurlijk helemaal niet Verbeeck was.

Met de kracht die ik nog had, begon ik weer tegen de deur te slaan. Door het sleutelgat riep ik: 'Hallo? Ze hebben mij hier opgesloten! Ik besterf het hier! Laat me eruit! Hallo?'

Er kwam geen antwoord, maar het ijsberen was gestopt.

'Mevrouw Verstraete? Bent u het?' Ik kon de snik in mijn stem niet onderdrukken.

Nog steeds bleef de schim voor de deur staan.

'Ik ben het, Frank. Ik zit hier al sinds gisteren zonder eten en zonder water. Ik word hier gek. Ik heb een dokter nodig.' Waarom reageerde dat kreng niet?

Ik sloeg met mijn vuist tegen de deur. Een scherpe pijnscheut ging door mijn pols. Even was ik bang dat ik mijn hand had gebroken.

De schim werd vager en ik zag mijn laatste kans vervliegen. Medeleven werkte blijkbaar niet. Wat zou haar wel kunnen overhalen?

'Mevrouw Verstraete!'

Malfliet had ooit gezegd dat ze waarschijnlijk op zijn geld uit was, dus...

'Ik ben Robin Schaeffers broer! Ik weet alles over het losgeld! Daarom hebben ze mij hier opgesloten.' De gestalte schuifelde weer dichterbij. Ik voelde mijn hart sneller slaan.

'Ik weet waar het is. Als u mij hieruit bevrijdt, kunnen we het samen halen.'

Weer geen antwoord.

'Elisabeth?'

Enkele tellen later verdween de schim uit het zicht. Ik vocht niet langer tegen de tranen. Zij waren ondertussen sterker dan ik.

Na wat mij een eeuwigheid leek, was de schim terug en hoorde ik de sleutel in het slot knarsen. Het duurde even voor ik besefte dat dit echt gebeurde en voor mijn ogen aan het helle licht gewend waren.

Ik zat ineengezakt op de vieze, kille vloer van de wc. Elizabeth

Verstraete hield me met de ene hand een stuk stokbrood voor, met de andere hand hield ze een automatisch pistool op mij gericht.

24

Met mijn twee handen stevig om de pistoolkolf geklemd tegen het beven, keek ik toe hoe hij op zijn knieën het stuk brood naar binnen schrokte. Heel die tijd ging zijn blik van mij naar het wapen en terug. Hij kwam mij eerder verwilderd dan verzwakt over. De stank die uit het wc-hok walmde, was nog minder te harden dan die in de woonkamer.

Voor de eerste keer sinds ik wist wie hij werkelijk was, bekeek ik hem goed. Ik herkende nu pas bepaalde trekken van zijn jongere broer in dat grove gezicht: de geblokte vorm, de zware kin, de brede neusvleugels en de bruine ogen. De gelijkenis gaf hem iets vertrouwds en tegelijk iets bedreigends.

Als gehypnotiseerd bleef ik naar zijn doorbloede oogballen kijken. Ik wou iets zeggen, een bevel, een geruststelling misschien, maar er kwam niets in me op.

'Waar is Malfliet?' vroeg hij schor zodra hij zijn mond had leeggegeten.

'In de woonkamer. Hij is maar half bij bewustzijn', antwoordde ik onzeker. Was het wel een goed idee om hem de waarheid te zeggen?

'Is er nog iemand in huis?'

'Nee', zei ik met trillende stem. Ik wist dat ik snel moest denken en nog sneller improviseren, maar mijn denkvermogen leek almaar dieper weg te zinken. *Het heeft geen zin om hem hier te laten wegrotten*, bleef ik mezelf voorhouden. Wat kon zijn dood me nu nog opleveren? Een verdere toenadering tot Malfliet? Dat was voorgoed verbrod. Dat mijn aandeel in de dood van zijn broer nooit aan het licht zou komen? Malfliet was ondertussen een groter risico geworden, besefte ik. Hoeveel wist Frank eigenlijk? Wist hij dat zijn broer dood was? Waarom dan die brief met 'Robin' ondertekenen? Aan dat soort overpeinzingen hield ik me krampachtig vast.

'Weet jij wie mij hier heeft opgesloten?'

Er was geen greintje sarcasme te bespeuren op zijn gezicht. Wist hij het echt niet?

'Nee', antwoordde ik nadrukkelijk. Ik liet het pistool zakken en reikte hem een hand om hem recht te helpen. Dat ging moeizaam en hij moest de deurklink vastgrijpen om niet meteen weer door de knieën te zakken.

'Je ziet er belabberd uit', zei ik zo nuchter mogelijk. 'Ik denk dat je beter wat op bed uitrust. Ik zal ondertussen iets warms voor je klaarmaken.'

Hij schudde heftig zijn hoofd. 'Nee, buiten... Ik moet naar buiten. Nu onmiddellijk.' Waarop hij als verdoofd naar de voordeur begon te wankelen.

'Wacht! Laat me je helpen.' Ik legde het pistool op het siertafeltje onder de wandspiegel, ging naast hem lopen, greep hem bij zijn middel en legde zijn arm over mijn schouder. Hij keek me niet aan, protesteerde ook niet en liet zich naar de voortuin leiden. De vroege avondzon verblindde hem, maar hij bleef er met een dankbare glimlach en half dichtgeknepen ogen in kijken.

Daarna liet hij zich tussen het onkruid in het gras zakken en ging hijgend languit in het gras liggen.

'Dorst', zei hij zwakjes.

Ik ging meteen een glas spuitwater voor hem halen dat hij in twee gulzige teugen leegdronk. Toen ik even later terugkwam met de hele fles, was hij al in een coma-achtige slaap gevallen. Ik durfde hem niet wakker te porren of hier alleen achter te laten. Het enige wat erop zat, was naast hem te blijven zitten en te wachten. Hoe langer ik naar dat gezicht keek, hoe zachter het leek te worden en hoe kalmer ik me voelde.

Hij wist niet wat ik gedaan had. Hij hoefde het ook nooit te weten te komen en hij had mijn hulp aanvaard. Het leek erop dat ik een nieuwe bondgenoot had gevonden. Een onwaarschijnlijke, maar ook een betere. Iets zei me dat deze man een uitweg uit heel de rotzooi zou vinden. Hij was slim en doortastend genoeg om erachter te komen dat zijn broer in de villa geweest was en om zich hier binnen te werken. Hij had lef en was sterk. Daarbij hadden we veel gemeen: onze afkomst, Robin, we waren alle twee praktisch dakloos en we hadden nu ook een gemeenschappelijke vijand, Malfliet. Samen konden we hem de baas.

Het komt allemaal goed, herhaalde ik in mijn hoofd. 'Het komt allemaal goed, Frank', hoorde ik mezelf plots luidop zeggen. Hij reageerde niet.

Na een poos geslapen te hebben, schoot hij compleet onverwachts met een ruk recht alsof iets in zijn droom hem had doen schrikken. Ik glimlachte hem bemoedigend toe, wat hem eerder scheen te verwarren dan te kalmeren.

'Ik ben er nog', zei ik en reikte hem de fles spuitwater aan. Hij gulpte ze leeg zonder zijn ogen van me af te wenden.

'Waarom eigenlijk?' vroeg hij argwanend. 'Wat wil je van mij?'

'Niks. Ik kon je hier toch zomaar niet laten liggen.'

'Dank je', prevelde hij en keek om zich heen alsof hij alles voor de eerste keer zag. De stilte die hem overviel gaf hem iets nobels, iets wat ik nooit eerder in hem vermoed had.

Met een zekere tegenzin doorbrak ik die rust: 'Waarom had hij jou daar opgesloten?'

Hij keek me indringend aan. 'Waarom heb jij die deur opengemaakt en een pistool op mij gericht?'

Ik liet mijn ogen zakken en wist me geen houding te geven. 'Een stommiteit. Toen ik Paul vroeg waar je was, zei hij me dat hij je in het toilet had opgesloten omdat je agressief geworden was en hem bedreigd had. Het was maar voor even, om je wat te laten afkoelen. Ik wou meteen de deur openmaken, maar hij had de sleutel verstopt en zei me dat ik het beter uit mijn hoofd kon zetten. Het was echt vreemd, Frank. Hij leek niet goed wijs'. Het was onmogelijk te zeggen of hij me geloofde. 'Ik voelde dat er iets ergs gaande was. Pas toen ik hem stomdronken gevoerd had, kon ik hem ontfutselen waar de sleutel was. Ik besloot maar het zekere voor het onzekere te nemen toen ik je ging bevrijden.' Ik glimlachte verontschuldigend. Een klein meisje dat een bok geschoten had. Hij glimlachte niet terug.

'Loop je altijd met een pistool op zak?'

Die vraag had ik niet zien aankomen. Mijn glimlach verdween ogenblikkelijk.

'Het is niet van mij', wist ik uit te brengen. 'Het is van mijn man. Wapens verzamelen is zijn hobby. Hij is erachter gekomen dat ik veel tijd bij Paul doorbreng en hij is heel jaloers en impulsief. Het zou niet de eerste keer zijn dat hij me een ongeluk sloeg. Vandaar dat ik een van zijn pistolen heb genomen... om mezelf te beschermen.'

Hij liet dat bezinken. 'Zo'n bullebak, hé?'

Ik knikte.

'Je hebt blijkbaar niet veel geluk met mannen', zei hij scherp. 'Eerst Robin, dan Paul Malfliet en nu een knokgrage wapenfetisjist.'

Ik voelde mezelf bloedrood worden.

'Heb jij mij die brief van Robin geschreven?'

'Ja.'

'Ik begrijp het niet. Heb je enig idee hoe pijnlijk...?' Ik kon de vraag niet afmaken.

'Ik had geen keus. Robin was al jaren spoorloos en ik had geen idee hoe of waar te zoeken. Toen ik ontdekte dat jij destijds wat met hem gehad hebt, heb ik maar iets geprobeerd. Het was mogelijk dat je nog contact met hem had, en wist waar hij was.'

Op een vreemde manier vertederd, legde ik mijn hand op zijn arm.

'Je had het me gewoon kunnen vragen.'

Hij haalde zijn schouders op. 'Ik dacht dat hij zich wel in nesten gewerkt zou hebben en dat hij je op het hart gedrukt had niemand iets te zeggen.'

'Ook zijn broer niet?'

'Vooral zijn broer niet.'

'Ik neem aan dat jij ook achter dat politietelefoontje zat?'

'Ja', antwoordde hij zonder enige aarzeling en zonder verdere uitleg.

Het was ondertussen een stuk frisser geworden. Ik huiverde.

'Wat wou je me daarnet zeggen over losgeld? Waar had je het over?'

Nu aarzelde hij wel. Hij overwoog of hij me kon vertrouwen of niet.

'Ik heb Malfliets ex gesproken', zei hij uiteindelijk gelaten, te moe en te verward om te kunnen oordelen. 'Zij zei iets over een gijzeling tien jaar geleden en een aanzienlijke som losgeld die toen spoorloos verdwenen is. Weet jij daar iets over?'

'Je zei daarnet dat je wist waar het was?'

'Dat kan ik me niet herinneren', antwoordde hij ontwijkend. Had zijn instinct hem ingegeven om wantrouwig te worden of wou hij gewoon niet toegeven dat hij maar wat verzonnen had?

Net toen ik wou doorvragen, werden we opgeschrikt door een rauwe, langgerekte kreet in het huis.

Frank sprong meteen rechtop, maar was nog zo verzwakt en duizelig dat hij alle moeite had om niet meteen weer om te vallen. Ik kwam naast hem staan om hem te ondersteunen.

'Je had toch gezegd dat hij bewusteloos was?' siste hij in mijn oor.

'Dat was hij ook. Misschien is zijn pillencocktail ondertussen uitgewerkt.'

'Des te beter. Dan is hij tenminste bij bewustzijn als ik hem in de vernieling sla.' Verrassend kordaat voor zijn toestand liep hij de villa weer binnen.

'Frank, wacht...' Ik liep hem onzeker achterna.

De rioolgeur sloeg me we weer in het gezicht zodra ik een voet in de hal zette. Frank stond als versteend tegen de lijst van de woonkamerdeur geleund en keek naar Malfliet, die zich op zijn buik over het vieze tapijt naar het dressoir sleepte. Zijn broek was tot op zijn knieën afgestroopt en zijn stoelgang was langs zijn dijen uit zijn onderbroek gesijpeld. Hij keek ons met zo'n wanhopige en miserabele uitdrukking aan dat ik ondanks mezelf opnieuw medelijden met hem kreeg. Zelfs Frank was aangedaan. Malfliet greep zich met een hand aan een salontafelpoot vast. In de andere hield hij de draadloze telefoon.

'De batterijen!' krijste ik tegen Frank. 'Er lagen nog nieuwe batterijen in die bovenste lade!'

Ik liep meteen naar Malfliet toe en griste de handset uit zijn greep.

Een moment later liet hij zijn gezicht in het tapijt zakken en begon hij opnieuw luid te snikken. Dit was het, we hadden de bodem bereikt.

'Wat doen we met hem?' vroeg Frank, die bewegingsloos in de deuropening was blijven staan.

'Hoe moet ik dat nu weten?' fluisterde ik met mijn gezicht in mijn handen verborgen.

Nog geen minuut erna was Malfliet alweer buiten westen.

Dit was wat we deden. We wasten hem snel, trokken hem met veel moeite een schone pyjama aan en sleepten hem naar het toilet. Hij kermde onafgebroken, zweefde tussen bewustzijn en bewusteloosheid.

We zetten hem met een pijnlijke krachtinspanning rechtop op de closetpot, waarna hij meteen voorover zakte. Daar zat hij voorlopig veilig en kon hij tenminste zijn behoefte doen, zeiden we tegen elkaar. Dat gaf ons wat tijd om rustig een oplossing te zoeken. Toen sloten we de deur en draaide ik de sleutel in het slot om.

Frank dacht eraan de elektriciteit en de watertoevoer weer aan te sluiten, wat ik grootmoedig van hem vond.

Uiteindelijk zakten we allebei uitgeput op de vloer van de hal neer. Hijgend keken we elkaar lang aan.

Voor het eerst in tijden leek het alsof ik een bondgenoot had. Het ijle geluksgevoel dat me overviel was zo teer en zo vluchtig dat ik het nauwelijks durfde te erkennen. Toch wist ik diep in mezelf dat ik alles zou doen om het te beschermen.

Eén ondoordachte opmerking en hij zou weten dat ik het was die hem gisteren in dat hok opgesloten had. Eén woord van Malfliet over mijn aandeel in zijn broers dood en ik zou ook deze laatste reddingsboei verliezen.

Ik moest het slimmer aanpakken. Het noodlot een stap voor blijven.

'Weet je eigenlijk wat er met je broer gebeurd is?'

'Ik kan het min of meer raden', antwoordde hij dof. 'Hij heeft destijds het krankzinnige plan opgevat om Malfliet in zijn eigen huis te gijzelen en losgeld aan zijn vrouw te vragen. Maar toen is Malfliet er op de een of andere manier in geslaagd hem te overmeesteren en in die wc op te sluiten, waarschijnlijk met de hulp van iemand anders. Hoelang ze hem daar hebben laten zitten weet ik niet, maar in ieder geval lang genoeg voor Robin om zijn persoonlijk embleem in de deur te kerven. Wat er daarna gebeurd is, weet ik ook niet.'

Hij keerde zich bedachtzaam naar mij. 'Weet jij meer?'

'Ja.'

Daar was het dan, het moment waar ik tien jaar bang voor was geweest. Ik voelde me duizelig worden, maar was te verkrampt om mijn ademhaling onder controle te krijgen.

'Wel?'

'Je kunt je maar beter voorbereiden op een schok', zei ik zonder hem aan te kijken.

'Ik denk dat ik daar ondertussen al voldoende op ben voorbereid.'

Er was geen ontkomen meer aan.

'Je broer is dood. Daar heeft Malfliet voor gezorgd.' Ik hoorde Frank naast me slikken, maar verder kwam er geen reactie. 'Eerst was het zijn bedoeling om Robin op te sluiten tot de politie zou opdagen. Maar die heeft hij nooit opgebeld. Robin had ermee gedreigd zich te wreken zodra hij vrijkwam en Malfliet was bang geworden. Daarbij genoot hij van de macht die hij plots over Robin had gekregen, zijn gijzelnemer die hem eerder mishandeld had. Hoe langer hij wachtte, hoe onmogelijker het werd om de politie nog te verwittigen. Hoe kon hij immers voor een rechter verantwoorden dat hij iemand een volle dag, daarna twee dagen en daarna nog langer gevangen had gehouden zonder naar hem om te kijken? Dus bleef Robin in dat hok tot hij geen teken van leven meer gaf. Toen heeft Malfliet hem eruit gesleept, hem de genadeslag gegeven en hem in de achtertuin begraven.'

Nog voor ik mijn kin tegen mijn borst kon laten zakken, had Frank ze al vastgegrepen en draaide hij mijn gezicht naar het zijne. Er ging een koude rilling van angst en opwinding door me heen.

'En hoe weet jij dat allemaal?'

Hij kneep zo hard dat het moeilijk was om te beginnen praten: 'Laat me los, Frank. Begrijp je niet dat ik al die jaren geleden net hetzelfde gedaan heb als wat jij nu doet?' Eindelijk liet hij zijn greep verslappen, maar zijn priemende blik bleef even hard.

'Robin en ik hielden van elkaar. Ik wist van zijn bezigheden. Hij hield me op de hoogte van zijn plannetjes, ook al wist hij dat ik zijn levensstijl niet goedkeurde. Hij had me verteld dat hij hier, bij Malfliet, ging inbreken. Meer niet. Maar de volgende dag kwam hij niet terug, en de dag erop ook niet. Ik kon hem niet bereiken.

Eerst maakte ik mij nog niet veel zorgen: in de kranten stond er niks over een inbraak, dus hadden ze hem waarschijnlijk niet gesnapt.

Daarbij zou het niet de eerste keer geweest zijn dat hij zomaar enkele dagen verdween. Maar hij kwam niet terug opdagen. Geen enkele van zijn vrienden die ik kende, wist waar hij zou kunnen zijn.

Na twee weken kon ik de onzekerheid niet meer aan en ben ik op onderzoek uitgegaan. Net als jij, was ik al gauw hier beland, de plaats van zijn laatste misdaad. Ik wist dat Malfliet fotograaf was en vroeg hem op de man af of ik voor hem mocht poseren. Hij stemde toe en ik zorgde ervoor dat het al snel niet bij poseren bleef. Ik probeerde zijn vertrouwen te winnen door het onnozele, verliefde wicht te spelen. Het was de enige manier die ik kon bedenken om wat informatie uit hem los te krijgen.'

Ik stopte toen ik merkte dat er een traan opwelde. Frank nam zijn zakdoek, streek ze weg en bood me het vod aan.

'Veeg je neus schoon', zei hij niet onvriendelijk.

Ik keek hem dankbaar aan en deed wat hij had gezegd.

'Op een avond praatte Malfliet in een ladderzatte bui zijn mond voorbij. Ik had hem gevraagd of hij ooit actieffoto's nam, misdadigers kiekte voor in de krant. Hij antwoordde dat hij zo zijn eigen manier had om met misdadigers af te rekenen. Toen ik hem aanmoedigde, vertelde hij me alles en pochte met details. Hij liet me zelfs zien waar hij Robin begraven had.'

'En wat heb jij toen gedaan?'

'Niks', fluisterde ik. 'Ik durfde niet. Zelfs in zijn stomdronken toestand had hij gemerkt dat mijn houding volledig was omgeslagen na zijn bekentenis. Ik was lijkbleek, was doodsbang van hem en kon geen seconde langer doorgaan met die hele komedie. Hij drukte me op het hart dat ik hierover nooit iets mocht zeggen tegen wie dan ook of dat hij me zou weten te vinden. Hij of een van zijn machtige vrienden zou...

Dus hield ik mijn mond. Ik hield mezelf voor dat Malfliet aange-
ven Robin toch niet terug zou brengen en dat de klootzak er met zijn
poen en connecties waarschijnlijk toch licht van afgekomen zou zijn.'

Frank balde zijn vuisten, sloot zijn ogen en ramde in één nijdige,
harde klap zijn achterhoofd tegen de muur. Ik was te bang om een
kik te geven. Als hij al pijn voelde, was daar op zijn gezicht met de
harde trekken niets van te merken. Een gruwelijke twijfel stak de kop
op. Wat als ik mij in hem vergist had?

Wankelend krabbelde hij recht.

'Ik wil zien waar hij begraven ligt.' Het was geen verzoek, het was
een bevel.

Aarzelend schoof ik met mijn rug langs de muur rechtop.

'Kom mee. Ik zal het je laten zien', zei ik nauwelijks hoorbaar.

Hij liep vlak achter me aan terwijl ik op trillende benen naar de
achtertuin sjokte. Ik meende dat ik zijn warme adem in mijn nek kon
voelen.

Aan de gereedschapsschuur bleef ik staan en wees naar het verwilderde bloemperkje ernaast.

Tegen alle verwachtingen in voelde ik iets wat op opluchting leek.

25

Dit gebeurt niet echt, dacht ik. Ik probeerde te begrijpen wat het mens
me stond te zeggen in die verwilderde tuin die zelfs in de avondzon
nog somber leek. De vrouw van de obscene polaroid.

*Ik hallucineer. Ik zit nog steeds gevangen in dat stinkende hok en mijn geest
is gebroken.*

Ik zag haar stuntelig gestifte lippen bewegen. Ze nam me steels,
maar nauwlettend op. De pijn in mijn spieren en gewrichten en het
misselijkmakende hongergevoel leken de enige tekens dat ik echt
wakker was.

Ze hield op met praten en kwam dichterbij. Te dichtbij. Ze legde
voorzichtig een hand op mijn arm. *Waarom raakt ze me aan terwijl op
haar gezicht geschreven staat dat ze bang voor mij is?*

Ik wou haar hand wegduwen, maar wankelde wat achteruit. Het begon me te duizelen. Mijn hoofd leek almaar lichter te worden en mijn gekneusde lichaam zwaarder.

Ik ging langzaam op de bank naast de gereedschapsschuur zitten en sloot mijn ogen. Toen ik ze weer opendeed, verbaasde ik me er bijna over dat alles er nog was: het gele licht, de donkere bomen, het gras, de viooltjes,...

Zij was ongevraagd naast mij komen zitten en bleef me maar aankijken met die hongerige hondjesblik van haar. Haar handen hield ze deze keer gelukkig thuis.

Ik moest me concentreren. Nog heel even maar.

'Waarom ben je teruggekomen? Na al die tijd?' vroeg ik zonder haar aan te kijken.

Ze antwoordde gretig, alsof ze al een tijd op die vraag had zitten wachten.

'Malfliet had contact met mij opgenomen. Geheel onverwachts. Eerst wou ik niets meer met hem te maken hebben, maar hij drong aan, zei dat het belangrijk was. Op zo'n manier dat ik niet anders kon dan instemmen. Begrijp je, Frank?'

Weer die familiariteit. Dacht ze dat we nu vrienden waren omdat ze mij dingen uit haar miserabele leven verteld had? Omdat ze mij de details van mijn broers dood had toevertrouwd?

'... Dus spraken we af elkaar op een avond te ontmoeten in een bar. Hij zei me dat hij werd afgeperst, gechanteerd door een onbekende. Hij dacht dat ik erachter zat. Hij zei dat hij mijn man over onze relatie zou vertellen als ik er niet mee ophield. Mijn echtgenoot is erg gewelddadig en jaloers.'

De blaffende stem aan de telefoon kwam me weer voor de geest. En de dreigementen.

'Ik was doodsbang, maar wat kon ik doen? Ik had er niks mee te maken, maar hij geloofde me niet. Natuurlijk hield het niet op. Hij bleef rare berichten krijgen.

Woedend belde hij me weer op en dreigde weer. Terugkomen en hem doen geloven dat ik nog van hem hield, was het enige wat ik kon bedenken om hem kalm te houden. Om hem ervan te overtuigen dat ik het niet was...'

Ik zei niks, wist niet meer wat te geloven. Alles begon opnieuw te zwemmen in mijn hoofd. Een golf van gelatenheid overspoelde mij bij het idee dat ik hier wellicht naar het graf van mijn broer zat te staren. Mijn zoektocht was ten einde en wat ik gevonden had, was dat het er allemaal niet meer toe deed.

'Ik wil even alleen zijn', zei ik tegen haar. 'Blijf jij hier.'

Ze knikte, dankbaar dat ik haar verhaal geslikt had.

Ik liep moeizaam terug het huis in, recht naar de hal. Het pistool lag nog op het tafeltje. Pas nu merkte ik dat de hendel nog altijd op veilig stond. Ik trok de slede naar achteren en zag dat het wapen wel degelijk doorgeladen was.

Mijn blik viel op mijn reflectie in de spiegel boven de tafel: mijn bloeddoorlopen ogen, mijn grauwe gezicht en de harde trekken die me eigenlijk nooit eerder waren opgevallen. Was het mogelijk om in één dag zo veel te veranderen?

Van achter de wc-deur kwam een gedempt gekerm. Zou Malfliet al bij bewustzijn zijn?

Ik strompelde de trap op naar de logeerkamer om mijn jas te halen en stopte het pistool in de ruime zijzak. Het kostte me al mijn wilskracht om niet meteen op het bed te gaan liggen, de deur op slot te doen en me te verliezen in een diepe, droomloze slaap.

Trede voor trede ging ik de trap af, meteen naar de keuken. Ik begon als een bezetene koude restjes uit de ijskast naar binnen te werken. Als ik maar iets in mijn maag had. Iemand had de keukentafel rechtop tegen de achterdeur gezet, maar ik was te ver heen om mij daarover te verbazen.

Door het keukenraam zag ik Elizabeth Verstraete door de tuin lopen alsof ze naar iets op zoek was. Opeens hurkte ze neer voor een bed pioenen en plukte een paar van de rozerode bloemen. Ze liep ermee naar het vermeende grafperk terug en begon ze een na een in de aarde te planten.

Ik voelde hoe het bloed in mijn hoofd begon te koken en beende ondanks mijn fysieke toestand met grote passen weer de winderige tuin in.

Ze keek naar me op en zei zachtjes: 'Ik vond dat Robin beter verdiende dat al dat onkruid en die lelijke viooltjes.'

Daar had ze gelijk in. Zonder haar te antwoorden, stapte ik de gereedschapsschuur binnen en vond meteen wat ik zocht.

Terug buiten, zag ik dat ze op haar knieën enkele paardenbloemen uit de grond trok. Met mijn ene hand gooide ik de spade aan haar voeten. Met de andere nam ik het pistool uit mijn zak, richtte het op haar hoofd en beval haar te graven.

Toen de eerste schrik was weggeëbd, stond ze langzaam op met de rest van de bloemen nog in haar hand en een zorgelijke uitdrukking op haar gezicht. Het leek of ze eerder om mijn geestelijke gezondheid, dan om haar leven bekommerd was.

'Frank, wat doe je?'

Ze schuifelde naar me toe met de berispende frons en de begrijpende ik-ben-het-glimlach die ik zo goed kende van de gevangenispsychiaters.

Toen ze dicht genoeg genaderd was om haar hand weer op mijn arm te leggen, gaf ik haar een klap met de kolf van het pistool. De mep tegen haar slaap kwam hard genoeg aan om haar haar evenwicht te doen verliezen. Nog te fel geschrokken om te beginnen jammeren, krabbelde ze op handen en voeten recht en begon van me weg te kruipen.

'Het is niet mijn gewoonte vrouwen te slaan en het is ook niet mijn gewoonte om mensen neer te schieten', zei ik rustiger dan ik zelf voor mogelijk hield. 'Maar je moet weten dat het mij menens is. Sta op.'

Ze stond nog maar net op haar benen of de hete tranen kwamen al. Haar gezicht was vuurrood. Ze beefde over heel haar lichaam. Haar ogen bleven star op mij gefixeerd met een intensiteit die mij bijna van mijn stuk bracht. Wat zat er achter die blik: haat, angst, complete verbijstering, wanhoop... ?

'Waarom?' kon ze tussen het hijgen en snikken uitbrengen.

'Ik wil weten of je de waarheid spreekt. Ik *moet* hem zien', antwoordde ik emotieloos.

'Waarom zou ik over zoiets liegen?' Haar zin begon als een gil en eindigde als een grienerig gemompel.

'Elizabeth, ik ben doodmoe en ik ben het beu om naar de dingen te raden. Ik wil eindelijk iets tastbaars. Wil je nu beginnen te graven?'

Het horen van haar voornaam leek haar nog meer in verwarring te brengen.

'Raap die spade op.'

Uiterst langzaam bewoog ze naar het ding toe. Ik gunde haar de tijd die ze nodig had. Toen ze eindelijk de spade had opgepakt, gooide ze ze meteen weer weg.

'Ik kan het niet', protesteerde ze nog steeds snikkend. 'Wil je echt dat ik het graf van je eigen broer schend?'

'Het is geen graf, maar een vergeetput. Jij wist dat hij hier lag en hebt al die tijd niks gedaan om hem een menswaardig graf te geven. Iemand die ooit veel om jou gegeven heeft. Dat heeft hij mij zelf eens gezegd... zonder jouw naam te noemen. Hou je gemoraliseer dus maar voor jezelf.'

'Hoe kon ik?' begon ze weer te krijsen. 'Met Paul hier in huis die...'

'Malfliet is een slappeling en een dronkenlap die nauwelijks op zijn krukken kan staan. Denk je dat hij je tegengehouden zou hebben? Het volstaat zijn telefoon te verstoppen en hij is helemaal machteloos. Denk je nu echt dat hij je iets in de weg gelegd zou hebben?'

'Nee, hij niet.' Ze keek me verongelijkt aan terwijl ze over haar pijnlijke slaap wreef. 'Maar jij wel. Hij zei me dat hij jou had ingehuurd om zijn vuile werkjes op te knappen. Zijn "knokploeg", zo noemde hij je.'

Het begon me weer even te duizelen. Had Malfliet dat echt gezegd? Had hij mij daarom zo lang in zijn huis getolereerd?

Ze zag de twijfel op mijn gezicht en putte er moed uit. Ze hield in ieder geval op met snikken.

'Raap die spade weer op.'

Ze knikte nauwelijks merkbaar, haar priemende ogen op mij gericht.

Ik voelde dat ik de controle over de situatie aan het verliezen was. Had ze door dat ik blufte? Dat ik het pistool nooit zou afvuren? Stond ze daar haar kans af te wachten? Ze wist hoe verzwakt en vermoeid ik was.

'Malfliet is een geboren leugenaar. Hij heeft over mij tegen je gelogen. En ik ben er zeker van dat zijn verhaal over wat hij met mijn broer gedaan heeft, ook gelogen is. Hij heeft er gewoon het lef niet voor.'

Ze reageerde niet, maar luisterde gespannen.

'Ik ben er zeker van dat je niets zult vinden als je begint te graven.'

'Waarom doe je het dan zelf niet?'

Omdat ik nauwelijks nog op mijn benen kon staan.

'Omdat ik het pistool heb. En ik het *moet* weten. Nu.'

Eindelijk pakte ze de spade op en keek ernaar alsof ze zo'n ding nog nooit gezien had.

'Als je nu begint te graven, ben je klaar voor het donker wordt.'

'Ik kan het niet', mompelde ze voor zich uit.

Ik begon wanhopig te worden, maar durfde geen waarschuwingsschot af te vuren. Niet in deze buurt. De politie zou hier binnen het kwartier staan. Ik moest iets anders proberen.

'Als blijkt dat ik je niet kan vertrouwen, zal je nooit weten wat er met het geld gebeurd is.'

Nog stond ze stokstijf naar de grond te staren met haar handen om de houten steel geklemd.

'Ik geef je drie seconden om eraan te beginnen. Anders bel ik meteen je man en zeg hem dat hij jou samen met zijn dienstwapen hier kan komen ophalen. Dan kan hij meteen akte nemen van het feit dat zijn vrouw haar invalide minnaar in zijn eigen wc heeft opgesloten. En dan kan hij misschien het lijk van mijn broer opgraven en ervoor zorgen dat die eindelijk een menswaardige begrafenis krijgt.' Ik wou het hard en gevoelloos laten klinken, maar eerst begaf mijn trillende stem het, en toen begaf ik het.

Ik wist niet of het mijn dreigement of mijn verbeten, betraande gezicht was dat haar overhaalde de eerste spadesteek te doen.

Ze huilde geluidloos terwijl ze langzaam en onzeker spitte.

Ik liet me op de grond zakken en stopte het pistool weg. Het had toch geen nut meer.

Toen het gat ongeveer een halve meter diep was, begon ze te kokhalzen. Ik ging kijken, maar er was nog niets te zien. Twee spadesteken later plooide ze voorover en braakte haar maag leeg. Naast het gat.

Ze veegde haar mond schoon en groef verder zonder me aan te kijken en zonder dat ik haar hoefde aan te sporen. Haar lange, blonde haren vielen in vieze klitten langs haar gezicht. Haar jurk zat onder de aarde en smurrie. Haar druipende neus veegde ze tussen twee scheppen door met haar arm schoon. Ondertussen bleef ze krampachtig keelgeluiden maken alsof ze haar maaginhoud probeerde binnen te houden.

Ik kreeg zowaar medelijden met haar. Het was alsof ik voor het eerst door het waas van achterdocht een glimp van de vrouw zelf zag: een bang, ellendig wezen dat in haar eentje voortploeterde om zichzelf een weg uit deze nachtmerrie te graven.

'Ik zal je wat water en een handdoek halen', zei ik terwijl ik met moeite opstond.

Ik wist niet zeker of ze mij gehoord had. Ze bleef doorgraven zonder iets te vinden en het begon al te schemeren. Zou Malfliet dan toch tegen haar gelogen hebben?

In de koelkast vond ik een fles bronwater en in de lade onder de kookplaat twee theedoeken. Ik kon me nauwelijks voorstellen dat ik die er zelf enkele dagen geleden nog had in gelegd. Toen ik een van de doeken onder de warmwaterkraan hield, zag ik door het keukenraam hoe ze plots achteruitdeinsde, de spade liet vallen en het op een lopen zette met haar vuisten voor haar mond geklemd.

Een loodzware druk lag op mijn borst.

Ik liep terug naar de put die ze gegraven had, de fles en de theedoeken nog in mijn handen. Ik boog me over het gat en probeerde enkel te kijken, niets te voelen.

Op de bodem lag iets zwarts. Ik nam zelf de spade op en stootte ertegen. Het was niet hard. Het gaf wat mee. Ik keek of ik eromheen kon graven, maar het ding bleek omvangrijker te zijn dan ik had gedacht. Met wat takjes veegde ik de aarde van het voorwerp weg.

Het voelde leerachtig aan. Ik schepte nog wat meer zand weg en veegde de vrijgekomen oppervlakte met de natte theedoek schoon. Een ritssluiting kwam tevoorschijn.

Als een bezetene wroette ik verder tot ik eindelijk de jekker van onder de aarde kon trekken. Op de rug was de tekening van de twee opgestoken vleugels nog min of meer herkenbaar. Op de bodem van de put zag ik een stuk bot.

Ik bleef aan de rand van de grafput staan met het overblijfsel van de jekker tegen mijn borst gedrukt. Zonder te weten hoe het verder moest en zonder te voelen dat ik nog wel verder wou. Wat ik wel voelde, was een verpletterende vermoeidheid die al mijn zinnen verdoofde.

Met een bovenmenselijke inspanning slaagde ik er nog in een paar scheppen aarde over het uitstekende bot te werpen.

Ik moest slapen. Ik stond op instorten.

Heel langzaam draaide ik me om. Ik zag dat zij met haar handen voor haar ogen tegen een boomstam geleund stond. Ik strompelde naar haar toe en ging vlak naast haar staan. Ze durfde me enkel vanuit haar ooghoeken te bekijken.

Ik legde mijn hand op haar schouder en zei: 'Het spijt me.'

Toen zakte ik door mijn knieën en begon met schokken en diepe uithalen te janken. Zij kwam naast mij op het gras zitten en legde haar arm om me heen. Ik deed niks.

'Geloof je me nu? Geloof je me nu eindelijk, Frank? Nu weet je dat ik de waarheid heb verteld.'

Ze had inderdaad de waarheid gezegd. Alsof dat nog iets te betekenen had.

'Ik heb ook heel veel van je broer gehouden, Frank. Ik sta aan jouw kant.'

Welke kant was dat dan?

Ze hielp me recht en ging met mij mee naar de logeerkamer.

Ik wou gewoon op het bed neervallen, mijn ogen sluiten en mijzelf niet meer zijn.

Zij stond erop me te helpen bij het uitkleden. Ik liet haar begaan.

Het pistool legde ik in de lade van de schrijftafel. Ze hield iedere beweging nauwlettend in de gaten.

Ik mocht niet vergeten het ergens anders te verbergen zodra ze de deur uit was.

Toen ik eindelijk onder de deken lag, kwam ze op de rand van het bed zitten en boog zich over mij.

'Wil je erover praten?' vroeg ze. Ze zag er nog altijd even smerig uit, de zwelling naast haar oog was ondertussen helemaal verkleurd en haar zure adem rook nog naar braaksel. Ze probeerde een glimlachje.

'Nee.'

Zo snel gaf ze het niet op. Ze streelde mijn haar en liet haar duim langs mijn oorschelp glijden. Het was de eerste keer in vele jaren dat een vrouw dat bij mij gedaan had.

'Slaap nu maar', zei ze en drukte een kus op mijn voorhoofd.

Eindelijk ging ze de kamer uit.

In de deuropening aarzelde ze even en keerde zich naar me om.

'Weet je, je doet me aan je broer denken', zei ze en knipte het licht uit. De beklemmende duisternis in de kamer deed me in paniek opschrikken. 'De gordijnen! Schuif de gordijnen weer open!' Ze deed wat ik gevraagd had en liet me daarna alleen.

Ik was compleet uitgeput en toch kon ik de slaap niet vatten. Ik lag naar de wiegende schaduwen op de muur te staren en voelde de pijn nog heviger dan voorheen.

Het sporadische gebonk en gegil van Malfliet was tot in de logeerkamer hoorbaar.

26

Het enge, kale kantoortje achter in het politiebureau voelde met de minuut claustrofobischer aan. Er waren geen planten, geen affiches, nauwelijks meubelen en de vaalgele lamellengordijnen waren zelfs op dit uur gesloten.

De agent tegenover mij las alles wat hij in zijn rapport had uitgetikt nog eens luidop voor. Zijn stem klonk verveeld, ik kreeg de indruk dat hij mijn relaas tijdverspilling vond en gewoon zo snel mogelijk naar huis wou. De zweem van sarcasme in zijn toon maakte dat ik me een dom, hysterisch wicht voelde.

'... de heer Paul Malfliet had bij een eerder bezoek van u bij hem thuis gezegd dat deze "Elizabeth" waarschijnlijk al eens in zijn woning was geweest zonder zijn toestemming toen hij er niet was. Paul Malfliet suggereerde toen ook dat het mogelijk was dat deze vrouw hem wou afpersen. Op welke grond is onbekend...'

Ik voelde dat ik een kleur kreeg. Gelukkig keek de agent niet eens op van het blad papier voor hem.

'Hij liet er geen twijfel over bestaan dat "Elizabeth" niks voor hem betekende en hem enkel tot last was. Op 25 mei 2009, bij een ander bezoek aan het huis van de heer Malfliet, maakte "Elizabeth" totaal onverwachts de deur open. Zij verklaarde dat Paul Malfliet Anna Verbeeck nooit meer wou zien omdat hij en deze "Elizabeth" opnieuw intiem waren. Toen Anna Verbeeck eiste Paul Malfliet te spreken, werd haar met geweld de toegang tot het huis geweigerd, hetgeen haar deed vermoeden dat er iets niet pluis was.'

De dubieuze blik die hij mij van achter zijn donkere bril toewierp, deed mij nog meer ineenkrimpen.

'Nauwelijks een uur later belde de heer Malfliet Anna Verbeeck op om een afspraak te maken bij haar thuis in Jette. Dit om een misverstand op te helderen. Omstreeks 15.30 uur verschenen zowel Paul Malfliet als "Elizabeth" voor de deur. Paul Malfliet verklaarde dat hij en "Elizabeth" inderdaad een hechte, intieme relatie hadden en dat het beter was dat hij en Anna Verbeeck elkaar niet meer zouden zien. Anna Verbeeck had de indruk dat de heer Malfliet niet geheel uit eigen wil handelde en helemaal niet meende wat hij zei. "Elizabeth" maakte daarna een beledigende opmerking over de seksuele prestaties van Anna Verbeeck.'

Waarom moest die akelige vent heel dat rotding nog eens luidop voorlezen? Was hij eropuit mij te vernederen omdat ik tussen hem en zijn avondeten stond? Om mij goed te laten voelen hoe ongeloofwaardig het allemaal klonk? Een gedumpte oude vrijster die onbewust wraak wou nemen op haar rivale...

'Voor Anna Verbeeck was dit nog een aanwijzing dat het hier om een schijnvertoning ging. Zij had immers sinds 1999 geen intiem contact met Paul Malfliet meer gehad.'

Hier stopte hij even, alsof hij zijn twijfels hierover duidelijk wou maken. Ik keek hem al niet meer aan. Ik wou enkel nog in de grond zakken.

Hij zuchtte en ging verder: ' Na hun haastige vertrek, hoorde Anna Verbeeck geruzie op straat. Toen ze uit haar raam keek, zag ze Paul Malfliet en "Elizabeth" op de stoep vechten. Even later werd er opnieuw aangebeld bij Anna Verbeeck. Een man, die zich later zou identificeren als Thierry Fournier, privédetective, vroeg haar een zekere "Robin Schaeffer" te spreken. Anna Verbeeck kent niemand die zo heet, maar was heel verbaasd deze naam te horen omdat ze hem eerder die dag in een bizarre, cryptische e-mail gezien had. In deze e-mail, getekend "Robin Schaeffer", werd gesuggereerd dat hijzelf en Anna Verbeeck elkaar van vroeger kenden en dat hij haar opnieuw wou spreken in verband met een geldkwestie. Anna Verbeeck heeft geen idee naar welke geldkwestie hier verwezen werd. Thierry Fournier beweerde dat deze Robin Schaeffer een kennis van "Elizabeth" en/of Paul Malfliet zou zijn. Thierry Fournier wou Anna Verbeeck geen verdere inlichtingen over de aard van zijn onderzoek of zijn klant geven. Dit alles doet Anna Verbeeck sterk vermoeden dat "Elizabeth" Paul Malfliet afperst (of erger) en dat zij waarschijnlijk samenwerkt met deze Robin Schaeffer. Anna Verbeeck ziet de e-mail die zij ontvangen heeft als een vorm van intimidatie en vreest ook voor haar eigen veiligheid.'

De agent kuchte. Ik keek gegeneerd op en was al blij dat hij tenminste zijn gezicht in de plooi hield. 'Is dit volledig juist, mevrouw Verbeeck?'

'Ja.'

'U wilt niks toevoegen aan uw verklaring?'

'Nee. Alles staat er zo wel een beetje in', antwoordde ik met een klein stemmetje.

'Kunt u dan hier en hier even tekenen?'

Ik deed wat hij vroeg terwijl hij op zijn stoel achterover ging leunen. Met zijn handen tegen elkaar gevouwen leek hij wel een vermoeide schooldirecteur die een vervelende leerling zou terechtwijzen.

'Wat wilt u eigenlijk dat wij hiermee doen, mevrouw?'

'Neem het me niet kwalijk als ik uw tijd verprutst heb, mijnheer.' Het kwam er bitser uit dan ik had bedoeld. 'Maar ik dacht dat al deze zaken verdacht genoeg waren om aan de politie te melden. Daarbij ben ik ongerust over mijn vriend, mijnheer Malfliet.'

'Waarom precies? Heeft deze vrouw – jammer dat u haar echte naam niet kent – hem ooit bedreigd waar u bij was?'

'Nee.'

'Waarom bent u er zo zeker van dat hun relatie niet echt is?'

Ik probeerde mijn geduld te bewaren en redelijk over te komen: 'Ik ken Paul Malfliet al heel lang. Hij heeft al eens eerder iets met deze vrouw gehad.'

De frons op het voorhoofd van de agent werd breder terwijl hij weer op zijn ellebogen ging leunen. Geen goed teken.

'En die korte relatie was heel desastreus voor hem gebleken. Hij was een gebroken man erna, helemaal veranderd... ten kwade. Hij kreeg professionele problemen, familiale problemen,...'

'Familiale problemen?' Weer schoot zijn wenkbrauw de hoogte in.

Ik begon te stotteren: 'Hij scheidde van zijn vrouw.'

'Wanneer was dat – die eerdere buitenechtelijke relatie en de scheiding?'

'In 1999 allebei.'

Hij pakte het blad papier weer op. 'Toen u zelf nog intieme contacten met mijnheer Malfliet had?'

Ik had zin om het blad uit zijn handen te rukken, voor zijn neus aan stukken te scheuren en weg te gaan. In plaats daarvan zei ik schaapachtig: 'Ja.'

'Mag ik aannemen dat er een verband bestaat tussen al die gebeurtenissen?'

'Ik had een relatie met Paul Malfliet van juni 1997 tot mei 1999', hoorde ik mezelf toonloos zeggen. 'Op een dag in mei 1999 hadden we afgesproken elkaar te ontmoeten in zijn villa in Watermaal-Bosvoorde. Ik had een kopie van de sleutel. Toen ik op het afgesproken uur aankwam en mijzelf binnenliet, was Paul nergens te bekennen. Plots kwam er een wildvreemde vrouw op mij af, diezelfde "Elizabeth" als nu, die mij zei dat ik moest ophoepelen. Dat Paul nu van haar was en dat hij mij niet meer wou zien. Ze liet me zelfs een foto zien die Paul ooit eens van mij genomen had. Hij had er allerlei schunnigheden op getekend en verwensingen op geschreven.'

'De geschiedenis herhaalt zich dus', sneerde de agent.

Het was de eerste keer in al die jaren dat ik dit wansmakelijke verhaal aan een levende ziel vertelde. Waarom moest het nu uitgerekend aan die tactloze, pedante patser tegenover mij zijn?

'Toch bent u sindsdien vrienden met hem gebleven?'

Hoe kwam het eigenlijk dat ik degene was die plots verhoord werd?

'Na die klap in het gezicht was ik sprakeloos het huis uitgelopen en wou ik hem natuurlijk niet meer zien. Twee jaar later liepen we elkaar toevallig tegen het lijf. Eerst wou ik gewoon doorlopen, maar hij wou absoluut met me praten. Omdat hij er zo miserabel uitzag, heb ik dan maar ingestemd. Hij zei me dat zijn relatie met die vrouw...'

'Hij heeft haar naam niet genoemd?' onderbrak hij me abrupt.

'Nee, hij sprak over haar als "dat mens" of ergere omschrijvingen. Dat is wat ik u probeer te zeggen: hij voelde een ware afschuw voor die vrouw. Zij was maar een bevlieging geweest, een uitschuiver die hem persoonlijk duur is gekomen te staan. Hoe kan hij dan nu plots weer verliefd zijn op "dat mens"? Daarbij, ik ken hem goed genoeg om te weten dat zijn spijt over wat hij mij had aangedaan oprecht was.'

De agent keek me aan met iets dat leek op minachtend medelijden.

'Sindsdien zijn we bevriend gebleven', voegde ik er kortaf en verveeld aan toe. 'Platonisch natuurlijk.'

Even dacht ik dat de man in lachen zou uitbarsten. In plaats daarvan zuchtte hij lang en nadrukkelijk en ging weer achteroverleunen in zijn stoel met zijn handen op zijn buik gevouwen. *De pasja van het plaatselijke politiebureau en het jaloerse kindvrouwtje.*

'U moet begrijpen dat er vanuit ons standpunt niet veel concreets aan de hand is. Er is geen misdaad gepleegd en er zijn zelfs geen bedreigingen geuit. Het enige wat we hebben, zijn uw vermoedens, de suggesties van uw vriend dat die mevrouw hem wou afpersen of had ingebroken en een bizarre samenloop van omstandigheden. Wat wilt u dat we daarmee doen?'

Daar zat ik met mijn mond vol tanden met gloeiende wangen.

'Het is toch allemaal vreemd en verdacht. Kunt u geen onderzoek instellen of...?' Pas toen ik de woorden uit mijn mond hoorde komen, besefte ik hoe stom het allemaal klonk.

De agent deed geen moeite om zijn ongeduld te verbergen: 'Misschien is het wel minder vreemd of uitzonderlijk dan u denkt, mevrouw. Sommige mensen blijven nu eenmaal graag aan de verkeerde mensen plakken. Uw ex-minnaar is een volwassen man en kiest zelf met wie hij omgaat. Het is niet omdat u de vrouw in kwestie niet mag of hun relatie wat bizar lijkt, dat er iets onwettigs gebeurt. En als hij vermoedt dat zijn nieuwe vriendin bij hem heeft ingebroken, moet hij zelf maar aangifte komen doen.'

'En die e-mail? Het is toch toevallig dat die detective diezelfde naam...'

Hij stak zijn handpalm omhoog om aan te geven dat hij genoeg onzin gehoord had voor één avond. 'Heeft die detective legitimatiepapieren laten zien?'

'Nee.'

'Heeft hij u gezegd waarover hij die Robin-nog-iets precies wou spreken?'

'Hij zei dat dat beroepsgeheim...'

'Mevrouw Verbeeck, denkt u ook niet dat de meest logische verklaring is dat die vent die bij u heeft aangebeld, ook degene is die deze e-mail geschreven heeft? Er lopen genoeg gestoorde fantasten en stalkers rond die het op alleenstaande vrouwen gemunt hebben.'

Zijn woorden kwamen aan als een ijskoud stortbad. Ik kon niks uitbrengen en durfde de mogelijkheid dat hij gelijk zou kunnen hebben niet eens te overwegen.

'Ik zou u aanraden op uw hoede te zijn en ieder contact met die "detective" te vermijden. Hebt u een camera in uw gsm?'

Ik stamelde iets onsamenhangends.

'Mocht deze man u ooit nog opzoeken of benaderen, maak dan openlijk een foto van hem. Dat heeft dikwijls een ontradend effect op zulke lui.'

Ik hield het niet meer uit. 'Het spijt me dat ik uw tijd verspild heb', zei ik nauwelijks hoorbaar zonder hem aan te kijken. Mijn benen leken als vanzelf op te staan. Een moment later schuifelde ik als een geslagen hond het benauwde kamertje uit.

'Mevrouw Verbeeck...'

Ik had de klink al in mijn hand en draaide me onzeker om.

Hij zuchtte en voegde er op een toegeeflijke toon aan toe: 'We zullen de wijkagent naar de villa van uw vriend sturen om te kijken of alles oké is. Meer kunnen we niet doen en ik denk niet dat het veel zal opleveren.'

Ik kon het niet opbrengen om hem te bedanken en haastte mij de deur uit.

27

Het knarsende geluid van de logeerkamerdeur deed me wakker schrikken. Een zweem zonlicht viel de kamer binnen. Het moest al vrij laat zijn.

'Heb ik je wakker gemaakt?' vroeg ze.

Ze kwam de kamer binnen. Ze hield een serveerblad in haar handen dat ze voorzichtig op het nachtkastje neerzette. Waarom had ze zich uitgesloofd om ontbijt voor mij te maken?

Ze ging voor het raam staan en baadde in het binnenvallende licht. Ze zag er frisser uit dan gisterenavond en ze had zich opgemaakt, maar de kneuzing op haar slaap was nog goed zichtbaar. Ik wierp een blik op mijn polshorloge: het was al bijna elf uur.

Het overblijfsel van Robins jekker hing nog steeds over de stoelleuning.

'Hoe voel je je?' vroeg ze bezorgd terwijl ze op de rand van het bed ging zitten.

Ik gaf geen antwoord. Dat scheen haar niet te ontmoedigen.

'Eet wat. Dan voel je je vanzelf wat beter.'

'Laat me alleen, wil je? Ik kom zo wel naar beneden.' Het klonk norser dan ik het bedoeld had, maar zij leek er zich niet aan te storen. Zij gehoorzaamde, maar in de deuropening draaide ze zich nog even om en bekeek mij enkele seconden lang zorgvuldig. Niet nieuwsgierig of bezorgd, eerder taxerend.

Ik had mezelf zonet voorgenomen om haar ontbijt onaangeroerd te laten, maar zodra ze de deur uit was, liet ik mijn voornemen varen. De honger was te groot.

Na enkele haastige happen hees ik mezelf moeizaam uit het bed. De realiteit van een nieuwe dag woog op mij als lood, mijn eerste dag zonder broer en zonder doel.

Ik zat minutenlang in mijn ondergoed op het bed. De indruk dat alles wat er voortaan zou gebeuren er niet meer toe deed, verpletterde mijn gemoed en ik deed niks om dat gevoel de kop in te drukken. Dat was mijn manier van rouwen.

Douchen, scheren, aankleden, alles ging even stroef en pijnlijk. Mijn lichaam was een en al kramp. Ik dacht aan Malfliet met zijn gebroken been in de twee kubieke meter en voelde niks: geen medelijden, geen schuld en ook geen genoegdoening. Zijn kreten van de avond ervoor hadden me aanvankelijk uit mijn slaap gehouden. Daarna had ik gedroomd dat het geschreeuw uit de intercomluidspreker kwam en ik nergens de knop kon terugvinden om het ding uit te zetten. Nu was alles stil beneden.

Ze wachtte op mij in de keuken, vroeg of ik nog iets wou eten. Ik negeerde haar.

Buiten zag ik de hopen opgedolven aarde nog liggen, en daarmee – voor het eerst die dag – een reden om iets te doen.

Ik gooide de put weer dicht, verwijderde de rest van het onkruid rond het onzalige graf en plantte een antieken smeedijzeren kruisbeeld dat ik op zolder had gevonden in de bodem. Ik, die nooit een voet in een kerk gezet had en nooit ergens in geloofd had. Robin zou zich een breuk gelachen hebben.

Zij kwam achter me staan en vroeg of het goed was als ze pioenrozen op het graf schikte. Ik liet haar begaan. Achteraf zou iemand Robin een menswaardige laatste rustplaats moeten geven, en iets zei me dat zij dat uiteindelijk zou worden. Hoe zou ik ooit officieel kunnen verklaren hoe ik wist dat het stoffelijk overschot van een familielid hier lag?

De woonkamer was een stinkende puinhoop geworden. Om iets omhanden te hebben, begon ik Malfliets rotzooi op te ruimen: de lege flessen en vieze borden bracht ik naar de keuken, de stinkende kleren propte ik in een vuilniszak en de meubels en het tapijt probeerde ik enigszins schoon te schrobben. De urinevlek op de sofa kreeg ik er met geen enkel middel uit.

Zij stelde voor om me te helpen. Ik antwoordde dat zij de keuken voor haar rekening kon nemen, wat ze prompt deed.

Malfliet had zijn spoor over de hele benedenverdieping achtergelaten. De rotzooi achter hem schoonmaken had iets bevredigends, alsof ik ieder spoor van zijn bestaan uitwiste. Ik voelde mij de vlijtige dienstbode die alles in orde bracht voor de terugkeer van zijn werkgever. Ik had het rijk voor mij alleen en ik had zeeën van tijd: een verstekeling op een luxejacht dat stuurloos ronddobberde in het midden van de oceaan.

In het kantoortje vond ik enkele rekeningen onder een kop ingedroogde koffie. Toen ik de formulieren in de bovenste lade van de dossierkast opborg, viel mijn oog op een bruine omslag zonder etiket. Hij was mij eerder al opgevallen, maar de inhoud had mij toen nog niet geïnteresseerd. Ik schudde hem opnieuw uit op het leeggemaakte bureaublad. Deze keer had het stapeltje oude bankbiljetten een hypnotiserend effect op mij. Ik telde meer dan een half miljoen in biljetten van tweeduizend en tienduizend Belgische frank. Dit geld lag hier dus al van voor 2002. Waarom had Malfliet het nooit ingewisseld voor euro's? Omdat hij officieel niet kon verklaren waar het vandaan was gekomen en omdat hij bang was? Omdat het zijn geld niet was?

Kon het zijn dat hij het gewoon vergeten was? Was het daarom dat hij mij ooit eens op het hart had gedrukt dat er geen baar geld in huis was?

Ik bleef maar naar de stapel briefjes turen. Ik betastte ze, telde ze opnieuw en rook er zelfs aan. Zou dit een deel van het losgeld zijn dat mevrouw Malfliet in 1999 had achtergelaten? De mogelijkheid bestond dat de rest van het losgeld hier ook nog ergens in huis lag.

Ik stopte de bankbiljetten terug in de omslag en liep ermee naar boven om ze in de lade van mijn schrijftafel te stoppen. Plots drong het tot me door dat ik het pistool er gewoon had laten liggen. De schrik sloeg me om het hart en even kon ik geen vin meer verroeren: het slot van de lade was makkelijk te forceren en zij had daar onder-tussen alle tijd voor gehad. Met grote stappen stormde ik naar boven, de logeerkamer in. Het slot was intact en het pistool lag onaangeroerd waar ik het de avond ervoor had neergelegd. De kogel zat nog steeds in de kamer.

Opgelucht verstopte ik het wapen en de omslag in een van Malfliets fotomateriaaltassen, die ik in mijn kleerkast verborg.

Nog geen minuut later werd er op de deur geklopt. Ze vroeg mij of ik iets wou eten. Ik aanvaardde haar aanbod zonder plichtplegingen en volgde haar naar beneden. Malfliet had vermoedelijk onze voet-stappen op de trap gehoord, want hij begon weer tegen het melkglas te bonzen en te schreeuwen. Verwensingen werden dreigementen en dreigementen werden smeekbedes. Zijn stem klonk zwak en onvast.

Zij haastte zich naar de keuken om het ellendige geluid niet meer te moeten horen. Haar beverige handen, schuwe blik en moeilijke slikbewegingen spraken boekdelen. Ik daarentegen voelde me nog steeds emotioneel verdoofd.

De keuken zag er weer wat schoner en leger uit. Ze had soep en broodjes klaargemaakt. Ik at ervan zonder iets te proeven. Zij raakte haar portie nauwelijks aan.

Ze zat daar maar op haar kruk.

Ik keek naar haar en werd weer overvallen door de vlaag van em-pathie die gisterenavond in de tuin ook even was aangewaaid. Er smolt of verweekte iets in mij en een moment zag ik haar als wat ze ooit moest geweest zijn: Robins vrouw.

'Hoe heb je mijn broer destijds leren kennen?' hoorde ik mezelf vragen.

Zij bleek eerst al even verbaasd door de plotse verandering in mijn houding.

'Via een wederzijdse vriend. We waren met een groepje gaan bowlen.'

'Was het liefde op het eerste gezicht?'

'Voor mij wel', haar gezicht fleurde ietsje op, wat haar jonger deed lijken. 'Bij hem kwam het wat geleidelijker. Ik heb de eerste stap moeten zetten.'

'Hebben jullie samengewoond of...?'

'Even maar. Enkele weken nadat ik bij hem ingetrokken was,' – hier kreeg ze het moeilijker – 'is hij hierheen gekomen.' Ze keek me hulpeloos aan.

'Sprak hij ooit over zijn zaakjes? Hoe hij zijn geld verdiende?'

'Ik wist dat het allemaal niet zuiver op de graat was. Zo naïef was ik ook weer niet.'

'Wist je wat hij van plan was toen hij... hierheen kwam?'

'Hij had me verteld over de man bij wie hij ging inbreken en hoe hij het ging doen. Ik maakte me vreselijk zorgen toen hij de volgende dag niet naar huis kwam, haalde me van alles in mijn hoofd. Maar dat heb ik je al verteld...'

'Had hij ooit iets over een partner gezegd? Iemand met wie hij samenwerkte voor de inbraak?'

Ik zag haar piekeren.

'Dat kan ik me niet herinneren', antwoordde ze uiteindelijk terwijl ze wegkeek. Waarom zou ze hierover liegen? Wie had ze te beschermen?

'Je moet wel heel erg verliefd op hem geweest zijn om na zijn verdwijning met Malfliet in de koffer te duiken enkel en alleen maar om erachter te komen wat er gebeurd zou kunnen zijn...'

Ze speurde mijn gezicht af op zoek naar een hint van sarcasme of minachting. Mijn opmerking had haar geraakt, maar hoe precies kon ik uit die grote, vochtige ogen niet opmaken. Een stel pokerspelers waren we, met alle twee de verkeerde kaarten.

'Je broer was de liefde van mijn leven', zei ze alleen maar. Haar breekbaar glimlachje kwam verontschuldigend over.

'Hij is me voor zijn verdwijning dikwijls komen bezoeken in de gevangenis. Hij had wel ooit eens een nieuwe, anonieme verovering vermeld, maar verder ben jij nooit ter sprake gekomen.' Zodra ik het gezegd had, kreeg ik er al spijt van. Ik liet gegeneerd mijn lepel zakken.

Het glimlachje op haar bleke gezicht werd breder en tegelijk nog breekbaarder: 'Ik heb niet gezegd dat het gevoel wederzijds was.'

Bij wijze van verontschuldiging legde ik even mijn hand op haar arm.

'Eet je niets?'

Ze schudde afwezig haar hoofd en raakte mijn vingertoppen aan. 'Ik heb geen honger meer.'

Het kantoor, de bibliotheek, de woonkamer, Malfliets slaapkamer, de kamer zonder deur, heel het huis haalde ik als een bezetene overhoop op zoek naar de rest van het losgeld.

Af en toe stak zij haar hoofd om de deur om te vragen wat ik zocht en of ze mij kon helpen. Keer op keer wimpelde ik haar af en weigerde uitleg te geven. Daarop trok ze zich in een gekwetst stilzwijgen terug en begon ik me schuldig te voelen. Zij was het dichtste bij wat Robin had als weduwe. Zij had op een manier ook recht op een deel van dat geld. Maar het was niet uit egoïsme dat ik mijn mond hield. Mijn eigen motieven waren mij ook niet duidelijk. Zocht ik het losgeld om mijn theorie te bewijzen? Omdat ik het Malfliet niet gunde? Uit een verwrongen rechtvaardigheidsgevoel dat dit geld Robin toebehoorde en dus nu zijn 'erfgenamen'? Omdat Robin ervoor vermoord was en het samen met hem begraven moest worden? Ik wist het niet, maar ik wist wel dat het mij opnieuw een concreet doel had gegeven.

Toen ik alle kasten, rekken, dozen en andere holle voorwerpen in het huis vruchteloos had uitgekamd, richtte ik mijn aandacht weer op de tuin. Wie wist wat Malfliet daar nog allemaal begraven had...

Lukraak begon ik te spitten, voornamelijk in de omgeving van de gereedschapsschuur en rond de bomen aan de schutting achter in de tuin.

Na een tiental putten gegraven te hebben, besefte ik dat het gekkenwerk was. Als Malfliet de rest van het geld al begraven had, zou het waarschijnlijk net als de jekker vlak bij Robins lijk liggen. Er kon geen sprake van zijn dat ik daar opnieuw zou beginnen te delven. Ik kon het natuurlijk ook gewoon aan Malfliet zelf vragen, hem bedreigen en dwingen te spreken. Maar het vooruitzicht dat ik die deur zou openmaken en de gedachte aan wat ik daar zou aantreffen vervulden mij met zo'n afgrijzen dat ik het idee onmiddellijk weer liet varen. Zo laag was ik nog niet gevallen. Ik had bovendien de kelders en de zolder nog niet doorzocht.

Moedeloos liep ik het huis terug in. Op mijn weg naar de keldertrap zag ik dat zij voor de wc-deur stond te dralen. Van achter de deur kwamen weer zwakke, kermende geluiden. Toen ik wat beter keek, zag ik dat zij de sleutel in haar hand hield.

Ik vloog op haar af en greep haar bij de polsen. In haar andere hand hield ze een strip pillen. Ze protesteerde niet en probeerde zich zelfs niet los te worstelen. Ze keek me enkel met grote, bange ogen aan.

'Wat was je van plan?'

'Hij heeft pijn, Frank. Hij zit daar al bijna een hele dag zonder zijn medicijnen of pijnstillers. Ik kon het niet langer aanhoren.' Het gekerm van achter de deur werd luider.

'Wou je die deur openmaken?' Ze knikte onzeker.

Ik wrong de sleutel uit haar hand en stopte hem in mijn broekzak.

'Daar is het nu te laat voor', zei ik toonloos. 'We kunnen niet meer terug. Als we hem eruit laten, zullen wij het uiteindelijk moeten bekopen. Het is zijn verdiende loon.'

'Ik wou hem er niet uit laten, gewoon heel even de deur openen om de medicijnen naar binnen te gooien', stamelde ze terwijl ze haar pijnlijke pols masseerde.

'Geef mij die pillen.'

De strip met de tabletten kon ik zonder veel moeite onder de deur door schuiven. De capsules waren echter te groot. Hij moest het dan maar zonder ontstekingsremmers doen.

'Misschien kun je beter naar huis gaan', zuchtte ik zodra ik weer rechtop stond. 'Dat is vast makkelijker voor je.'

Ze schudde haar hoofd zonder van de vloer op te kijken. 'Ik kan nergens heen. Zeker niet naar mijn man.'

'Heb je geen andere familie of vriendinnen bij wie je een tijdje kan logeren?'

'Nee. Ik heb geen aanleg voor vriendschappen.'

Ik snapte wat ze bedoelde.

Zachtjes nam ik haar weer bij de arm en leidde haar weg van die wc-deur.

'Luister. Ik heb hier in huis een aardige som cash gevonden. Het moet nog omgewisseld worden in euro's, maar het blijft geld.'

Haar ogen werden nog groter en ze kwam nog dichterbij staan. 'Is dat het geld waarover je het gisteren had toen je... toen...' Ze aarzelde om haar zin af te maken.

'Het is geld', antwoordde ik kortaf. 'Misschien ligt er ergens in het huis nog meer. Ik heb ook zijn kredietkaart gevonden en hij is zo dom geweest om zijn code in een bureaulade te laten rondslingeren.' Haar gezicht lichtte op.

'Misschien kun je wat van dat geld gebruiken om je intrek te nemen in een hotel. Zeg tegen je man dat je al die tijd in dat hotel gezeten hebt omdat je depressief bent en even wat tijd voor jezelf nodig had. Nodig hem uit om hem te laten zien dat je echt alleen op een hotelkamer zit en niet bij een of andere vrijer. Als de situatie tussen jullie na een week of zo nog gespannen blijft, kun je nog altijd alleen gaan wonen.'

Een luide bons tegen de wc-deur deed me opschrikken. Het feit dat er geen tweede volgde, gaf zelfs mij kippenvel. De hoopvolle glimlach op haar gezicht was weer helemaal weggevaagd. Ik greep haar bovenarm wat steviger vast.

'Het belangrijkste is dat je maakt dat je hier snel wegkomt en dat je vergeet dat je hier de afgelopen dagen geweest bent.'

Voor ik het besefte, had ze haar armen om mijn middel geslagen, haar lichaam tegen me aan gedrukt en haar hoofd op mijn schouder gelegd. Ik meende dat ze daar stilletjes aan het snikken was, maar zeker was ik niet. Instinctief legde ik mijn armen om haar heen en aaide haar troostend over haar schouderblad. Ik wist dat het gebaar niks voorstelde, maar het voelde beter aan dan ik durfde toe te geven.

'Je kunt beter nu meteen gaan', fluisterde ik in haar oor. 'Ik kan je wat van die oude biljetten of de kredietkaart meegeven...'

Ze keek naar me op. Haar ogen zagen er inderdaad wat roder en nog wat vochtig uit.

'Ga met me mee', zei ze zwakjes tussen twee slikbewegingen in. Ik bevroor.

'Ik ben bang', voegde ze er als uitleg aan toe.

Ik duwde haar van me af. 'Kraam geen onzin uit en maak dat je hier wegkomt. Het is je enige kans om je uit deze rotzooi te werken.'

'En jij dan?'

'Niemand behalve jij weet dat ik hier ben. Er is dus ook niemand die mij zal komen zoeken.'

Met grote passen liep ik naar de kapstok, nam een grijs damesjasje van de haak en wierp het haar toe. 'Wil je nu de kredietkaart en de code of wat cash?'

Ze raapte het jasje vertwijfeld op en gaf het me terug. 'Dit is niet van mij', zei ze bijna verontschuldigend en liep de woonkamer binnen om haar spullen bijeen te zoeken.

Toen ze terug buiten kwam met haar handtas, sjaal en autosleutels in de hand, gaf ik haar de kredietkaart. 'Dit zal waarschijnlijk de eenvoudigste oplossing voor je zijn. De code heb ik op het visitekaartje geschreven. Haal er voldoende geld mee af aan een bankautomaat. Het is voorzichtiger om de kaart niet in een hotel of een restaurant te gebruiken.'

Ze nam de kaart aan en liep het huis uit zonder nog een woord. Door het woonkamerraam keek ik haar na. Er stonden niet veel goede daden genoteerd in het boek van mijn leven, maar dit was er een die kon tellen.

Ook in de kelders was er geen geld te vinden. De immense zolderruimte bleef nog over, maar ik kon de moed niet meer opbrengen om daaraan te beginnen.

Ik sleepte me naar boven, terug naar de logeerkamer en plofte op het bed. Van uitrusten was er echter geen sprake. Zonder mijn bezigheidstherapie kregen mijn demonen mij meteen weer in hun greep.

Robins lijk, begraven als tuinafval. Malfliet die door mijn toedoen lag weg te kwijnen in zijn eigen wc. Hij had hetzelfde gedaan met Robin en het daarna met mij geprobeerd, maar dat maakte mij niet minder tot een beul.

Over de rand van de afgrond zag ik enkel een diep zwart gat. Geen enkel bedrag dat ik hier ooit zou vinden, zou het kunnen opvullen.

Ik werd steeds rustelozer en begon te ijsberen. Het plannetje om gewoon te grijpen wat ik grijpen kon, anoniem naar de hulpdiensten te bellen, de wc-deur open te maken en het op een lopen te zetten, begon steeds beter te klinken in mijn hoofd. En toen viel mijn oog op de losgerukte tapijttegels in de gehavende achterkamer. De krakers over wie Malfliet het had gehad... Waarom zouden ze lukraak tapijttegels van de vloer hebben proberen te trekken? Ik bekeek de brandvlek van dichterbij. De contouren waren op de overgebleven tegels nog goed te zien, maar de tegels in het midden waren verwijderd. Het stuk plankenvloer dat nu te zien was, was nergens zwartgeblakerd. De bitumen backing had het vuur dus tegengehouden.

Hadden ze een hout- of kolenkacheltje laten branden, het ding daarna per ongeluk omgestoten en zo een brandje gesticht? Hadden ze daarna de meest verzengde tegels weggerukt en daar iets onder gevonden? Iets wat de moeite was om verder te zoeken? Zolang er niet te veel bankbiljetten in zaten, kon je zeker een omslag tussen zo'n tegel en de plankenvloer plakken. Was het de bobbel in het tapijt geweest die het kacheltje van de krakers had doen wankelen?

Meer had ik niet nodig om er opnieuw in te geloven. Met een snijmes dat ik in de gereedschapsschuur vond, begon ik de andere tapijttegels los te wrikken.

Ik had al bijna drie vierkante meter plankenvloer gestript toen een verschijning in de deuropening mijn hart een slag deed overslaan. Ik veerde recht met het snijmes in mijn vooruitgestoken vuist geklemd. Zij was teruggekomen.

'Het spijt me', zei ze bedremmeld. 'Ik wou je niet laten schrikken.'

Ze had zichzelf binnengelaten. Ze had dus een sleutel.

Ik liet mijn arm zakken en slaakte een lange, vermoeide zucht.

'Ben je iets vergeten?'

Ze stapte de lege kamer binnen en ging met haar rug tegen de muur leunen.

'Ik ben in mijn auto gestapt, heb wat contant geld afgehaald en bij het eerste hotel dat ik zag ben ik gestopt. Maar ik ben niet uitgestapt. Ik kon het gewoon niet. De zinloze eenzaamheid die mij daar wachtte, sneed mij letterlijk de adem af.'

'Onder medeplichtigheid aan moord uitkomen is niet zinloos', zei ik bars.

Onverstoorbaar ging ze verder: 'Ik heb dan maar wat rondgereden en nagedacht. En ik ben tot de conclusie gekomen dat ik niet wil vluchten voor de werkelijkheid. Dit is het enige wat ik heb dat er nog toe doet. Begrijp je, Frank?'

'Nee', loog ik.

Ze deed een schuchter stapje vooruit en liet haar hoofd hangen. 'Ik heb ook beseft dat ik jou niet wil verliezen. Jij bent de enige persoon die ik in al die jaren heb ontmoet die echt is. Niet de collega van mijn man, niet de achterneef van mijn moeder, niet de vrouw van de buren, niet de huisdokter, de postbode, de werkster, de bediende aan de kassa, de medecursist, maar gewoon jij.'

'... De broer van je vroegere vriend?'

Ze schudde peinzend haar hoofd. 'Eerst wel, maar nu niet meer. Begrijp je?'

'Nee', zei ik naar waarheid.

Ik was het allesbehalve gewend dat vrouwen met mij flirtten en ik stond daar maar, onbeholpen, met het mes nog in mijn hand. Ze had in ieder geval geen slechter moment kunnen uitpikken.

'Toen je me daarnet vasthield, voelde ik iets wat ik al heel lang niet meer gevoeld heb. Iets wat ik wil terugvinden', zei ze terwijl ze vlak voor me kwam staan.

Voor ik het wist, had ze me een kus op de lippen gedrukt. In haar ogen fonkelde iets wat ik nog niet eerder gezien had en niet thuis kon brengen. Maar het leek me geen verliefdheid.

'Je begaat een stommiteit', wou ik haar toebijten, maar het kwam er prevelend uit.

'Kan best zijn', antwoordde ze scherp. 'Maar ik heb de afgelopen tien jaar niets anders gedaan dan stommiteiten proberen te vermijden en kijk wat het mij heeft opgeleverd.'

Zelfs ik kon inzien dat het geen zin had haar om te praten.

'Wat ben je van plan?' zuchtte ik.

Ze haalde haar schouders op en sloeg haar armen over elkaar. 'Ik blijf.'

Het leek alsof er verder niets te zeggen viel. Ik liet me weer op mijn knieën zakken en ging verder met de volgende tegel. Zo hoefde ik die prangende blik ook niet meer te beantwoorden. Toch wou ik ook niet dat ze de kamer uit ging. Dat was nog iets wat ik niet begreep.

'Waar ben je mee bezig?'

'De rest van het geld', zei ik zonder op te kijken. 'Ik vermoed dat het wel eens onder een van die tegels zou kunnen liggen.'

'Heb je nog zo'n mes?'

Ik schudde van nee.

Ze verdween en even later kwam ze terug met een aardappelschiller.

'Zal ik deze kant van de kamer doen?'

Zonder een antwoord af te wachten, hurkte ze neer en begon met het lemmet door de wollige groeven te grissen. Ze keek even naar me op als om te vragen of ze het goed deed. Ik gaf geen kik. Met veel moeite en gekreun trok ze een hoek van haar eerste tegel naar boven. *Hier ligt niets.* Bij de tweede scheurde ze een vingernagel en begon pijnlijk te jammeren en heen en weer te wiegen. Ze vermeed mijn blik, vermande zich en ging op handen en knieën aan de volgende zitten. Ik bleef naar haar kijken terwijl ze haar schoenen uittrapte, haar jurk optrok en steunend voortploeterde.

Ik keek en dacht er niet meer aan zelf verder te werken. Ik dacht aan hoe ik met het mes dat ik heel die tijd in mijn hand geklemd hield die donkere jurk van haar zou willen opensnijden. Ik dacht aan wat ik daarna zou willen doen en hoe ze zich eerst zou verweren. Even maar. Ik vergat dat ik haar niet eens mocht en nauwelijks vertrouwde.

Toen haar vijfde tegel maar niet wou loskomen, keek ze voor het eerst op van haar werk en wierp mij een hulpeloze blik toe. De uitdrukking op haar gezicht veranderde abrupt toen ze het mijne zag. Ze leek zowel beminnelijker als meer verbeten te worden, maar misschien speelde mijn fantasie mij parten.

'Ik ben hier niet goed in', zei ze met een beverige stem terwijl ze sluipend langzaam op handen en knieën naar mij toe kroop.

'Ik ook niet', gaf ik hees toe toen haar gezicht vlak bij het mijne was.

Twintig minuten later lagen we naakt naast elkaar tussen de afgerukte stukken vilt.

Het avondlicht dat door de ongewassen ramen viel, gaf de scène een onverdiende tederheid. Ik lag naar het vlekkerige plafond te staren, zij lag op haar zij tegen mij aan.

Er viel niets te zeggen, maar de stilte tussen ons werd niettemin ondraaglijk.

'Waaraan denk je?' vroeg ze uiteindelijk terwijl ze haar jurk over ons heen spreidde als een laken.

'Ik denk dat we hier niets meer zullen vinden', antwoordde ik zonder haar aan te kijken. 'We kunnen beter een andere kamer proberen.'

Ik voelde haar een moment verkrampen, maar toen stond ze zonder protest op en kleedde zich weer aan. Daarna wachtte ze geduldig en uitdrukkingsloos tot ik mijn kleren bij elkaar gesprokkeld had en alles weer net als daarnet leek.

'Kom', zei ik terwijl ik de achterkamer uit liep. Ze kwam.

'Neem me niet kwalijk dat ik de deur niet voor je openhoud.'

Ze glimlachte even.

Het schoot me te binnen dat er in de afgesloten kamer naast die van mij ook een aantal tapijttegels ontbrak. Tijdens mijn eerste verkenningsnacht hier was ik bijna over een van de overgebleven exemplaren gestruikeld. Dat kon een voorteken geweest zijn.

'Ik weet waar we het meeste kans hebben', zei ik opgewonden en greep de sleutel van de haak.

Zij trok wit weg en verroerde geen vin meer.

'Is er iets?'

Ze stond daar maar naar de gesloten deur te staren alsof ze er dwars doorheen kon kijken.

Geïntrigeerd draaide ik de sleutel in het slot. Toen ik de deur opende, werd ik weer overvallen door de dikke, muffe lucht die aan het vertrek leek te kleven. Net als de duisternis die er hing. De verlichting in de kamer was nog altijd niet hersteld en zelfs nadat ik de gordijnen wijd opengetrokken had, voelde het er nog somber aan.

De gapende vierkantjes plankenvloer lagen allemaal verspreid door de kamer.

Pas toen ik me omkeerde om haar te vragen aan de kant van het raam te beginnen, merkte ik dat ze verdwenen was.

Het leek me beter haar niet te gaan zoeken.

Toen de avondschemering uiteindelijk te zwak werd om de kamer nog te verlichten, hield ik het voor bekeken. Ik had nog steeds niks gevonden, maar ik had wel veel nagedacht. Over mijzelf, over wat ik allemaal gemist had en over wat ik allemaal nog zou missen. Zoals mijn betere ik.

Door die enkele verdwaalde momenten met haar had ik een glimp opgevangen van een gevoelswereld die mij altijd ontzegd was. Het was een heel vage glimp geweest en ik had er al mijn verbeeldingskracht voor nodig om het beeld scherper te krijgen. Toch was ik er meteen hartstochtelijk gehecht aan geraakt. Niet aan *haar*, natuurlijk. Zij was slechts een medium.

Op de overloop zag ik dat de deur van de logeerkamer openstond. Zij zat op de vloer onder het venster en keek naar me op. Ze verwelkomde mij met een moeilijk leesbare glimlach, niet echt blij, maar ook niet triest.

'Ik was op weg naar de keuken', gaf ik schaapachtig toe. 'Is er nog iets te eten, denk je?'

'We kunnen straks een traiteur laten komen', zei ze minzaam. 'Paul trakteert.'

'Noem hem niet Paul.'

Ik ging naast haar zitten. Ze keek even op van haar gevouwen handen op haar opgetrokken knieën en dan weer terug.

'Vertel me wat meer over Robin. Hoe was hij als hij bij jou was?'

Haar glimlach werd breder en nog moeilijker peilbaar.

'Ik denk graag dat hij gelukkig was met mij', begon ze na een aarzeling. 'Hij maakte zich minder zorgen, haalde grapjes uit, verwende mij op allerlei manieren. Zo gaf hij me voortdurend geschenkjes: sieraden, kleren, cd's, mijn eerste gsm, soms gewoon het eerste het beste prul dat er grappig uitzag...'

Ik ging achteroverleunen met mijn achterhoofd tegen de vensterbank.

'Heb je die cadeautjes nog?'

Ze knikte. 'In een speciale koffer. Af en toe draag ik sommige van de kleren en de sieraden nog... als mijn man er niet is.'

'Ik zou ze graag eens zien.'

Haar gezicht fleurde helemaal op.

'Dat kan! Ik heb de koffer bij me in de auto.' Ze sprong op en zei dat ik hier moest wachten. Als een koket tienermeisje.

Even later was ze terug met een kleurrijk versierde dameskoffer, ongetwijfeld ook een relikwie uit betere tijden.

Ze ging op haar knieën zitten, opende de koffer, veranderde toen opeens van idee, deed hem weer dicht en ging ermee de kamer uit. 'Ik weet iets beters', gaf ze als verklaring. Van achter de muur maande ze me aan te blijven zitten. Ze zou zo klaar zijn.

Toen het zover was, maakte ze haar rentree op blote voeten en met een blote, rode jurk aan waarvoor ze ondertussen iets te dik was geworden. De halsketting en armbanden waren goedkoop en opzichtig. Haar ogen straalden, maar haar glimlach had iets verontschuldigends.

'Dit was mijn lievelingsjurk. *Is* mijn lievelingsjurk', verbeterde ze zichzelf.

'Mooi', zei ik. Robin had nooit enig benul van smaak gehad, dacht ik met een krop in de keel.

Ze haalde de koffer er weer bij en liet me enkele van haar souvenirs zien. Bij sommige had ze een anekdote: 'Dat flesje parfum heeft hij in een opwelling voor mij gestolen. Het lege doosje heeft hij gewoon teruggezet.' Ze vernevelde wat op haar pols en liet mij eraan ruiken. 'Dit T-shirt heeft hij me gekocht aan een kraampje toen we een weekend in Frankrijk waren.' Er stond een afbeelding van een naakte vrouwentorso op. 'Deze cd vonden we allebei heel mooi. Soms speelden we hem in de slaapkamer.' Mijn gemoed schoot vol toen ik het hoesje zag. Het was van een groep die ik hem ooit had aangeraden.

'Had hij het soms over mij?' vroeg ik zo toonloos mogelijk terwijl ik de cd krampachtig vasthield.

'Ja. Heel dikwijls', zei ze zacht en legde haar hoofd op mijn schouder. 'Hij was heel trots op zijn grote broer.'

Ik antwoordde niet, kon niks antwoorden, staarde gewoon voor mij uit.

Zij zag mijn stilzwijgen als een uitnodiging en schoof haar vingertoppen tussen de knopen van mijn hemd. Ik liet haar begaan. De tranen in mijn ooghoeken likte ze dankbaar weg. Het bleek al gauw dat het geen gebaar van tederheid, maar van gulzigheid was geweest.

De vijfsterrentraiteur had ons feestmaal voor die avond aan de voordeur gezet en één keer aangebeld zonder te wachten, precies zoals zij hem had opgedragen. Ik raadde dat ze het risico niet wou lopen dat Malfliet kabaal zou beginnen te maken zodra de voordeur openging en een vreemde persoon zich aanmeldde.

We schransten ons vol op Malfliets kingsize bed en speelden een van Robins cd's op de stereo die erboven aan de muur hing. Zij droeg enkel de opzichtige sieraden. Ik droeg de luipaardslip die zij destijds uit Robins schuif had meegenomen en al die tijd in haar vrolijk versierde koffer had bewaard.

Zij voerde me stukjes vlees en smeerde de nog warme saus over haar buik, die ik daarna schoonlikte. De drank, een kasteelwijn van een beter jaar, had ik uit Malfliets wijnkelder gehaald.

We leefden voor het moment, want we hadden niks anders.

We leken twee kinderen die in hun gedeelde fantasiewereld opgingen, terwijl de echte wereld op een discrete, veilige afstand bleef. Maar enkel zolang we er beiden hard genoeg in geloofden.

'Heb je die koffer tien jaar lang in je auto laten liggen?' lachte ik tussen twee likken in. Hoewel ik al meer gedronken had dan ik in tijden had gedaan, voelde ik me vreemd lucide.

Ze giechelde en liet zich languit achterover op het bed neervallen. 'Ja. En wel precies voor dit moment.'

Een tel later betrok haar gezicht en begon ze te snikken.

Even plotseling sloeg haar stemming weer om en begon ze gelukzalig te glimlachen. Ik keek naar haar en deed geen poging meer het te begrijpen. Ze keek verrukt terug en begon te giechelen. Haar ogen stonden te scherp voor haar geveinsde dronkenschap.

Ze legde haar slipje over mijn ogen en fluisterde dat ik niet stiekem mocht kijken voor ze het teken gaf. Het teken bleek een speelse, maar venijnig nazinderde pets tegen mijn dij te zijn. Toen ik met een ruk opkeek, zag ik dat ze iets wat op een rijzweep leek in haar handen hield.

'Heb ik daarnet onder het bed teruggevonden', grinnikte ze.

'Kunnen we het gezellig houden?' Mijn weinig geamuseerde toon leek haar niet te ontmoedigen.

'Het is niet voor jou bedoeld, maar voor mij', zei ze en reikte me het ding aan.

'Ik heb hier geen ervaring mee', antwoordde ik ongemakkelijk.

'Oh nee?' glimlachte ze en masseerde haar nog zichtbaar verkleurde slaap. Voor het eerst had ik spijt van die klap. Mijn beteuterde gezicht deed haar hardop, maar lieflijk lachen. Toen vleide ze zich naast me neer, streelde mijn zere dij en zei: 'Je broer werd er ook opgewonden van.'

'Wil je zien hoe ik er tien jaar geleden uitzag?' vroeg ze plagerig. Ik vertelde haar niet dat ik dat al gezien had, maar keek haar vragend aan.

'Malfliet heeft me destijds met zijn videocamera gefilmd. Wil je het zien?' Ze knipoogde.

Ik volgde haar naar beneden en de woonkamer in. Het beetje maanlicht dat door de open gordijnen viel gaf de kamer een waas van serene rust die ik er nog niet eerder ervaren had. Zij knipte een schemerlamp aan en haalde grijnzend een v h s-cassette uit haar handtas. Ik vroeg me af of zij voor al haar vorige minnaars een afzonderlijke souvenirtas had, maar het leek me beter de vraag niet luidop te stellen. Niet nu.

Ze stopte de cassette in Malfliets overjaarse videorecorder en nodigde mij met een handgebaar uit om naast haar op het tapijt te komen zitten.

Ook deze keer gehoorzaamde ik. Op de fletse beelden op het scherm herkende ik met enige moeite de achtertuin. Alles zag er fris, gesnoeid en gemaaid uit en ik zag overal bloemen waar nu onkruid en verwilderde struiken woekerden. Zij kwam in beeld gelopen, tien jaar jonger, slanker en onbevangener. Ze had een regenjas aan. Een paar shots verder bleek dat dat alles was. Het deed me denken aan de polaroid waarop ze enkel Robins jekker droeg.

Ze zei me languit op het tapijt te gaan liggen, waarna ze schrijlings op me kwam zitten en de video met de afstandsbediening uitschakelde. 'Nu wil ik dat je naar mij kijkt', verklaarde ze.

Het was toen ik even mijn hoofd opzij draaide en mijn ogen wat opende dat ik het zag achter het raam. Een donkere schim, een schaduw die nauwelijks bewoog en die iets glimmends op ons richtte. Een ogenblik later was hij verdwenen.

Zij merkte dat er iets mis was en hield op met kronkelen.

'Wat is er?' vroeg ze. Het klonk bang en ontnuchterd.

'Een kramp. Het is alweer over', antwoordde ik en ging weer liggen. De betovering was echter verbroken en het moment was gepasseerd. De echte wereld had haar rechten weer opgeëist en zij had geen woorden nodig om dat te begrijpen.

Ze klom van me af en kwam met opgetrokken, gekruiste benen naast me zitten. Ik merkte dat ze rilde. 'We waren beter boven gebleven', zei ze.

Ik knikte, maar geen van ons beiden maakte aanstalten om op te staan en terug te gaan.

Ik vroeg me af hoe lang het zou duren voor de detective zijn nieuwe foto's aan haar man zou tonen.

28

Het huis leek ondertussen onderverdeeld in vertrekken waar het verleden en de toekomst me toelachten en de plaatsen waar mijn verdoemenis op de muren geschreven stond en ik niet meer durfde te komen. De laatste wonnen terrein: de wc, de slaapkamer naast de logeerkamer en de gereedschapsschuur hadden ze al. Nu voelde ik hoe ze hun invloed uitbreidden naar de hal, de bibliotheek met het gapende ziekbed en de rest van de achtertuin. Als een bangelijk kind probeerde ik ze zo veel mogelijk te vermijden, zeker als Frank er niet bij was.

In mijn hoofd herhaalde ik de gesprekken die ik met hem had gehad tussen de lakens van Malfliets bed. Het waren diepe gesprekken over belangrijke dingen, die het verdienden om opnieuw gevoerd te worden: Frank had me over zijn gevangenisstraf verteld, over eenzaamheid en de uitzichtloosheid van zijn cel. Hij had over zijn band met zijn broer gepraat en hoe verward en gekwetst hij was geweest toen die opeens zomaar was verbroken. Hoe machteloos en gefrustreerd hij zich had gevoeld omdat hij achter tralies niet kon uitzoeken wat er gebeurd was. Daarna had hij me toevertrouwd hoe kleinerend en vreselijk het voor hem was geweest om na zijn vrijlating bij zijn bejaarde moeder te moeten intrekken. Hoe het had gevoeld alsof hij nog altijd gevangen zat.

Als antwoord had ik teder door zijn haar gestreeld met een glimlach om mijn mond. Hij moest wel iets heel bijzonders voor me voelen om me al die persoonlijke ontboezemingen toe te fluisteren.

Op zijn beurt had hij me van alles over mijn relatie met Robin gevraagd en ik had hem de antwoorden gegeven die hij wou horen.

'Wat zag je in hem?' had hij me gevraagd.

'Iemand die mij nodig had... ook al deed hij of hij helemaal niemand nodig had', had ik geantwoord.

'Voel jij je niet schuldig om zijn dood?'

De vraag had mijn adem afgesneden. Gelukkig was het Frank niet om een antwoord te doen geweest. 'Ik wel. Ik blijf maar denken: als ik wat voorzichtiger was geweest, me niet had laten arresteren, had ik hem wat beter in de gaten kunnen houden. Als ik het goede voorbeeld had gegeven destijds, zou hij misschien nu nog in leven zijn met een eerlijke baan en een gezin. Er had iets van hem kunnen worden, weet je. Hij was slimmer dan ik, kon vlotter met mensen omgaan. Hij was gewoon beter dan ik.'

'Dat moet je niet zeggen, Frank. Ik weet zeker dat *jij* de betere bent.'

Het compliment mocht dan al gemeend geweest zijn, Franks gezichtsuitdrukking had er geen twijfel over laten bestaan dat ik een stommiteit begaan had.

Ik trof Frank aan in Malfliets slaapkamer, waar hij lusteloos door het venster stond te staren.

Alle kasten en laden stonden open en de vloer was bezaaid met kleren en andere rommel. De lakens waren van het bed gerukt en er zaten gapende scheuren in de matras.

Ik ging achter hem staan en legde mijn handen op zijn schouders.

'Dacht je dat hij het geld in die matras had verstopt?' zei ik zachtjes plagend.

'Niet echt', antwoordde hij zonder naar me om te kijken. 'Ik had gewoon zin om iets kapot te snijden.'

'Het zou fantastisch zijn als we het vonden, Frank... We zouden er een nieuw leven voor onszelf mee kunnen opbouwen, een nieuw begin maken.' Ik klonk als een opgewonden kind en een deel van mij voelde zich ook zo. 'Wat is het eerste wat jij gaat kopen als we een miljoen euro vinden?'

Hij antwoordde niet, maar dat kon mijn enthousiasme niet temperen. 'Ik zou een huis met een tuin kopen... ergens in een landelijk dorp waar niemand ons kent en dat heel ver weg ligt van deze teringstad met haar burgerlijke zelfingenomenheid en grijsheid.'

Nu keerde hij zich wel om: '*Ons?*'

Ik keek hem recht in de ogen. 'Ik denk dat we beiden al lang genoeg alleen zijn geweest, Frank. Ik in een liefdeloos huwelijk en jij in de gevangenis in je hoofd. Wij verdienen beter, Frank. Als er al iets goeds uit heel deze rotzooi mag komen, laat het dan zijn dat wij elkaar gevonden hebben.'

'Ik zou liever het geld vinden', zei hij met een lachje terwijl hij mij in zijn armen nam.

Ik gaf hem een speelse por in zijn ribben en lachte terug. *Heb ik eigenlijk wel het recht om gelukkig te zijn*, dacht ik bij mezelf.

'Het is nog niet te laat om terug naar je man te gaan, weet je.'

Eerst bleef ik hem glimlachend aankijken omdat ik dacht dat hij mij weer plaagde.

'Het is véél te laat. Daarbij, ik had sowieso nooit met die zak mogen trouwen.'

'Maar je bent wel met hem getrouwd...' Zijn gortdroge toon deed het laatste restje glimlach verwelken.

'Dram er nu niet over door, Frank. Het doet er niet meer toe. Hij heeft zelf gezegd dat hij wil scheiden. Ik kan hem geen ongelijk geven.'

Hij zuchtte en vleide zijn hand om mijn hals. 'Waarschijnlijk vinden we niks, weet je. Hoe was je van plan je idylle te betalen zonder inkomen?'

Met zijn duim tegen mijn keel voelde hij me slikken, want zijn gezicht verzachtte ineens weer.

'Maak je er nu maar niet druk om', zei hij met een geforceerde glimlach en drukte een zoen tegen mijn voorhoofd. 'Je hebt nog een heel leven de tijd om je zorgen te maken.'

Het viel me op hoeveel Frank op zijn broer leek. Ik herkende de wijdbeense manier van lopen, de onbewuste neiging om zijn hoofd een beetje schuin te houden als hij naar mij luisterde, de gewoonte om zijn duimen achter zijn broeksriem te haken. Zelfs die vaag dreigende ondertoon in zijn stem als hij mij iets opdroeg, deed me aan Robin denken. Het vertederde me.

Het was ook niet verwonderlijk dat ik constant aan Robin moest terugdenken. Frank vroeg me voortdurend naar details over onze relatie en hoe ik me zijn broer herinnerde. Ik vertelde honderduit over de fantastische momenten en de zinderende spanning tussen ons tweeën. Waar het moest, verfraaide ik de werkelijkheid wat. Frank hoefde niet te weten dat ik de oudere van de twee was geweest en dat zijn broer eigenlijk een moederfiguur in mij had gezien. Hij hoefde niks te horen over de slaande ruzies, het smeulende wantrouwen en het gevoel van mislukking waartegen ik iedere dag opnieuw had moeten vechten. Over de doden niks dan goeds.

Toen we weer eens halfnaakt in elkaars armen op de vloer lagen, ging Frank nog een stap verder en vroeg me naar Robins seksuele gewoontes.

Zodra ik de eerste gêne overwonnen had, verzon ik allerlei niet al te aanstootgevende bijzonderheden. Frank luisterde gefascineerd en stond erop bepaalde dingen zelf uit te proberen. Ik liet hem begaan en fluisterde hem alsmaar ranzigere verzinsels in het oor.

Ik gaf Frank een van Malfliets camera's en stelde voor om voor hem te poseren.

Eerst weigerde hij, zei dat hij daar geen verstand van had en dat hij niet tot Malfliets niveau wou zakken.

'Robin vond het ook opwindend om foto's van mij te maken', vertrouwde ik hem op een plagerige toon toe. Meer had hij niet nodig.

'Wat moet ik eigenlijk doen? Aanwijzingen geven?'

'Als je wilt. Of je volgt gewoon wat ik doe door de zoeker van de camera en telkens je zin krijgt om mij aan te raken, druk je op de knop.'

'Vind je me mooi?' vroeg ik, terwijl ik in mijn slipje tussen de maaltijdresten op de keukentafel ging zitten en hij als bezeten op de ontspanner drukte.

'Ja', antwoordde hij zonder meer.

'Hoe oud schat je me nu?'

'Dertig.'

Ik voelde me nog jonger dan dat.

De geluidsinstallatie stond voortdurend hard. Zo hoefde ik de stilte achter de wc-deur niet te horen. Ik probeerde er niet aan te denken, maar af en toe kon ik niet beletten dat er beelden door het pantser van nevels in mijn hoofd glipten. Malfliet bewusteloos met kwijl dat uit zijn mond droop. Malfliet die gek van angst en pijn heen en weer zat te wiegen en geluidloos wachtte op het einde. Malfliets lijk met de sporen van mishandeling en verwaarlozing op iedere vierkante centimeter uitgedroogde huid.

Ik verdrong ze allemaal en durfde er niks over te zeggen tegen Frank. Hij had me nooit de zaak met de medicijnen vergeven en ik voelde dat ieder woord van bezorgdheid over Malfliets toestand de band die ik met hem had opgebouwd zou kunnen verbreken.

Als we samen waren, Frank en ik, bestond er geen Paul Malfliet meer. Ook geen lijk dat de lucht in huis verpestte en ooit spoorloos zou moeten verdwijnen. In onze luchtbel was er maar plaats voor één dode.

Als hij niet bij me was, sloopte Frank het huis verder, op zoek naar iets waarvan hij ondertussen zeker was het nooit te vinden. Hij gooide de inhoud van kasten overhoop, brak planken los en scheurde de wandbekleding van 'hol klinkende' gedeeltes in de muren. Porseleinen vazen en kunstvoorwerpen belandden in scherven tegen de vloertegels, waardevolle schilderijen werden van hun haken gerukt en achteloos weggegooid.

Ik dacht er niet aan te protesteren of enkele van die kostbaarheden in veiligheid te brengen. Dat ik ze gewoon mee kon nemen en later op de zwarte markt te verkopen, zette ik van me af.

Als Frank wel bij me was, voelde ik mij iemand anders, iemand die ik al heel mijn leven had willen zijn en nooit gekend had. We praatten over ons verleden alsof het een nare droom was en over de toekomst alsof het heden nooit bestaan had.

We deden ons te goed aan de wijncollectie in de kelder en lieten de beste traiteurs complete menu's brengen op ieder moment van de dag. Dikwijls duurde onze eetlust niet eens langer dan het voorgerecht.

Slapen deden we nauwelijks of slechts droomloos. Het moeten wakker worden joeg ons angst aan.

Als we al kleren droegen, waren het souvenirs uit mijn koffer of uit de kleerkasten in Malfliets slaapkamer. We leken een stel uitgelaten kinderen op een verkleedpartijtje voor exhibitionisten. We lachten zonder aanleiding en bij momenten waren we gelukkig zonder het gevoel te hoeven rechtvaardigen.

Ik kon maar niet begrijpen hoe zo'n opwindende roes zo'n innerlijke rust kon geven.

Op een ochtend – het was een ochtend, want er kwam een straal zonlicht door de gordijnen van het zijraam – lagen we uitgeteld naast elkaar op Malfliets bed.

We keken in elkaars ogen, zeiden niks, dachten niks en voelden dat de tijd voor ons niet meer telde.

De schelle klank van de deurbel doorbrak brutaal de stilte en de betovering.

'Heb jij iets besteld?' vroeg ik fronsend.

'Niet dat ik me kan herinneren', antwoordde Frank misnoegd. Hij stond op, liep naar het raam aan de voorkant en tuurde door de kier tussen de gordijnen. Ik zag hoe hij ter plekke bevroor en zijn gezicht een harde trek kreeg.

'Frank, wat is er?'

'Er staat een politieauto op het pad', zei hij zonder van de kier weg te kijken.

Ik schrok recht. De plotse kilte in de kamer deed me rillen.

'Zie je iemand?' stamelde ik.

'Niet van hier', antwoordde hij toonloos. 'Ga naar beneden en kijk op het scherm van de videofoon of het je man is.'

Mijn hart kromp ineen. Ik was zo van streek dat ik geen vin kon verroeren.

'Haast je, verdomme!'

Nog voor ik iets om me heen had geslagen, sneed een tweede uithaal van de deurbel mij door merg en been. Nog voor ik bij de slaapkamerdeur was, deden een zwak gebons van beneden en de amechtige hulpkreten van Malfliet het bloed in mijn aders stollen.

Ik keek verschrikt naar Frank die met een ijskoude uitdrukking op zijn gezicht terugstaarde.

Op blote voeten haastte ik mij de trap af. Malfliets gekreun werd alsmaar luider en verstaanbaarder.

Hij leeft nog altijd, hij leeft nog altijd, galmde het door de leegte in mijn hoofd.

Er werd een derde maal aangebeld, korter, ongeduldiger. Malfliets hese smeekbedes werden pijnlijker.

Op het schermpje zag ik nog net het profiel van een onbekende politieman. Godzijdank was het er maar één en was het niet Eric. Enkele seconden later draaide hij zich om en verdween uit beeld. Malfliets hulpgeroep verwerd tot een beestachtig gejank dat mijn zenuwen aan flarden reet. Met mijn handen tegen mijn oren en tranen in mijn ogen rende ik terug de trap op.

Hij komt straks waarschijnlijk terug, hij komt straks waarschijnlijk terug...

Frank stond nog steeds als versteend aan het raam van de slaapkamer.

'Het was Eric niet', wist ik uit te brengen.

'Het doet er ook niet toe', antwoordde hij koudweg.

We keken elkaar aan en herkenden nauwelijks wat we zagen.

Hevig aangeslagen zocht ik zwijgend mijn eigen kleren bij elkaar.

Ik trok ze houterig en langzaam aan en vermeed angstvallig Franks blik.

Ik had me nog nooit zo moe en zo oud gevoeld.

29

'*Het moet*', zei ik tegen haar. 'Het is de enige manier waarop we snel genoeg al onze sporen kunnen uitwissen. Als we het handig aanpakken, zal Malfliets dood misschien niet eens meer op moord lijken.'

Ze schudde haar hoofd alsof ze het niet begreep.

'Maar waarom moet het nu meteen? Er moeten nog andere uitwegen zijn. We vinden vast wel iets als we rustig...'

Ik onderbrak haar meteen: 'Rustig? Hoe lang denk je dat het zal duren voor de politie terug is? En de volgende keer blijft het niet bij aanbellen, dat kan ik je verzekeren.'

'Dat weten we toch niet zeker...?'

Ik voelde dat ik mijn laatste restje geduld aan het verliezen was en begon harder te roepen: 'Denk je dat het een toeval is dat de politie hier uitgerekend vandaag langskomt? Ze hoeven niet eens te vermoeden dat er iets met Malfliet gebeurd is om hier binnen te breken en ons alle twee in de boeien te slaan. Als je echtgenoot je op overspel wil laten betrappen, staat hij hier straks met een paar collega's, een gerechtsdeurwaarder en een slotenmaker voor de deur. En reken maar dat ze zullen willen weten waar jouw minnaar uithangt!'

Ze liet zich op een van de keukenkrukken neerzakken terwijl ze het allemaal liet bezinken. Dat hoopte ik tenminste. Ze zat afwezig door het keukenraam te staren.

Het weer was ondertussen omgeslagen en de eerste regen van de dag tikte tegen het venster. Dat zou de hele klus nog moeilijker maken.

Met gebogen hoofd zat ze toe te kijken hoe een ander deel van zichzelf haar blote benen tegen elkaar wreef.

'En nadat je het hele huis hebt platgebrand,' vroeg ze uiteindelijk, 'wat ga je dan doen?'

'Maken dat ik wegkom. Wat kan ik anders doen?'

'Waarheen?'

Ik haalde mijn schouders op. Het enige wat nu voor me telde was het karwei hier afmaken. Alles wat daarna moest gebeuren, leek allemaal heel ver weg en irrelevant.

'Zie je wat ik bedoel?' drong ze aan. 'Je weet nog niet eens wat je zelf wil. Dit is geen plan, maar een paniekreactie.'

'Weet jij iets beters?'

'Kunnen we het niet op zelfmoord laten lijken? Zijn polsen oversnijden wanneer hij bewusteloos is en hem in een volgelopen badkuip leggen? We zouden zelf een afscheidsbrief kunnen intikken op zijn pc.'

'Wat zouden we daarmee opschieten? Bij een lijkschouwing – en die zou er in de huidige omstandigheden zeker komen – merken ze zo dat er van alles niet in de haak is. Hoe lang zou het duren, denk je, voor je man en zijn collega's jou verhoren en in beschuldiging stellen?'

Ze zei niets.

'Een verkoold lijk in een zwartgeblakerde puinhoop is een stuk minder belastend voor ons.'

Het begon harder te regenen. Mijn zenuwen stonden alsmaar meer gespannen. Zij daarentegen werd met de minuut meer melancholisch en lethargisch. Ik had geen idee wat haar bezielde.

'Wat gaan we dan doen met je broer?' vroeg ze hees.

'Niets', zei ik hard. 'Dat laten we aan de mensen over die de puinzooi hier zullen komen uitdoven en uitspitten. Ze kunnen niet naast het smeedijzeren kruisbeeld kijken dat ik in de tuin heb geplant. Ik zal Robins naam op een stuk karton schrijven dat ik aan het kruis zal bevestigen. Zo weten ze meteen welke naam ze op zijn grafsteen moeten zetten.'

'Het is zo'n zonde', mompelde ze zacht voor zich uit. 'Het was zo'n prachtige villa met zo veel mogelijkheden.'

Was ze niet goed snik geworden of hield ze me voor de gek? Ik greep haar bij de schouders, klaar om haar door elkaar te schudden, keek haar recht in de ogen en beet haar toe: '... En jij zult er hoe dan ook nooit meer een voet zetten. Malfliet heeft er zo dadelijk niks meer aan. Wij ook niet, want we zijn geen erfgenamen. Verder is er niemand.'

Totaal onverwachts vleide ze zich tegen me aan en sloeg haar armen om mijn middel.

'Straks blijven enkel wij nog over, Frank', prevelde ze met haar hoofd tegen mijn borst. 'Wat gaan we in godsnaam doen?'

Ik duwde haar van me af en antwoordde dat we helemaal niks gingen doen, behalve het huis in lichterlaaie zetten. Daarna zou er geen 'we' meer zijn, zouden we elk onze eigen weg gaan en vergeten dat we elkaar ooit gekend hadden.

Haar opengesperde ogen keken door me heen. Beverig en bleek hield ze zich aan het handvat van de fornuisoven achter haar vast.

'Heb ik je ooit iets anders beloofd?' verdedigde ik mezelf.

Allereerst moest ik de nodige brandstoffen bij elkaar zoeken. Het gasfornuis in de keuken opendraaien leek me niet afdoend. De hele villa moest in de fik. Een gat in de achtergevel blazen volstond niet.

Ik verloor heel wat kostbare tijd door te voet mijn eigen auto te gaan halen. De detective kende zowel de Lancia als de witte Ford, en ik mocht absoluut niet gevolgd worden op dit tochtje. Daarbij kon ik via de deur achteraan in de omheiningmuur ongezien het domein verlaten.

Toen ik mijn autosleutel in het contactslot omdraaide, weigerde het aftandse kreng te starten. Ik dwong mezelf mijn zenuwen de baas te blijven. Pas bij de vierde poging lukte het de motor aan de praat te krijgen.

In een doe-het-zelfzaak kocht ik enkele flessen brandalcohol en verfverdunner, in een speciaalzaak butaangas en in een speelgoedwinkel enkele zakjes ballonnen. Ik betaalde de duurdere aankopen met Malfliets kredietkaart die ik zonder het te vragen uit Elizabeths handtas had genomen. Benzine zou ik wel uit mijn tank overhevelen.

De hele rit lang piekerde ik over wat zij in het huis aan het doen was. Ze had voorgesteld om met me mee te gaan, maar dat had ik halsstarrig geweigerd. Ik wou haar duidelijk maken dat ik haar na vandaag ook niet op sleeptouw zou nemen. Een stommiteit, besefte ik nu.

Ik had de sleutel van de wc-deur nog altijd op zak, maar het was mogelijk dat er ergens nog een dubbele lag. Haar geweten kon het ook van haar gezond verstand winnen en ze kon de hulpdiensten bellen. Of alles aan haar man opbiechten, het onschuldige slachtoffer spelen en mij alles in de schoenen schuiven. Ik had geen flauw benul van wat er in haar hoofd omging.

Plots besefte ik dat ik wel eens met een auto vol tastbaar bewijsmateriaal in de armen van de politie zou kunnen snellen. Ik ging bijna op het rempedaal staan.

Pas toen ik zeker wist dat er niemand vanuit een nabij geparkeerde auto Malfliets huis zat te bespieden, reed ik het grindpad op. De brandalcohol en de ballonnen nam ik al meteen mee. Voor de butaangasflessen zou ik omzichtiger te werk moeten gaan en had ik waarschijnlijk haar hulp nodig.

Uiterst gespannen maakte ik de voordeur open. Nergens in het huis was er enig gerucht te horen. De wc-deur was nog altijd dicht.

Ik voelde aan de klink om te kijken of ze nog steeds op slot was en schrok me lam toen de klink als vanzelf nog een tweede en een derde keer bewoog. Hij was nog bij bewustzijn!

Op de benedenverdieping was zij nergens te vinden. Haar handtas stond nog steeds op de salontafel in de woonkamer. Deze keer graaide ik er haar gsm uit. Het ding stond nog aan en na wat zoeken zag ik dat ze de afgelopen dagen geen enkele oproep gedaan had. Daarna stopte ik het toestel in mijn jaszak. Als voorzorgsmaatregel.

Ik liep de trap op en zag haar in Malfliets slaapkamer op het voeteinde van het kingsize bed zitten. Behoedzaam ging ik de kamer binnen.

'Elizabeth?'

Ze keek met een triest glimlachje naar me op. Ze was nog steeds maar half aangekleed. En ze hield het pistool in haar beide handen geklemd.

'De kleerkast in jouw kamer en de kamer ernaast zijn van hetzelfde type. Het slot en de sleutel zijn ook gelijk', verklaarde ze minzaam.

'Je durft die kamer dan toch binnen?'

Het glimlachje verdween, maar een antwoord kwam er niet.

'Wat ben je van plan?'

'Ik weet het niet', gaf ze toe. 'Toen ik Erics wapen terugvond, heb ik even overwogen om me ermee door het hoofd te schieten. Even maar.'

De grijns was terug, hoewel ik niet kon uitmaken wat hij betekende. Ik ben nooit goed geweest in vrouwengezichten lezen.

'Stel je niet aan en leg dat pistool weg.'

Als antwoord richtte ze het op mij. Ik bleef stokstijf staan en overwoog mijn aanvalskansen.

'Daarna heb ik met het idee gespeeld om jou koud te maken. Maar dat ben je al, dus daarmee zou ik ook niks opschieten.'

'Ben je dronken?'

'Ik ben nog nooit zo nuchter geweest.'

Ze liet het wapen weer zakken en keek me scherp aan alsof ze zich al op haar volgende repliek voorbereidde. Het was nu of nooit. Ik vloog op haar af, duwde haar tegen het bed, stompte zo hard als ik kon tegen haar onderarm en wrikte het wapen uit haar hand. Hijgend lag ik met mijn volle gewicht boven op haar om haar in bedwang te houden. Ze begon te snikken en met haar ene vrije hand over de rug van de mijne te strelen. Alles werd rood voor mijn ogen en iets in mij ontplofte.

Ik trok haar van het bed af, draaide haar linkerarm op haar rug en greep haar bij de rechterpols. 'Nu is het genoeg geweest.'

Ik duwde haar voor mij uit de trap af en de gang door. Ze maakte protesterende geluidjes, maar ging gedwee mee, te onthutst om zich echt te verzetten. Aan de voordeur liet ik haar pols los. 'Openmaken.'

'Wacht...' hijgde ze, maar ik had al genoeg gewacht. Ik rukte haar opzij, zwaaide de deur open en duwde haar het huis uit.

Ze keerde zich totaal verbouwereerd naar me om. Haar onderlip trilde en haar ogen smeekten. Haar gezicht leek te oud voor zo'n kinderlijke grimas. Ze was weer een totale vreemde voor me geworden. Een ex-griet van Malfliet. Toch sloeg ik de deur niet meteen in haar gezicht dicht.

'Het pistool', zei ze met een gebroken stem. 'Mijn man zal me iets aandoen als ik het niet terugbreng.'

'Ik vertrouw je niet', zei ik enkel.

'Mijn handtas? De rest van mijn kleren?' Ze leek nu echt een verdwaald klein meisje.

'Blijf hier staan', antwoordde ik en sloot de deur. Ik grabbelde op de bovenverdieping haar schoenen en de vrouwenkleren die ik kon vinden bij elkaar en gooide ze door het raam naar beneden. De rode jurk die Robin voor haar gekocht had, lag nog steeds naast het bed. Ik besloot ze daar te laten liggen. Beneden pakte ik haar handtas en stak haar die door een kier in voordeur toe. De meeste van haar kleren had ze al uit het natte gras opgeraapt.

Op het scherm van de videofoon keek ik toe hoe ze zich langzaam aankleedde.

Toen ze uit beeld liep, ging ik naar de woonkamer om haar van achter het gordijn verder te bespieden. Ze strompelde door de poort zonder nog één keer om te kijken. Toen ze helemaal verdwenen was, kostte het mij al mijn wilskracht om de aanvechting te onderdrukken haar achterna te lopen, mij te verontschuldigen en haar uit te leggen dat ik geen andere keus had en zij trouwens ook niet.

Het leek alsof mijn uitbarsting van daarnet al mijn energie had opgebruikt. Doodop liet ik me op de sofa zakken en zat daar met mijn hoofd in mijn handen. Het huis voelde leger en smeriger aan dan ooit. Net als ikzelf.

Pas toen ik weer de moed had samengeraapt om uit de sofa op te staan en te beginnen met de uitvoering van het afscheidsplan, merkte ik dat haar gsm nog in mijn jaszak zat.

Ik vulde de ballonnen met verdunner en brandalcohol en bracht ze op strategische plaatsen in de verschillende kamers op de bovenverdieping aan. Aan de spijlen van de trapleuning bond ik er ook enkele vast.

Zowat de helft van mijn benzinetank sproeide ik met behulp van een tuingieter uit over ieder tapijt, gordijn, meubelstuk of ander brandbaar oppervlak dat ik zag.

Voor de wc-deur stapelde ik houtblokken, verdorde takken, stapels krantenpapier en in brandalcohol gedrenkte vodden op elkaar. Gelukkig gaf Malfliet geen teken van leven meer.

De flessen butaangas zou ik pas helemaal op het laatst in positie brengen.

Ik had geen flauw benul of dit allemaal zou volstaan om een dergelijk gebouw helemaal plat te branden. Zelfs dan zouden de brandweer of de forensische recherche waarschijnlijk nog bewijzen kunnen vinden van kwaad opzet. Niks meer aan te doen. Ik kon er enkel het beste van hopen en zo snel mogelijk verdwijnen.

Toch bleef ik rondhangen. Het was verstandiger om alle sporen van mezelf uit te wissen. Een of ander deel van het gebouw zou de brand kunnen overleven. Dus kamde ik iedere kamer uit op zoek naar het kleinste persoonlijke spulletje dat mij zou kunnen verraden.

In de badkamer schrobde ik het sanitair van onder tot boven

schoon en goot liters ontstopper in de afvoerbuizen om zeker te zijn dat er geen haartjes gevonden zouden worden. Iedere kam en borstel die ik kon vinden, stopte ik in mijn reiskoffer. Alle beddenlakens, dekens en handdoeken gooide ik in de keuken op een grote hoop die ik eveneens met benzine overgoot.

Het was zonde om de waardevolste kunstvoorwerpen en antiek in huis zomaar in vlammen te laten opgaan. Bovendien moest ik ook aan mezelf denken. Ik had geen bron van inkomsten meer en het was te riskant om Malfliets kredietkaart vlak voor of na zijn dood nog te gebruiken.

Ik had nog steeds een paar kennissen in het milieu die goed bevriend waren met internationale helers. Dus doorliep ik voor de zoveelste maal ieder vertrek, deze keer op zoek naar dingen die er waardevol uitzagen en niet te omvangrijk waren. Aan de rest van het losgeld dacht ik niet eens meer. Terwijl ik de kofferbak van mijn auto vollaadde met Afrikaanse sculpturen, dure horloges en achttiende eeuwse kandelaars, probeerde ik het verstikkende déjà-vugevoel te negeren. Dit *was het dus*, zei ik bij mezelf nadat ik mijn eigen spullen en de dameskoffer met Robins schatten in de bagageruimte had gepropt. De cirkel was rond. Ik was begonnen als een nietsnut en een dief en ik was geëindigd als een nietsnut en een dief. Ik had mijn enige broer op het criminele pad naar zijn ondergang gebracht, zijn moordenaar gemarteld en half levend verbrand. Een van zijn moordenaars tenminste... Kortom: een leven om trots op te zijn.

Het was geen zelfmedelijden dat ik voelde. Zelfmedelijden verlamt. Het was zelfverachting, en die bleek mij net energie te geven. Ik voelde mij rusteloos, panisch bijna.

Toch ging ik nog steeds niet weg.

Ik zei tegen mezelf dat Robin nog een laatste, waardiger afscheid verdiende. Dus ging ik terug naar de leeggeplukte plek in de achtertuin en stond daar zonder te weten wat te doen.

Ik maakte mezelf wijs dat Robin deze momenten van stilte verdiende, maar in werkelijkheid bleef ik aan zijn graf talmen omdat ik gewoon niet wist waar naartoe. Als ik die poort uit reed en opnieuw doelloos door de straten en lanen van Brussel zou beginnen te dwalen, zou ik nooit meer ophouden. Dat vooruitzicht was misschien nog ondraaglijker dan Robins dood.

30

Zoals een overlevende van een ongeval een na een zijn ledematen overloopt om te zien of ze het nog doen, ging ik als verdoofd het rijtje van gevoelens af. Frustratie en vernedering voelden vertrouwd aan, woede en angst waren tijdelijk verlamd door de schok, verdriet leek helemaal afgestorven. Het was aan walging om de vitale functies over te nemen.

Ook de buitenwereld zag er door de voorruit onwezenlijk uit: de Wilgenlaan met de dure auto's die achteloos voorbijreden en de voorbijgangers die onverschillig doorliepen. Gepantserd tegen het leven en alle passies, zagen ze eruit. Zo wou ik ook worden.

Spijt, viel me in, spijt was het dat ik op dit ogenblik het duidelijkst voelde. Geen wroeging of gewetensnood, maar spijt. Een spijt die alle andere emoties in mij verstikte. Spijt dat ik mij door mijn eigen sentimentaliteit had laten meeslepen. Spijt dat ik de blunders op elkaar gestapeld had. Spijt dat ik ooit naar die verdomde foto-expositie was geweest.

Spijt dat ik de zwerver niet meteen had neergeschoten toen ik er de kans toe had. Ik had het allemaal nochtans zo mooi uitgedokterd in mijn hoofd: ik zou Malfliet bevrijden, hem zeggen dat het allemaal Franks schuld was en dat ik hem had moeten neerschieten om Malfliets leven te redden. Tegen de politie hadden we kunnen zeggen dat we een gevaarlijke inbreker en brandstichter onschadelijk hadden gemaakt uit zelfverdediging. Waarom zouden ze ons niet geloven? Een dode ex-gevangene met een auto vol brandbommateriaal.

De doodse stilte achter de wc-deur had mij echter tegengehouden. Stel dat ik een pas gestorvene in het stinkende toilet zou vinden. Dat was zelfs voor mij te gruwelijk geweest. Ik kon me geen grotere eenzaamheid voorstellen dan alleen over te blijven in dat grote huis met twee lijken naast me en het volle gewicht van ons geheim op mijn schouders.

Nu, achter het stuur van de auto, was de gedachte dat Malfliet misschien nog niet helemaal dood was ondraaglijk. Ik hoopte dat de zwerver de man eerst zou wurgen, alvorens hem en zijn huis in de fik te steken.

Nadat ik minuten of uren – ik kon het niet zeggen en het deed er ook niet toe – voor mij uit had zitten te staren, startte ik de motor. Er zat niks anders meer op dan naar Vilvoorde terug te rijden en de totale mislukking te aanvaarden. Ik dacht aan het geld dat ik enkele dagen geleden met Malfliets kredietkaart had opgehaald, maar kon het plannetje van de zwerver niet meer uitvoeren. De walging was te sterk geworden.

Niet één keer gedurende de rit dacht ik aan Eric of hoe hij zou reageren.

De troosteloze huizenrijen, de natgeregende straten en wegen met de ongemanierde automeutes: ik herkende ze wel terwijl ik er door reed, maar de indrukken waren nieuw en rauw.

Ik deed geen poging om te begrijpen hoe dat kwam.

Toen ik de deur van de flat opendeed, zag ik dat hij me stond op te wachten in het miezerige halletje. Aan zijn hele houding zag ik dat hij deze confrontatie al ettelijke keren in zijn verbeelding had doorgenomen.

'Je hebt wel lef om hier zomaar te komen binnenwaaien', begon hij.

Ik keurde hem geen blik waardig.

'Heb je dan helemaal niks te zeggen?' schreeuwde hij furieus.

'Nee', zei ik zonder hem aan te kijken. Te verbouwereerd om mij meteen aan te vliegen, liet hij mij de eetkamer binnengaan. Mijn oog viel op enkele fotoafdrukken die op de tafel lagen. Ik herkende de voorgevel van de villa, mijn auto, en de scènes op het trottoir toen ik Malfliet op de achterzetel probeerde te helpen. Daarnaast lag een wazige, onderbelichte foto van mij en de zwerver op de vloer van de woonkamer. Van mij was enkel mijn blote rug te zien, de zwerver keek recht in de lens.

Eric kwam vlak achter me staan.

'Wel?' vroeg hij bars.

Ik keerde me langzaam naar hem om. We stonden dicht genoeg bij elkaar om elkaars ademhaling te horen.

'Wel wat?'

'Heb je nog niks te zeggen?' vroeg hij nog eens.

Ik haalde mijn schouders op: 'Nee, maar jij wel, neem ik aan...'

De eerste klap deed me wankelen op mijn benen. Mijn onverschilligheid maakte plaats voor koele, berekenende haat.

'Dat had ik al veel eerder moeten doen!' blafte hij in mijn gezicht. 'Hoe durf je mij te bedriegen na alles wat ik voor jou gedaan heb. Zonder mij zou je nu nog altijd in je kinderkamer bij je ouders zitten te verkommeren. Zonder mij ben je helemaal niets!'

Meer had ik niet nodig. 'Met jou ben ik ook helemaal niets, sukkel. Heb je dit miserabele hok al eens goed bekeken? Ik anders wel. Hele dagen, weken en jaren lang heb ik hier zitten wachten op iets of iemand beters. Dacht je dat ik mij ging inhouden als ik die eindelijk opnieuw tegen het lijf liep?'

Hij greep me weer bij mijn bovenarmen. 'Heb je mij dat vaker geflikt? Met nog meer kerels?'

'Vraag het aan je detective.'

Hij gaf me weer een oorvijg. Zonder de schrik van het onverwachte was de pijn best te harden.

'Ik heb je een vraag gesteld, kutwijf.'

'Nee. Dit was jammer genoeg de enige. Niet dat ik niet geprobeerd heb.' Ik begon te lachen. Hij zag er zo belachelijk uit.

'Vind je dit lollig misschien?' Hij bereikte stilaan zijn kookpunt. Ik haalde me voor de geest hoe zijn hoofd uiteindelijk zou ontploffen.

'Jij bent echt een nul, weet je dat? Als je een vent was, zou je gewoon je koffers pakken en een scheiding aanvragen zonder al die kouwe drukte. Maar dat ben je niet. Je bent een zielig keffertje dat zich als een grote, gemene hond voordoet in de hoop dat ik uit angst bij je blijf.'

'Denk je...', maar hij was te opgefokt om zijn zin af te maken.

'Ja, dat denk ik', ging ik onverstoorbaar verder – ik had bloed geroken. 'En dat denkt mijn rijke minnaar trouwens ook. Je bent een heel dankbaar gespreksonderwerp tussen twee wippen door, Eric, en een hoogst vermakelijk. Ik vertel hem wat voor een slaplul je eigenlijk bent en hij doet de psychoanalyse. Je bent een gefrustreerde nietsnut die zijn vrouw in zijn moeder wou veranderen omdat je eigenlijk liever met haar wil copuleren.'

Ik genoot van mijn eigen vulgariteit, van mijn pas ontdekte vrijheid.

Erics mondhoeken trilden. Heel zijn opgeblazen, rood aangelopen gezicht leek zich klaar te maken voor een uitbarsting.

'Dacht je dat we niet doorhadden dat je op het idee was gekomen om een privédetective in te huren om ons te begluren? Want daar komt het toch op neer? Het was toch jouw zielige manier om een deel van mij te leren kennen dat jij nooit te zien zou krijgen? Je bent immers nauwelijks een vent.'

Weer een klap. Ik genoot van de slapte ervan.

'... Dus besloten we maar eens lief voor je te zijn, en mooi voor de foto te poseren. Hoe denk je dat je hobbydetective die foto daar anders had kunnen maken?' Mijn harde, schelle lach klonk zelfs mij vals in de oren, maar toch bleek hij zijn effect niet te missen. Eric trilde over zijn hele lichaam. Hij liet mij eindelijk los zodat hij zijn beide vuisten kon ballen. *Sla maar*, dacht ik bij mezelf, *we hebben er alle twee zin in.*

'Hij vindt wel dat je niet zo'n goede smaak hebt. De vorige keer dat hij hier was, zei hij nog dat het behangpapier in de slaapkamer pijn deed aan zijn ogen. Nou, toen hebben we de rolluiken maar laten zakken en het licht uitgedaan.'

Voor het eerst deinsde hij achteruit. Ik glunderde. Ik was klaar voor de genadeslag. Wat had ik nog te verliezen?

'... En na mijn derde orgasme heb ik het licht weer aangemaakt en heb hem je wapencollectie laten zien. Hij was zo onder de indruk van je FN dat hij hem heeft meegenomen... met kogels en al.'

Erics gezicht werd lijkbleek. Met opeengeklemde kaken en opengesperde ogen staarde hij me aan.

'Hij zei dat hij je ermee voor je kop ging schieten en dat we het op een ongeluk konden laten lijken. Je bent toch altijd zo onvoorzichtig bij het schoonmaken van de loop.'

'Dat valt nog te bezien...' snauwde hij dreigend tussen zijn tanden terwijl hij zich langzaam omdraaide.

Een moment later hoorde ik hem rommelen in de slaapkamer. Ik stond nog steeds onbeweeglijk op dezelfde plek naast de eettafel. Gaan zitten wou ik niet. Hem achterna gaan om te kijken wat hij van plan was, had geen zin.

De korte opstoot van voldoening was weer doodgebloed en had enkel walging achtergelaten. Voor mijn part bleef ik hier voorgoed staan in het midden van deze kneuterige kamer.

De doffe klap van de dichtslaande voordeur bracht me weer terug in de werkelijkheid.

31

'Nee, mevrouw, er werkt hier niemand die Frank Saeys heet. Ook in de andere Brusselse korpsen niet.'

'Bent u daar helemaal zeker van? Die man is hier onlangs bij mij thuis geweest om mij vragen te stellen voor een onderzoek. Hij heeft toen een persoonlijke foto van mij meegenomen die hij zou terugbrengen. Ik ben nogal aan die foto gehecht.'

'Bent u wel zeker dat u de naam juist genoteerd hebt?'

'Het klonk als "Saeys". Hij heeft zijn mobiele nummer voor me opgeschreven.'

De man aan de andere kant van de lijn deed geen moeite om zijn ongeduld te verbergen.

'Hij heeft het voor u opgeschreven, zegt u? Hij had dus geen gedrukte naamkaartjes bij zich?'

'Nee.'

'Heeft die man u eigenlijk een politiekaart laten zien?'

'Dat kan ik me niet meer herinneren. Ik dacht van niet.'

'Wat wou hij allemaal van u weten?'

'Het ging over een inbraak in de villa van mijn ex-man die een tijd geleden plaatsgevonden zou hebben. Ik wist niet eens dat er daar ooit problemen geweest waren.'

'Heeft hij naar persoonlijke inlichtingen gehengeld? Diefstalbeveiliging, huidige bewoners,...?'

'Nee, het waren meer algemene vragen.'

'En hebt u dat mobiele nummer geprobeerd?'

'Natuurlijk, maar ik krijg maar geen antwoord.'

'Luister, mevrouw, het lijkt erop dat u een of ander onguur sujet over de vloer gehad hebt. Ofwel gaat het hier om een fantast, ofwel om iemand die inlichtingen inwint om een misdaad voor te bereiden. U heeft hem toch geen gevoelige informatie gegeven?'

'Nee, niets wat hij zou kunnen gebruiken.'

'En die villa waarover u het had, woont u daar nog?'

'Nee, ze is van mijn ex. Hij woont er alleen.'

'Dan kunt u hem maar beter even inlichten over dit incident. Zo kan hij eventueel bepaalde voorzorgsmaatregelen nemen.'

'Ja, dat is een goed idee.'

'U kunt eventueel een klacht tegen onbekenden komen indienen. Dan kunnen we u misschien helpen uit te zoeken wie die grapjas was.'

'Ik zal erover nadenken.'

'Zei u dat hij een foto had meegenomen? Wat stond er op die foto?'

'Gewoon een familieportret dat destijds in de villa was genomen.'

Voor de vierde maal probeerde ik het mobiele nummer. Na de vijf beltonen kwam er opnieuw dezelfde voicemailboodschap: 'Dit is Frank. Spreek maar een boodschap in.'

Geen twijfel meer mogelijk: ik kende die stem van vroeger.

32

Ik herkende de villa van de foto's die de jongens van het bureau mij hadden opgestuurd: protserig, bourgeois en goed verscholen tussen het opgeschoten onkruid.

Met draaiende motor bleef ik er enkele seconden lang naar kijken door het gat waar vroeger blijkbaar een poort had gezeten. Oud geld dat uiteindelijk in de handen van de uitgetelde generatie was terecht-gekomen. Ik kon me niet voorstellen dat mijn vrouw zich ooit in dit milieu had weten in te werken, zij die nooit vrienden maakte en zelfs geen moeite deed enige interesse te tonen als ik een kennis mee naar huis bracht. Blijkbaar had die feeks dan toch talenten.

Pas toen ik met een ruk aan het stuur het domein opreed, zag ik dat er een roestig, oud wrak voor de deur geparkeerd stond. Dit klopte niet met de rest van het plaatje.

In mijn woede had ik er helemaal niet op gerekend dat hij wel eens niet alleen zou kunnen zijn. Er stond geen reclame op de auto, dus het leek me weinig waarschijnlijk dat er vaklui aan het werk wa-ren. En iemand die in dit optrekje woonde, zou toch geen visite krij-gen van iemand met zo'n vehikel.

Toen schoot het me te binnen dat een van de jongens onlangs iets gezegd had over een klaploper die hier in het zwart klusjes uitvoerde. Die kon ik waarschijnlijk makkelijk wegjagen door hem mijn poli-tiekaart onder zijn neus te duwen.

Met mijn rechterhand op de Glock 19C in de heupzak van mijn regenjas stapte ik op het huis af. De tuin, bijna een privépark, lag er hopeloos verwaarloosd bij en het vuilnis stond gewoon in open zak-ken onder de ramen. Alles wat ik zag bevestigde het beeld dat de jongens mij geschetst hadden van de eigenaar: een rijkeluiszoontje met artistieke pretenties en zonder ruggengraat. De gedachte dat zo'n dégénéré mijn vrouw het hoofd op hol had kunnen brengen en het aangedurfd had mij in mijn eigen huis te beledigen, maakte mij uitzinnig.

Ik belde aan. Geen antwoord... De klootzak.

De tweede keer hield ik mijn vinger op de belknop. Een volle mi-nuut later kwam er nog steeds niemand opendoen. De jongens had-den gezegd dat de heer des huizes een gebroken been had en zelden het huis uit ging. Ik was echter niet van plan mij door dergelijke consideraties te laten vermurwen.

Uit frustratie bonkte ik met mijn gebalde vuist tegen de deur. Even dacht ik wat rumoer te horen, maar nog kwam er niemand de deur openmaken.

Ik morrelde aan de deurknop en tot mijn verbazing zwaaide de deur zonder meer open. Hij had niet eens de moeite genomen om zijn voordeur af te sluiten.

Een bijtende benzinegeur sloeg me in het gezicht zodra ik de hal instapte. De vloer was bezaaid met plassen en vlekken, de smerige traploper was van de onderste treden gerukt en iemand had voor een van de deuren een stapel tuinafval en vodden gedeponeerd. Met iedere stap werd de stank indringender en ik moest vechten tegen de misselijkheid. Vlakbij hoorde ik gestommel.

Toen zag ik hem. Hij kwam domweg de trap afgelopen en bleef op de middelste trede staan toen hij mij zag. Ik had mij hem als een afgelikte, overjaarse playboy voorgesteld, maar het was een gedrongen, armoedig geklede pummel met een ongeschoren boeventronie die op mij neerkeek. Hij had een verbouwereerde uitdrukking op zijn smoel en hij had mijn FN High Power MKIII in zijn hand. Hij was het dus toch.

Ik trok de Glock uit mijn jaszak en richtte die op de hand waarmee hij het pistool vasthield. De gore lafbek keerde zich met een ruk om en zette het meteen op een lopen.

'Schaeffer!' schreeuwde ik, terwijl ik voorzichtig de trap op liep met het pistool in de aanslag en met mijn rug tegen de muur gedrukt. 'Denk je dat ik niet weet wie je bent, Robin Schaeffer? Wat je hier met mijn vrouw uitvreet?'

Toen ik ver genoeg gevorderd was om over de bovenste trede te kunnen kijken, schrok ik me rot. Hij stond op de overloop op me te wachten met halfopen mond en een oerdomme, verwarde blik in zijn ogen. De reactie kwam instinctief. Ik richtte de Glock op de rechterarm, haalde zonder na te denken de trekker over en dook weg.

De droge, harde knal van het wapen werd gevolgd door een kreet van pijn en het geluid van een lichaam dat neerviel.

'Schaeffer, gooi mijn pistool de trap af!' gilde ik met onvaste stem. Ik hoorde enkel zijn moeilijke ademhaling en wat gekreun. Ik dacht ook even wat gestommel en een stem van beneden te horen. Maar nu had ik andere dingen aan mijn hoofd.

'Schaeffer!' Geen antwoord. Was hij te zwaar gewond om te reageren?

Toen ik mijn nek strekte om te zien wat er gebeurde, keek ik recht in de loop van de FN. Schaeffer lag languit op de vloer van de overloop. Zijn hele lichaam beefde krampachtig, behalve zijn uitgestrekte arm die hij met zijn linker in bedwang hield.

Het volgende moment leek het alsof een vrachtwagen mij van de trap duwde, mijn trommelvliezen doorboord werden en mijn schouder explodeerde.

33

Ik hoorde gestommel op de trap en een doffe klap tegen een hard oppervlak. Vanwaar ik lag kon ik niets zien, maar de gedempte, wegstervende kreun deed niet veel goeds vermoeden.

De pijn in mijn rechterbovenarm was ondertussen ondraaglijk geworden. Het tapijt waarop ik lag was zompig van de benzine en het bloed. Met een bovenmenselijke krachtinspanning kon ik me met mijn linkerhand aan een deurklink optrekken. Ik sleepte mezelf naar de badkamer en trachtte niet op het bloedspoor te letten dat ik achterliet.

Ondanks alles had ik nog de tegenwoordigheid van geest om de badkamerdeur achter mij op slot te doen.

Voorzichtig ging ik op de closetpot zitten en probeerde mijn jas en hemd uit te trekken zonder mijn rechterarm te bewegen. Toen dat niet lukte, schoot de pijn me door de arm en romp.

De kogel had een vleeswond in de zijkant van mijn arm gescheurd, maar geen enkel bot was geraakt en ik kon mijn vingers nog bewegen. Ik zou het ook wel zonder dokter overleven. Ik moest wel.

Met wat ik in het medicijnkastje vond, probeerde ik een drukverband te improviseren. Daarna gooide ik een halfvol flesje ontsmettingsalcohol leeg over het verband. Kronkelend van de pijn ging ik op de badkamervloer liggen met mijn rechterarm op mijn borst. Met mijn linkerhand drukte ik zo hard als draaglijk was op de wonde. Het zweet parelde op mijn voorhoofd terwijl een golf van gevoelloosheid zich door mijn hele lijf verspreidde.

Het licht van de tl-buizen waarin ik lag te staren werd almaar vlekkeriger.

Ik moest even in zwijm gevallen zijn, want toen ik mijn ogen weer opende, was er een kwartier voorbijgegaan. Mijn rechterarm voelde loodzwaar en branderig aan, maar ik kon nog steeds mijn vingers bewegen. Mijn T-shirt was vochtig van het bloed, maar het bloeden bleek intussen min of meer gestelpt.

Ik voelde me loom en duizelig, maar ik kon hier onmogelijk nog langer blijven liggen. Het kon niet anders of iemand had de twee schoten gehoord en de politie gewaarschuwd. Misschien waren ze al onderweg. Als ze me vonden met twee halve lijken in huis en talloze bewijzen van moedwillige brandstichting zou ik de rest van mijn leven achter tralies doorbrengen.

Ik slaagde erin rechtop te blijven staan zonder mijn maag leeg te braken. De eerste stappen gingen moeizaam, zeker omdat ik maar één arm kon gebruiken om steun te vinden, maar het lukte me de badkamer te verlaten en naar beneden te strompelen. Onder aan de trap lag mijn aanvaller ondersteboven met de achterkant van zijn hoofd tegen de onderste trede. In zijn val had hij de traploper losgerukt. Zijn pistool lag een eind verder in de hal op de vloer. Mijn kogel had hem net onder zijn rechtersleutelbeen geraakt. Behalve zijn borstkas was er niks aan hem dat verroerde. Uit zijn halfopen mond kwamen flauwe keelgeluiden.

Ik boog me over hem. Zijn ogen keken in mijn richting, maar toch kreeg ik de indruk dat ik het niet was die hij zag.

'Ik zal een dokter voor je bellen', fluisterde ik. Ik dacht niet dat hij me verstaan had en twijfelde eraan of het straks überhaupt nog zin zou hebben.

'Waarom noemde je mij Robin?' moest ik hem vragen.

Het enige antwoord was een zwak gerochel.

Stap voor stap sleepte ik mij naar de woonkamer en naar de buffetkast waar Malfliets pijnstillers en ontstekingsremmers lagen. Ik slikte er twee van elk, spoelde ze door met een teug cognac en viel uitgeteld neer op de sofa.

Pas een kwartier later voelde ik me weer sterk genoeg om op mijn benen te staan. Ik wankelde naar buiten, de frisse, vochtige buitenlucht in, om de verbanddoos uit mijn auto te halen. Zodra ik ermee bij mijn slachtoffer arriveerde, zag ik dat het al te laat was. Zijn borstkas schokte niet langer op en neer en ook het reutelen was opgehouden.

Met mijn zakdoek over mijn linkerhand sloot ik zijn ogen – wat maar half lukte in de houding waarin hij lag- en viste zijn portefeuille uit zijn binnenzak. 'Eric Verstraete' stond op de identiteitskaart. Ik vond ook zijn politiekaart. Het zag er nog beroerder voor mij uit dan ik had gevreesd.

Ik moest hier zo snel mogelijk weg. Ver weg. En wel meteen. Er was geen tijd om stil te staan bij alle ellende die ik hier had aangericht. Er was ook geen tijd om de wc-deur te openen en Malfliet voor alle zekerheid een genadeschot te geven. Ik had ook gewoon het lef niet.

Op de vloer van de bibliotheek vond ik een hemd van Malfliet dat ik zo snel als de pijnscheuten in mijn rechterarm het toelieten, aantrok. Aan de kapstok hing nog een colbert van hem. Die kon ik ook gebruiken. Al de rest liet ik liggen. Ook de twee pistolen.

Verstraetes wagen blokkeerde het grindpad. Gelukkig had hij het portier niet afgesloten en bleek de sleutel nog in het contactslot te zitten. Schakelen lukte me enkel met mijn linkerhand, maar dat volstond om het ding van het domein te rijden en langs de kant van de weg te parkeren.

Mijn eigen auto gaf me meer problemen. Na anderhalve kilometer worstelen door het woelige stadsverkeer gaf ik het op. Ik wist niet eens waar ik naartoe moest rijden.

Ik zette de auto op de parking van een supermarkt omdat me dat minder pijnlijk leek dan parallel te parkeren.

Met mijn voorhoofd tegen het stuurwiel probeerde ik op adem te komen en weer helder te denken. Ik moest terug, dat was de enige zekerheid die ik had. Terug en het werk afmaken. Ik had misschien de meeste vingerafdrukken wel kunnen wegvegen, maar ik had overal bloedsporen achtergelaten. Met twee moorden op hun bord zou de recherche zeker een DNA-onderzoek laten uitvoeren. Ik moest terug, maar ik kon nauwelijks.

Na nog een pijnstiller en nog meer cognac, waagde ik me eindelijk uit de auto. Op beverige benen strompelde ik de hele weg terug en vervloekte mijzelf omdat ik zo ver gereden had. Met mijn linkerhand hield ik mijn rechterbovenarm tegen mijn romp aan gedrukt, maar dat kon de donkerrode vlekken op de mouw van het colbertje niet verbergen. Voorbijgangers bleven staan en staarden me aan. Ik probeerde hun blikken te ontwijken. Een jongere op een scooter riep me na. Ik verstond niet wat. Een vrouw kwam naar mij toe en zei op autoritaire toon dat ik moest gaan zitten, dat zij een ambulance voor mij zou bellen.

'Bemoei je met je eigen zaken', beet ik haar toe. Ze was te verbouwereerd om iets terug te zeggen.

Net toen mijn benen het wilden begeven, zag ik de Lancia van Malfliet staan, nog steeds op de plek waar ik hem destijds geparkeerd had. Was dat werkelijk nog maar een paar dagen geleden? Ik had de sleutel al die tijd in mijn broekzak laten zitten. Met een druk op de afstandsbediening werden de portieren ontgrendeld. Ik liet me hijgend in de luxueuze chauffeurszetel zakken. De hout- en ledergeur van het interieur verwelkomde me als een oude vriend. Het dashboard was indrukwekkend. Naast mij stond de hendel van de automatische versnellingsbak. Met mijn rechterarm op de brede armleuning, bleek die plots wat minder pijn te doen. Voor het eerst die dag kreeg ik een sprankeltje hoop.

Ik reed de wagen met een slakkengang het huizenblok om. Er waren nog geen politieauto's te bekennen. Het was nog niet te laat.

Even later volgde er nog een goed voorteken: er was een vrije plaats net tegenover het achterpoortje van het domein.

Ik ging naar binnen. De tuin lag er nog precies zo bij als twee uur geleden en toch voelde alles er plots vreemd en vijandig aan. Het was een gevoel dat me maar al te bekend was. Het had me vaak genoeg overvallen toen ik voor het eerst een onbekend terrein betrad om een inbraak voor te bereiden.

De deur onder de pergola stond nog steeds open. Niettemin moest ik mezelf overwinnen om de achterkeuken binnen te stappen. De stank in het huis was overweldigend. Ik kon me voorstellen dat ik er zelf ook van doortrokken moest zijn. Geen wonder dat de meeste mensen daarnet op het voetpad achteruitdeinsden zodra ik te dicht in de buurt kwam.

Weer viel het me op hoe stil het in het huis was. Geen tikkende klokken, geen murmelende leidingen, niks. Enkel een loodzware kalmte en het geluid van mijn eigen gehijg. Verstraetes lijk lag er nog, nog altijd in dezelfde verwrongen houding. Waarom was dat zo'n schok voor me?

Terwijl ik naar hem stond te kijken, mezelf voorhield dat niemand deze man – die ik niet eens kende – zou missen, werd ik opgeschrikt door een gedempt, onderbroken gezoem dat van boven kwam. De schrik sloeg om in paniek toen ik het geluid herkende als de beltoon van een mobiele telefoon. Er was iemand op de bovenverdieping... waar ik het FN-pistool had laten liggen.

Met het pistool van Verstraete in mijn linkerhand geklemd, strompelde ik de trap op.

Het zoemen hield op zonder dat er iemand antwoordde.

Het eerste wat ik zag toen ik over de traprand keek, was de loop van het wapen waarmee ik Verstraete had neergeschoten. Het lag nog altijd op dezelfde plaats. Net toen ik het wou wegnemen, sneed de dubbele zoemtoon van de automatische boodschappendienst door merg en been.

Het geluid kwam van achter de openstaande deur van de badkamer. Ik had geen flauw idee wat te doen als ik oog in oog zou staan met de indringer. Toch sloop ik naderbij.

Geen enkel gerucht, zelfs geen ademhaling. Het leek alsof hij of zij op me zat te wachten. Naast mij hing een wandlamp. Ik schroefde een van de gloeilampen eruit en moest terugdenken aan mijn allereerste inbraak. De symboliek van het toeval bracht me een moment van mijn stuk. Toen kwam ik weer tot mezelf, wierp de lamp in de badkamer in de hoop dat ze met een knal tegen de tegels uit elkaar zou spatten. Er volgde echter enkel een ijskoud getinkel, verder niets.

'Hé!' Geen antwoord en geen enkele beweging.

Terwijl ik de deur helemaal tegen de muur trapte, drukte ik met de kolf van het pistool op de lichtschakelaar. Een seconde later staarde ik in een lege badkamer.

Op de grond lagen mijn gescheurde, bebloede hemd en jasje. Pas toen besefte ik dat Elizabeth Verstraetes gsm nog in de zijzak zat. Ondanks het komische van de situatie had ik zin om te beginnen janken.

Ik knielde naast mijn oude vodden neer, pakte het toestel eruit en belde de voicemaildienst. Er was maar één boodschap: '*Mevrouw Verstraete, dit is* – een naam die ik niet kon verstaan – *van het bureau. Eric zou deze namiddag aan het werk zijn, maar niemand heeft hem hier gezien en we kunnen hem niet bereiken. Kunt u hem zeggen dat hij ons zo snel mogelijk terugbelt?*'

De stem klonk geïrriteerd, maar niet ongerust. Ze vermoedden voorlopig dus niets en ook zijn vrouw had hen nog niets vreemds gemeld. Als ze er al om maalde wat er met hem gebeurd was. Het zou nog wel even duren voor ze de grote middelen zouden inschakelen om hem te zoeken. Ik had nog een beetje tijd.

Ik ververste het verband om mijn arm, zocht nog wat schone kleren bij elkaar in Malfliets kleerkast en laadde de koffer van de Lancia vol met alles wat niet te zwaar was om te tillen en bruikbaar leek in de nabije toekomst: medicijnen, voedsel, dekens en Verstraetes wapen – het enige waarin er vermoedelijk nog kogels zaten.

Even kwam ik in de verleiding om ook de kostbaarste elektronica mee te nemen, maar ik kon nu beter niet te hebberig worden. Ik zou waarschijnlijk mijn beide handen nodig gehad hebben om al die dingen los te koppelen en te verslepen. Een steelse blik op de videoapparatuur deed me plots terugdenken aan de opname die Elizabeth Verstraete mij had laten zien. De cassette zat nog in het toestel. Die mocht niet verloren gaan.

De benzine die nog in de jerrycan zat, goot ik over Verstraetes lijk en mijn eigen bebloede kleren uit. Het oude verband gooide ik bij de hoop voor de wc-deur, de kranen op de butaangasflessen draaide ik ver open, net als de vier pitten van het ouderwetse gasfornuis.

Alle ramen waren dicht en alle binnendeuren stonden open.

Op een stopcontact met tijdschakelaar had ik een sierlamp aangesloten waarvan ik eerst het glas van de gloeipeer had verbrijzeld. Nog een laatste keer vergewiste ik mij ervan dat de blootliggende gloeidraad nog intact was. Ik zag dat het goed was.

Aan het achterpoortje wierp ik nog een laatste blik op het huis. Met mijn goede arm veegde ik mijn ogen droog.

In de wagen, deed ik wat ik mezelf al zo vaak had voorgenomen nooit meer te doen: rondjes rijden door een onvriendelijke en onverschillige stad en me laten meedrijven op de golven van het anonieme verkeer.

Tegen het vallen van de avond parkeerde ik de wagen op een afgelegen plek niet ver van de buitenring.

Mijn rechterarm bloedde niet langer, maar was nog gevoeliger geworden. Zelfs de minste beweging deed me sterretjes zien van de pijn.

Daarbij voelde ik me koortsig, flauw en verward. Ik had dringend hulp nodig, maar durfde nergens heen.

Ik haalde Elizabeth Verstraetes gsm uit mijn jaszak. De batterij was nog halfvol. Als de pijn helemaal ondraaglijk werd, kon ik nog altijd vanuit de wagen een ambulance bellen. Wat maakte het ook uit? Ik was toch zo goed als verdoemd. Verdiende ik het wel om op vrije voeten te zijn?

Uit gewoonte boog ik me naar het handschoenkastje toe om de gsm erin te leggen. Het eerste wat ik zag toen ik de klep opende, was mijn eigen toestel, dat daar al die tijd had gelegen.

Eerst werd ik overspoeld door een kinderlijke blijheid toen ik zag dat er nog steeds leven in het ding zat. Op het display zag ik dat iemand mij verschillende keren had proberen te bereiken en uiteindelijk een tekstbericht gezonden had. Het nummer van de afzender kwam me vaag bekend voor.

Ik opende het bericht en las: 'Robin, ik weet dat jij het bent. We moeten praten. We kunnen vast iets regelen. Karen.'

Ik las de woorden verscheidene keren een voor een luidop. Nog kon ik maar niet begrijpen wat er stond.

34

Dit was mijn laatste pijnstiller. Het zou hoe dan ook een achterhoedegevecht worden. De pijn had ondertussen heel mijn lijf overgenomen en het zou niet lang meer duren voor het finaal capituleerde. Dat hoopte ik tenminste. Ik mocht er niet aan denken dat ik nog veel langer bij bewustzijn zou moeten zijn.

Ik was niet bang om krankzinnig te worden, dat stadium was achter de rug. Misschien was ik intussen ook daadwerkelijk gek geworden... Ik voelde mij opeens zo rustig, bijna vredig. Was dit het gevolg van twee dagen niks te eten en niet te slapen? Hoe kwam het dat ik me zo helder voelde, nuchterder dan ik in tijden geweest was?

Ik zat op de tegelvloer met mijn rug tegen de deur, mijn slechte been op de closetpot en mijn andere eromheen geplooid. Zo zat ik hier al een eeuwigheid. Roerloos blijven zitten was een marteling, maar zelfs de kleinste beweging deed nog meer pijn.

Constante pijn, zelfs de hevigste, werd draaglijk zodra je je er niet meer tegen verzette. Het waren de plotse pijnscheuten, zoals wanneer een kramp in mijn dijspier mijn slechte been deed schokken, waar ik maar niet aan kon wennen. Mijn mond en keel voelden plakkerig aan omdat ik het niet meer kon opbrengen om aan het kraantje te drinken.

Het lemmet van het Zwitserse mes dat Elizabeth mij enkele dagen geleden in handen gestopt had, glom in het schaarse licht. Voor de zoveelste maal hield ik het tegen mijn pols en voor de zoveelste maal durfde ik niet door te duwen. Eens een lafaard, altijd een lafaard.

Het slot had ik er ondanks al mijn geknoei en gesmeek niet mee open gekregen. Het enige waarvoor het mes tot nog toe gediend had, was het ingekraste embleem onderaan de deur nog verder doorkrassen. Mijn wraak.

Waarom was die tekening in de wirwar van inkervingen me eigenlijk nooit eerder opgevallen?

Ik moest wel gek geworden zijn, want af en toe was ik er zeker van dat er iemand bij me was in dit godvergeten hok. Vlak bij me. Hoelang zou het nog duren voor ik stemmen begon te horen?

Het was niet de eerste keer dat ik hier opgesloten zat. Toen ik zeven was, had ik mij tijdens een spelletje achter diezelfde closetpot verborgen.

Mijn oudere neef had mij al gauw gevonden, maar hij had er niks beters op gevonden dan de sleutel uit het slot te trekken en de deur van buitenaf te sluiten.

Het had maar een kwartier geduurd voor mijn vader mij bevrijd had, maar toch was ik toen door hetzelfde gevoel overvallen als nu: ik zou hier sterven en geen mens zou mij ooit terugvinden.

In plaats van mijn neef een uitbrander te geven, gaf mijn vader mij een standje in het bijzijn van de rest van het bezoek: hoe was het mogelijk in je broek te plassen als je uitgerekend in een toilet opgesloten zat?

Nu zou ik het hem kunnen vertellen.

Af en toe meende ik Elizabeths stem in het huis te horen. Niet zo lang geleden dacht ik haar zelfs vlakbij te horen, dicht genoeg om het geluid van haar ademhaling te vermoeden. Ik had gesmeekt en gedreigd tegen de schim aan de andere kant van het ruitje, maar zij had niet eens bewogen. Na een tijd had ze enkele pillen onder de deur geschoven. Had ze dat gedaan om haar geweten te sussen of in de hoop dat ik ze allemaal tegelijk zou slikken om er meteen een eind aan te maken?

Waarom was ze eigenlijk ooit teruggekomen? Waarom had ik haar ooit terug binnengelaten in mijn leven? Omdat ik haar niet vertrouwde en omdat het de enige manier was om achter haar beweegredenen te komen? Achterdocht diende toch net om mensen op een afstand te houden?

In ieder geval had ik na al die tijd nog geen flauw benul van wat haar werkelijk bezield had of wat ze hier was komen zoeken. Liefde? Ik had er destijds toch geen twijfel over laten bestaan dat er daarvan nooit sprake geweest was. Geld? Dat kon zelfs ik niet geloven. Genoegdoening dan misschien? Het zag ernaar uit dat ze die gekregen had.

De afscheidsscène van tien jaar geleden kwam me weer voor de geest: haar betraande gezicht, de kinderlijke manier waarop ze met haar voet op de grond stampte en met haar vuisten op mijn borst beukte, het ongeloof en de haat in haar ogen toen ze eindelijk door had dat het me menens was. Had ze vanaf die dag deze marteling zitten plannen? Had ze Frank verleid en overtuigd haar te helpen of had die rat zelf zijn diensten aangeboden zodra ze de wc-deur voor hem had opengemaakt?

Ik ben een teleurstelling, altijd al geweest. Mijn ouders hadden grote verwachtingen voor hun nageslacht gekoesterd, maar ze hadden slechts op één kind gewed.

Ik bleek een doodlopend spoor voor de familie te zijn: aanleg noch interesse om het familiebedrijf te beheren en zelf nooit kinderen gewild om de naam door te geven.

Toen ze eindelijk hun vergissing inzagen, was het al te laat.

Ik had net mijn studie opgegeven en mijn zwangere vriendin een abortus aangepraat. Vader was naar Italië verhuisd om er een nieuw leven op te bouwen samen met zijn maîtresse en moeder was terminaal ziek. Na haar dood was ik nog naar Toscane gereisd om er enkele weken bij mijn vader en aanstaande stiefmoeder te logeren. Toen ik hem vertelde dat ik iets met fotografie wou doen, zei hij zelf niets, maar de berusting in zijn vermoeide ogen zei des te meer. Niet lang daarna bezweek hij aan een hartziekte en liet hij zijn bijslaap hun pittoreske lavendelhoeve na en mij het familiefortuin. Het had geen zin om er spaarzaam mee om te springen.

Dat vond mijn vrouw Karen enkele jaren later ook. We hadden heel wat met elkaar gemeen: levenslust, zin voor avontuur, een dure smaak, een afschuw van het modale gezinsleven, en toch kan ik me niet herinneren waarom ik ooit met haar getrouwd ben. Angst voor de eenzaamheid en een premature neiging tot zelfdestructie, neem ik aan.

Ik begon pas echt een hekel aan haar te krijgen toen ik Anna beter leerde kennen. Het aardige bijdehandje dat mijn modellen kleedde, werd de liefde van mijn leven zonder dat ik er erg in had. Dat zegt misschien meer over mijn leven dan over de diepte van mijn gevoelens voor haar. Ik was voor het eerst echt verliefd, vond het leven mooi en haar nog mooier. Ik maakte mijzelf wijs dat ze onbereikbaar en ongrijpbaar was vanwege mijn huwelijk en maakte er daarna een sport van om haar zo dikwijls mogelijk in het geheim te ontmoeten.

Zo kwam het dat ik die verwenste avond in mei 1999 heimelijk naar hier was gekomen – met mijn vrouw veilig aan de kust – vol verwachting.

Ik was zo opgewonden en het was zo duister dat ik het gebroken venster aan de achterkant van het huis niet opmerkte. Nietsvermoedend liet ik mezelf binnen, knipte het licht aan in de hal en opende de deur naar de woonkamer. Het eerste wat ik zag, waren die glimmende, opengesperde ogen die mij door de gaten van de bivakmuts aanstaarden. In een oogwenk zag ik nog een andere gedaante die achter de rug van de eerste wegdook. Nog voor ik iets kon zeggen kreeg ik een vuistslag in mijn gezicht. Een tel later lag ik languit tegen de vloer met de knie van de smeerlap op mijn borstbeen geplant en zijn knuist tegen de zijkant van mijn hoofd gedrukt. Hij riep iets naar zijn compagnon, ik hoorde niet wat. Het volgende moment kreeg ik zelf een muffe bivakmuts achterstevoren over mijn hoofd getrokken, zodat ik nauwelijks kon zien of ademhalen. Het bloed dat uit mijn neus stroomde, klitte tussen de wol en maakte het nog moeilijker om lucht te happen.

Nadat mijn zakken waren doorzocht en ze mijn portefeuille en gsm hadden gepikt, kreeg ik nog een stomp in mijn maag en werd ik op mijn buik gerold. Mijn handen werden op mijn rug gebonden. Ik kon alleen proberen te voorkomen dat ik het in mijn broek deed.

Ik weet niet hoelang ik daar zo gelegen heb, maar voor mij leek het een eeuwigheid. Ik hoorde hen driftig redetwisten. Een van de twee was een vrouwenstem.

Uiteindelijk werd ik rechtgetrokken en de trap op geleid. De schoften vonden de slaapkamer en duwden mij voorover op het bed. Ik hoorde hoe ze de verschillende kasten en laden doorzochten. De eerste stem gaf commentaar bij alles wat zijn fantasie prikkelde, voornamelijk Karens lingerie. Mijn vernedering was compleet toen hij in de onderste lade van de linnenkast mijn sm-attributen vond. Ik wou dat ik kon zeggen dat ik de beproeving wat moediger of stoïcijnser had doorstaan, maar in werkelijkheid lag ik stil te janken van angst en pure frustratie.

De handboeien brachten hem op een idee. Ik werd naar de hoek van de kamer geleid en hardhandig op de fauteuil naast de radiator neergeduwd. Ze maakten mijn handen los en maakten mijn rechterpols vast in de handboei. De andere zat vast aan de radiatorleiding. De bivakmuts werd van mijn hoofd gerukt. Eerst durfde ik niet op te kijken, maar ik zag wel dat de man de muts aan de vrouw gaf.

'Jakkes, dat ding zit helemaal onder de smurrie', hoorde ik de vrouwenstem zeggen.

'Zeur niet', zei de ander.

Zonder mijn hoofd op te heffen sloeg ik mijn ogen op. Ze stond met haar rug naar me toe. Ik zag nog net hoe ze het ding aarzelend over haar blonde haar trok. De ander stond vlak voor me. Het enige wat ik van hem zag was zijn ploertenjekker. Maar toen nam hij mijn kin in zijn knuist en hief die naar hem op.

'Stomme eikel, je moest hier helemaal niet zijn vandaag. Waarom moest je net nu komen en alles verpesten?'

Ik keek sprakeloos in die lichtbruine, opengesperde ogen en wist dat ik nog nooit iemand zo gehaat had of ooit zou haten.

Ze lieten mij lange tijd alleen in de onverlichte kamer. Toen pas begon ik te merken hoeveel pijn ik had in mijn gezicht en maagstreek. Iedere minuut voelde ik mijn keel droger worden, maar ik durfde niet te roepen om drinken. Na twee uren kon ik mijn blaas niet meer onder controle houden – ik die daarnet nog gedacht had dat mijn vernedering niet erger kon worden. Die hele nacht zat ik daar op die fauteuil in mijn eigen urine, tussen sluimeren en gespannen afwachten in. Ik durfde me niet te verroeren. Mijn enige troost was dat ik met Anna afgesproken had dat ze pas kon komen nadat ik haar gebeld had. Ik mocht er niet aan denken dat zij ook in de handen van dat tuig zou vallen.

Pas tegen de ochtend kwamen ze terug. De man had een polaroidcamera in zijn handen, de mijne. De flits was zo verblindend dat het pijn deed.

'Wat willen jullie van mij?' probeerde ik aarzelend.

'Ik stel hier de vragen', snauwde hij terug, de lachwekkende repliek van een tv-gangster. Daarna wou hij de codes van mijn bankkaarten weten. Toen ik antwoordde dat ik eerst iets wou drinken, kreeg ik nog een vuistslag in mijn gezicht. Enkele seconden lang kon ik niets meer zien. Stotterend en naar adem happend gaf ik hem de codes. Hij plakte mijn mond dicht met tape. Toen mijn oog opgezwollen was, nam hij nog een polaroid. Enkele minuten later, toen het beeld er voldoende doorkwam, liet de klootzak mij zijn werk zien. Lachend nam hij daarna nog een foto van mijn bevuilde kruis. De dag ervoor zou ik nog van pure ellende en opgekropte woede beginnen grienen zijn, maar niet die dag. Die dag voelde ik iets in mijn binnenste opwellen wat ik nooit eerder in mijzelf vermoed had, iets waardoor ik tegelijk gevoelloos en ultrascherp werd.

Een halfuur daarna ging de slaapkamerdeur weer open. Deze keer was het gelukkig enkel de vrouw die binnenkwam. Ze had nog steeds haar bivakmuts op, maar ze had het zilveren dienblad uit de vitrinekast in haar handen met wat eten en een fles water erop. Dat zette ze zonder een woord te zeggen naast me neer. Ze trok de smerige plakband van mijn gezicht. Ik liet mijn hoofd langzaam zakken en zag dat ze de moeite genomen had een paar broodjes voor me te smeren en wat blikjesfruit in een kom te gieten. Die kleine, totaal onverwachte blijken van menselijkheid deden iets in me breken. Voor ik het wist, zat ik te janken met mijn vrije hand voor mijn gezicht uit pure schaamte.

Ze pakte het flesje water op, opende het voor me en hield het me voor. Ik nam het aan en dronk het in enkele teugen leeg, waarbij ik me verslikte.

Daarna hield ze me een van de broodjes voor. Ik kon enkel mijn hoofd schudden.

Door de gaten in de bivakmuts keken haar vochtige ogen me aan. Ze verdween en even later kwam ze terug met een teil water en een paar handdoeken. Ze veegde mijn gezicht schoon en bette mijn zwellingen. Ik kromp ineen telkens als ze in de buurt van mijn neus of ooglid kwam.

Ze doorzocht de kleerkast en de linnenlades en bracht me een verse broek en wat ondergoed.

'Denk je dat je jezelf kunt omkleden met één hand?' was het eerste wat ze tegen me zei. Ik knikte en ze liet me discreet alleen.

Ze kwam geregeld terug om me voedsel en water te brengen, een keer zelfs een zakje ijs om tegen mijn blauwe oog te houden. De steelse manier waarop ze binnen- en weer buitenglipte, deed me vermoeden dat de ander niet op de hoogte was van haar kleine daden van barmhartigheid. Af en toe hoorde ik hem haar beneden iets toeroepen op een barse, ongeduldige toon. Ik voelde dat er onenigheid tussen de twee was en besefte dat ik daar gebruik van moest maken.

Na de middag trof ze me op de grond aan met mijn rug tegen de radiator. Mijn pols zat nog altijd vast.

'Ik dacht dat ik zo misschien wat kon slapen', legde ik ongevraagd uit. Ze pakte een hoofdkussen en een donsdeken van het bed en gooide me die toe.

'Dank je.'

'Heb je veel pijn?' Haar stem klonk surreëel vanonder die kaki bivakmuts.

'Het ergste is de pijn in mijn schouder en mijn bovenarm', zei ik terwijl ik mijn geketende arm masseerde.

'Ik zal vragen of je niet op het bed mag gaan liggen', zei ze en verdween weer.

Enkele minuten later hoorde ik de mannenstem verwijten blaffen. Toen bleef het enkele minuten akelig stil en daarna hoorde ik de bruut de trap op donderen.

Hij smeet de slaapkamerdeur open en beet me toe dat ik mijn 'klotekop' moest dichthouden of dat hij hem zou dichttimmeren, waarna hij het dienblad naast mij nijdig wegtrapte. Ik zei niks en keek naar de grond.

Pas die avond kwam de vrouw terug. Zonder mij aan te kijken zette ze mijn avondeten – een opgewarmde kant-en-klaarmaaltijd – op de grond.

'Hij heeft jou ook geslagen, hé?' zei ik zachtjes, maar ze draaide zich meteen om en liep de kamer uit.

De nacht bleek een al even grote marteling te zijn. Ik voelde mijn rechterarm niet meer en het lukte me nog steeds niet om te kalmeren, laat staan in te slapen. De twee hadden hun intrek genomen in de tweede gastenkamer. Zelfs van daar kon ik het zwijn horen snurken. Ik nam aan dat ze mij in elkaar hadden geslagen en vastgeketend hadden om te voorkomen dat ik meteen naar de politie zou gaan. Ik kon dan ook maar niet begrijpen waarom ze hier bleven. Ze hadden alle tijd gehad om het huis leeg te roven en mijn bankrekeningen te plunderen. Zelfs als ze mij als gijzelaar wilden gebruiken, konden ze toch beter maken dat ze hier wegkwamen en mij meenemen? Ik vroeg me af hoe ik na deze beproeving ooit nog in dit huis – en zeker in deze kamer – zou kunnen verblijven.

De volgende dag dreigde op de eerste te gaan lijken, tot het geluid van de deurbel alles veranderde. Ik krabbelde zo goed mogelijk recht als de handboei het toeliet, maar kon niets of niemand zien in de voortuin. Ik hoorde hoe een van de twee uit de logeerkamer kwam gelopen. Hij of zij durfde blijkbaar niet meteen naar beneden.

Om hulp schreeuwen durfde ik niet, voorzichtig tegen het venster-raam tikken wel. Eerst gebeurde er niets en ik vreesde al dat mijn kans verkeken was, toen ik plots heel zwakjes een bekende stem mijn voornaam hoorde roepen. Het was Anna. Ik had haar destijds een kopie van de huissleutel gegeven zodat ze zichzelf kon binnenlaten als ik weer eens te laat zou zijn voor een afspraakje. Mijn hart bons-de in mijn keel. Waarom was ze toch gekomen? Maakte ze zich ongerust omdat ik onze afspraak van eergisterenavond nooit bevestigd had? Had ze eerst aangebeld voor het geval dat Karen of een kennis er zou zijn? Ik was als de dood dat ze haar ook zouden grijpen, maar zelfs zonder dichtgeknepen keel zou ik haar niet hebben durven toeroepen dat ze zich uit de voeten moest maken. Ik ben nu eenmaal laf, altijd al geweest.

Kreunend van ellende zakte ik in elkaar tegen de radiator. Maar de gevreesde scène met gestommel en gegil kwam niet. Het leek wel of niemand de volgende zet wou doen.

'Paul?'

Deze keer leek het vanuit de kamer eronder te komen. Ik dacht dat de spanning mij te veel ging worden en dat ik zou ontploffen. Net voor ik zou gaan schreeuwen, vloog de deur open en stormde de vrouw op mij af. In de verwarring was ze vergeten haar bivakmuts op te zetten. Zonder dat rotding zag ze er mooi, kwetsbaar, bijna engelachtig uit.

'Wie is die vrouw?' siste ze me toe. 'Wat moet ze hier?'

'Doe haar geen kwaad...' begon ik te prevelen, maar ze onderbrak me meteen. 'Hij is er niet. Hij moest iets regelen. Maar hij kan ieder moment terugkomen. Dat mens moet hier weg voor hij haar in de gaten krijgt, maar ze blijft hier maar rondhangen alsof ze hier thuis is...'

Ik keek in haar angstige ogen en kalmeerde. We stonden aan dezelfde kant.

'Het is mijn... vriendin', gaf ik toe. 'We hadden hier afgesproken.'

Haar ogen schoten heen en weer terwijl ze koortsachtig nadacht.

'Heb je een foto van haar?' vroeg ze uiteindelijk.

'Wat moet je...?'

'Geen tijd! Heb je een foto van dat mens? Jij bent toch een soort fotograaf?'

'In die lenzentas daar naast het bed', zei ik met tegenzin.

Ze liep naar de tas af en haalde er enkele zwart-witafdrukken uit.

'Is dat ze?' vroeg ze terwijl ze me een foto van Anna's naakte rug voorhield. Ik had het altijd een van mijn allerbeste opnames gevonden en Anna had me verschillende keren gezegd dat ze haar afdruk had ingelijst.

'Ja', bracht ik piepend uit. Mijn hart bloedde.

'Hoe heet ze?'

Ik had geen keus. 'Anna...'

Ze haastte zich de kamer uit en de trap af. Even later kon ik flarden van de conversatie tussen de twee vrouwen opvangen. Mijn gijzelneemster deed zich voor als mijn nieuwe minnares. Ik hoorde haar vals lachen, Anna schreeuwen – iets wat ze normaal nooit deed. Nauwelijks twee minuten daarna werd de voordeur met een smak dichtgeslagen. Weer krabbelde ik min of meer recht, nog net op tijd om Anna het grindpad te zien af rennen. Rennen – nog iets wat ze anders nooit deed. De krop in mijn keel werd een steen.

Even later stond de vrouw weer in mijn slaapkamer, zonder foto. Ik keek haar ontredderd aan.

'Zo', zuchtte ze opgelucht zonder een zweem van kwaadaardigheid. 'Gelukkig heb ik haar weg gekregen voor hij terug is.'

Ik wist niet of ik haar wou bedanken of bespugen.

De nachtmerrie bleef maar duren. Nog drie hele dagen hielden ze me gevangen in mijn eigen huis. In al die tijd had ik van de buitenwereld geen teken van leven gekregen. Niemand die probeerde op te bellen en er kwam zelfs geen postbode langs. Karen leek wel in rook opgegaan. Zelfs zij kon het toch niet normaal vinden dat ik in geen dagen iets van mij had laten horen? Ik had me nog nooit zo verlaten gevoeld.

Nog steeds wilden de twee me niet zeggen wat hun bedoeling was. De verveling maakte het gepieker en de angst nog ondraaglijker. Het besef dat ik Anna waarschijnlijk voorgoed verloren had, maakte mijn lijdensweg compleet.

Hoewel ik vanaf de derde dag af en toe de benen mocht strekken op de overloop, met mijn handen op mijn rug gebonden, en een paar maal per dag naar het toilet mocht, werd de sfeer hoe langer, hoe dreigender.

De ruzies tussen de twee werden luider en langer. Geregeld hoorde ik haar gillen of luidkeels jammeren. Het leek alsof iets hem alsmaar meer frustreerde. Die eerste dagen had hij mij bedreigd en mishandeld uit sadistisch genoegen en om mij te laten voelen dat hij de baas was, die laatste dag omdat hij zich moest afreageren. De slagen en trappen waren er niet minder hard om.

Zij deelde ook in de klappen. Toen ze mij op de vierde dag mijn 'lunch' kwam brengen, kon zelfs de bivakmuts haar blauwe oog niet verbergen.

'Wat heeft die smeerlap met je gedaan?' fluisterde ik haar toe. Ze schudde haar hoofd, mompelde dat ze niet met me mocht praten en droop af.

Maar even later was ze terug.

'Hij is het huis uit. Hij heeft niet gezegd waarvoor', zei ze zacht en kwam voor me zitten.

'Doet het pijn?' vroeg ik, terwijl ik naar haar gezwollen oog achter het gat wees.

'Dat weet je zelf toch goed genoeg'.

'Ja.'

Toen trok ze de muts van haar hoofd. Haar gezicht was er nog erger aan toe dan ik had gedacht.

'Waarom?' vroeg ik.

'Meningsverschillen', zei ze en trok haar neus op.

'Ik bedoel: waarom doe je dit? Waarom laat je jezelf zo behandelen door dat stuk vuil?'

'Je kent hem niet. Dit is niet zijn normale manier van doen.'

'Voel je iets voor die vent?' Ik kon de walging niet uit mijn stem houden.

Ze antwoordde niet.

'Ben je van plan bij hem te blijven tot dit zijn normale manier van doen wordt?'

Ze keek me radeloos aan. Heel langzaam strekte ik mijn vrije hand naar haar uit en streek met mijn vinger langs de vlek onder haar oog. Daarna streelde ik het haar van voor haar andere, vochtige oog weg. Ze greep mijn hand, drukte ze tegen haar wang en kuste de onderkant van mijn handpalm. Geen van ons beiden wist wat ons overkwam.

'Bevrijd me', hijgde ik. 'We kunnen samen het huis uit vluchten en de politie waarschuwen. Ik zal alles ontkennen wat die zak over jou beweert. Ik zal zeggen dat hij jou met geweld gedwongen heeft hem te helpen.' Ze schudde enkel haar hoofd.

'Verdomme, wil je dan bij dat uitschot blijven? Wat voor een toekomst denk je dat je met hem tegemoet gaat? Je bent veel te goed voor hem, veel te goed voor *dit*. Ik kan je een uitweg bieden, een beter leven.'

'Het is te riskant', hakkelde ze zonder me aan te kijken. 'Hij heeft heel wat vrienden en hij weet dingen over mij.'

Voor ik verder kon gaan, had ze haar bivakmuts weer over haar hoofd getrokken.

Aan de deur keerde ze zich nog even om en zei: 'Je maakt echt heel mooie foto's, weet je.'

De vijfde dag begon nog slechter dan de voorgaande. De smeerlap kwam rond zes uur 's morgens dronken de kamer binnengestapt en trapte mij in mijn ribben.

'Jij denkt misschien dat je heel wat bent, maar eigenlijk ben je een waardeloos stuk vreten', lalde hij. 'Zelfs je eigen vrouw heeft niks voor je over.' Ik kreeg meteen nog een trap op dezelfde plaats. De pijn schoot door heel mijn lijf en ik schreeuwde het uit. Hij had een van mijn ribben gebroken, ik wist het zeker.

Hij bleef wankel over mij gebogen staan. Ik zal nooit die onmenselijke, onbewogen blik vergeten waarmee hij door de twee gaten op me neerkeek. Ik dacht dat hij me toen en daar zou afmaken. Uiteindelijk keerde hij zich om met een minachtend gesnuif en stapte de kamer uit. Een kwartier later lag ik nog te trillen en deerniswekkende geluidjes te maken.

De uren daarop zag ik niemand meer. Ook zij kwam niet meer naar boven. 's Middags probeerde ik wat restjes van het avondeten van de dag ervoor binnen te krijgen, maar het lukte me niet. Iedere beweging deed gruwelijk pijn.

Het ruziën bleek opgehouden te zijn. Ik hoorde hun stemmen niet meer, enkel wat gestommel. De gedachte dat ze me hier gewoon konden achterlaten om van honger, dorst en ellende om te komen vervulde mij met een uitzinnige paniek... en ik was volledig machteloos.

Beetje bij beetje begonnen zijn woorden tot mij door te dringen: *zelfs je eigen vrouw heeft niks voor je over...* Was dat het? Hadden ze Karen losgeld gevraagd voor mijn vrijlating? Hoe kon ik verdomme in mijn eigen huis ontvoerd en vermist zijn? Het gore lef van die smeerlap! Natuurlijk had dat mens niks betaald. Dood was ik waarschijnlijk meer waard voor haar dan levend. Zo kon ze het fortuin van mijn familie erven nog voor ik het er allemaal door gejaagd had.

Zo bracht ik de rest van de dag door, zeker dat mij een gruwelijke dood wachtte, dat de schuldigen vrijuit zouden gaan en dat er verder geen haan naar zou kraaien. Kreupel van de pijn en ziek van de honger en de uitputting.

De uren kropen voorbij en ik wist niet wat erger was: dat er elk moment iets kon gebeuren of dat er maar niets gebeurde. Ik overwoog ernstig om het drinkglas kapot te slaan en met de glasscherven mijn polsen over te snijden. Maar ook daar was ik te laf voor.

Tegen de avond schrok ik op van een gebonk beneden. Daarna kwamen er een onverstaanbaar getier en nog meer doffe dreunen. Mijn eerste gedachte was dat hij compleet beneveld de huisraad kort en klein sloeg, maar geleidelijk aan kroop er iets angstigs en onzekers in zijn gebrul. Iets wat ik nog niet eerder van hem gehoord had en wat mij beetje bij beetje nieuwe moed gaf.

Ik sloot mijn ogen en legde mijn oor tegen de vloer om beter te kunnen verstaan wat hij schreeuwde.

Toen ik mijn ogen weer opende, zag ik haar in de deuropening staan. Ze had die afschuwelijke bivakmuts weer afgenomen en staarde me wezenloos aan. In haar hand hield ze een van de binnendeursleutels van het huis.

Heel langzaam ging ik rechtop tegen de radiator aan zitten zonder mijn ogen van haar gezicht af te wenden.

'Ik ben bang', fluisterde ze toonloos.

Ik heb nooit begrepen wat er door me heen ging toen ze me van de handboeien bevrijdde en ik kan het dan ook niet uitleggen. In plaats van het huis uit te vluchten en de politie te waarschuwen, strompelde ik naar beneden, bezatte me met de drank die de klootzak nog niet door zijn eigen keelgat had gegoten en ik bleef.

Was het de emotionele en lichamelijke uitputting, de staat van ontkenning waar ik me in bevond, de eed die ik had moeten zweren voor ze me los wou maken? Of al het zwarte geld en de bewijzen van financieel gesjoemel die hier in huis lagen? Ik weet het niet.

Wat ik me herinner, is dat ik uitgeteld op de sofa zat en zij bijna verlegen naast mij kwam zitten. En toen zei ze waarom ze hem in het toilet had opgesloten. Alsof ze om begrip vroeg. Of vergeving.

'Hij werd hoe langer hoe gevaarlijker. Je had gelijk natuurlijk: hij sloeg me inderdaad, iets wat hij tot een paar dagen geleden nog nooit gedaan had. Maar dat was niet de reden. Hij kreeg het losgeld maar niet en hij vond dat het te riskant geworden was om nog langer te blijven. Hij wou je vermoorden, Paul, om geen getuigen achter te laten. Dat heeft hij me zelf gezegd...' – Hij, hij, ze noemde hem nooit bij zijn naam. Ik wou hem ook niet weten. Hij verdiende geen naam. – 'En dat kon ik niet toelaten. Ik wist dat ik niet kon leven met een moord op mijn geweten. Ik voel me al schuldig genoeg voor al wat hij jou heeft aangedaan.'

'Hoe heb je het gedaan, hem daar opgesloten?'

'Simpel. Je weet toch wel dat hij die deur altijd achter jou op slot deed? Gisteren had hij de sleutel hier achteloos op de tafel laten liggen. Toen hij zelf moest, heb ik gewoon achter hem de sleutel in het slot omgedraaid.'

'Hij heeft toch geen pistool of ander wapen bij zich?'

'Als hij een pistool had, zou hij het allang onder je neus geduwd hebben om je te intimideren. Hij heeft een mes dat hij altijd bij zich draagt, maar dat is alles.'

'Heb je de sleutel nog?'

Ze haalde hem uit haar broekzak en keek ernaar alsof ze zelf niet meer wist waarvoor het ding diende.

'Ik neem hem wel van je over.'

Ze gaf hem mij zonder de minste aarzeling.

'Wat ga je nu doen, Paul?'

'Slapen', zei ik. 'Op een bed.'

'En met hem?' Ze keek naar de gang.

'Voorlopig niks', zei ik.

Ondanks mijn zwakte en mijn pijnlijke ribben schoven we nog een ladekast voor de wc-deur als voorzorgsmaatregel. Hij moest gemerkt hebben dat er iets vreemds aan de gang was, want hij begon weer als een gek tegen de deur te bonzen en verwensingen en bedreigingen te schreeuwen: 'Ik vermoord jullie en jou eerst, rotwijf! Denk maar niet dat ik die deur niet open krijg!'

We vulden de laden met de zwaarste voorwerpen die we konden vinden: in leer gebonden boekwerken, bronzen beeldjes, stenen,... Pas toen ik zeker was dat er ook in die kast geen beweging meer te krijgen was, sleepte ik me terug naar mijn slaapkamer. Het was tijd om de geest van die klootzak uit te drijven en mijn eigen huis weer op te eisen. De sleutel verstopte ik onder mijn matras.

Midden in de nacht ontwaakte ik uit een onrustige slaap. De deur stond open en zij stond voor mijn bed, halfnaakt.

'Mag ik bij jou slapen?' vroeg ze. 'Ik kan het niet verdragen om alleen te zijn.'

Ik sloeg de dekens open en ze kwam naast me liggen. Meer niet.

Al gauw dommelde ik weer weg.

Toen ik de volgende ochtend met een houten kop en met braak-neigingen wakker sukkelde, lag ze er nog steeds, roerloos maar klaar-wakker. Ik twijfelde eraan of ze ook maar een oog had dichtgedaan die nacht.

'Wat gaan we doen, Paul?' vroeg ze zonder zich naar me om te draaien.

'Ik weet het niet', gaf ik toe.

'We moeten een beslissing nemen. We kunnen hem toch niet gewoon daar laten zitten?'

'Hebben we dan een keus? Naar de politie gaan is te riskant. Dat besef jij waarschijnlijk nog beter dan ik. En als we hem vrijlaten, zal hij ons wat aandoen, jou het eerst. Dat heeft hij zelf gezegd, en ik geloof hem.'

Ze vleide zich tegen me aan en legde haar hand op mijn borst. Ik voelde haar rillen.

'Misschien kunnen we het op een akkoordje gooien met hem? Hem laten zweren dat hij ons met rust zal laten?'

'Hoor je jezelf bezig?' vroeg ik met iets van minachting in mijn stem. 'Het is een sadistische maniak. Denk je dat een erewoord iets voor hem betekent? Dat hij je niet zal wurgen omdat hij het mooi beloofd heeft?'

'Kunnen we de sleutel niet onder de deur schuiven? Tegen dat hij de kast uit de weg geduwd heeft, zijn wij al ver weggevlucht...'

'Ik vlucht niet weg uit mijn eigen huis. Daarbij, hij weet waar ik woon en uiteindelijk zal hij jou ook weten te vinden.'

'Dus we laten hem gewoon zitten?'

'Weet iemand anders dat jullie hier zijn? Had hij dit plan met iemand anders besproken?'

'Ik denk het niet', antwoordde ze aarzelend.

'Dan hoeven we ons niet meteen zorgen te maken. Niemand zal hem hier komen zoeken.'

'Hoe gaan we hem te eten geven? Kan dat ronde ruitje open?'

Ze begon me te irriteren. Ik sloeg haar hand weg en sukkelde moeizaam het bed uit.

'We gaan hem niet te eten geven. Hij is mijn huisdier niet.'

Hoe ik ook probeerde, ik kon mijn gedachten niet op een rijtje krijgen die dag.

De hele situatie leek nog onwerkelijker dan voorheen. Ik had de indruk dat ik, in plaats van wakker te zijn geworden uit de nachtmerrie, gewoon naar een andere, bizarre droom was afgedreven. Het gevoel werd nog versterkt door de verdoving van de pijnstillers en de drank.

Mijn eerste reactie toen ik beneden kwam, was om Karen te bellen. Maar toen ik de hoorn in mijn hand had, kon ik mezelf er niet toe brengen het nummer van de flat aan de kust in toetsen. Het had geen zin. Had ze mij hier niet koudweg laten afzien in de handen van die smeerlap, zonder te betalen of zelfs maar de politie te waarschuwen? Ik kon haar beter nog wat in haar eigen sop gaar laten koken.

Het blonde ex-gangsterliefje zorgde trouwens veel beter voor me: ze bood aan mijn stijve spieren te masseren, mijn eten klaar te maken, mijn drank te halen en mijn wonden en gekneusde ribben te verzorgen. De hele dag week ze niet van mijn zijde en uiteindelijk bood ze ook zichzelf aan. Ik sloeg geen enkel aanbod af. Haar ex-compagnon bleek ze al compleet vergeten te zijn.

Die avond lag ik in haar armen naar de kleuren van de zonsondergang te kijken en zij kuste mijn wang.

'Je weet nog steeds mijn naam niet', fluisterde ze in mijn oor.

Ik had er dan ook nooit naar gevraagd.

'Ik heet Elizabeth', zei ze nog zachter.

Even was ik bang dat ze me ook haar achternaam zou zeggen.

'Weet je, Paul, ik zou hier voor altijd willen blijven liggen. Hier met jou, in dit bed, met een zonsondergang die nooit helemaal uitdooft.'

Ik keek naar haar ingetogen glimlachende gezicht en kon nog minder begrijpen hoe zo iemand ooit in aanraking was gekomen met dat tuig.

Hoe kan ik de roes van de dagen daarop beschrijven? Ik voelde mij alsof ik vrijaf had genomen van mijn werkelijke leven en als ik voor niets verantwoording hoefde af te leggen. Niemand wist dat ik hier zat, niemand scheen erom te malen. Als ik ooit naar de echte wereld zou terugkeren, zou niemand zich herinneren wat zich hier afgespeeld had. Niemand die me wat kon maken tenminste. Ik kon doen wat ik wou.

Ik voelde een vrijheid die ik in heel mijn volwassen leven nog niet had ervaren. En Elizabeth was daar om het spel mee te spelen.

We speelden een rollenspel. Zij was de avontuurlijke, losgeslagen vrouw die door een plotse liefde van een leven van geweld en misdaad was gered. Ik was de gefrustreerde levenskunstenaar die eindelijk zijn muze had gevonden.

Zolang we er allebei maar hard genoeg in geloofden, leek het ook echt zo.

Soms viel ze even uit haar rol en moest ik haar met zachte dwang weer in het gareel krijgen. Zo wou ze tijdens een van onze stoeipartijen de bivakmuts niet op haar hoofd zetten zoals ik haar had gevraagd. Ze stemde echter gauw toe toen ik haar vroeg of ze liever had dat ik ze over mijn hoofd trok en de rol van geweldenaar op mij nam.

Op een keer kwam ze naar me toe met betraande ogen. Ze had een onafgebroken, ziekelijk gekreun gehoord achter de wc-deur. Haar geweten speelde haar parten. Ze wou de sleutel terug en zei dat hij ondertussen wel zo verzwakt zou zijn dat hij geen bedreiging meer vormde. Ik genoot echter te veel van zijn lijden om zelfs maar naar haar te luisteren. Vreemd hoeveel voldoening het kan geven om jezelf heer en meester te weten over iemand die je haat. Ze trommelde met haar vuisten op mijn borst en eiste de sleutel terug, want hoe zou ze kunnen houden van een koelbloedige beul?

Ik maakte de laden van het kastje een voor een leeg, duwde het meubel opzij, greep haar bij de haren, sleurde haar mee naar de wc-deur en stopte haar de sleutel van de bijkeuken in de hand: 'Hier! Jij je zin! Maak maar open als je durft te zien wat je hebt aangericht!' Trillend en lijkbleek stond ze voor de deur met de sleutel in de aanslag. Maar ze durfde niet.

Net toen kwam er weer een teken van leven van achter de deur. Een gebroken, toonloze stem: 'Lizzy, Lizzy, het spijt me.' Ik kon zweren dat ik hem daarna hoorde janken met lange, schorre uithalen.

Ik nam haar gezicht in mijn handen en zei: 'Kalm maar, meisje, hij kan je nu geen kwaad meer doen. Dat beloof ik je.' Daarna kuste ik haar roodbetraande ogen en trillende lippen. Ik nam haar bij de polsen, plaatste ze tegen de deurlijst en ging achter haar staan. 'Niet bewegen', fluisterde ik in haar oor. En ze bewoog niet, te verward en verscheurd om nog voor zichzelf te kunnen denken. Toen trok ik de jurk die ze uit Karens voorraad had geleend naar boven en nam haar onder luid gekreun, hopend dat mijn publiek aan de andere kant van de deur nog helemaal bij bewustzijn was.

Vluchtte ze daarna weg, sloeg ze me in het gezicht of schold ze me zelfs maar verrot? Nee, nadat ze zich de rest van de avond had afgezonderd, kwam ze weer bij me in bed liggen, streelde mijn haar en zei dat alles goed zou komen. Zo verloor ik mijn laatste beetje respect voor wie ze werkelijk was en begon nog meer van de rol die ze speelde te houden.

We lagen daar, dicht bijeen, en fantaseerden luidop over het leven dat we samen zouden leiden: verre reizen, schilderachtige momenten... en dat allemaal op mijn kosten.

Ik vroeg me af hoelang het nog zou duren voor ik alle respect voor mezelf zou verliezen.

De ochtend daarop werd ik brutaal uit mijn slaap gewekt door het eerste telefoontje sinds ik mijn gsm in de binnenzak van zijn leren jekker had teruggevonden. Ik bleef maar naar het trillende ding op het nachtkastje kijken alsof het uit een andere dimensie in de kamer was beland. Na een korte onderbreking begon het toestel weer te zoemen om te bevestigen dat er een voicemail op mij wachtte.

Het bericht bleek van mijn kantoorassistent te komen. Hij verontschuldigde zich omdat hij mij op de voorlaatste dag van mijn vakantie stoorde, maar er was iets waarvoor hij meteen mijn beslissing nodig had. Ik snoerde hem meteen de mond met een druk op de knop en ging ontnuchterd en verdwaasd op de rand van het bed zitten. De echte wereld was het huis weer binnengedrongen.

Zij was ook wakker geworden en vroeg me of alles in orde was. Ik zei van wel, maar deed geen moeite het geloofwaardig te laten klinken.

Er was geen tijd te verliezen. Ik liep naar beneden en tikte tegen de wc-deur. Er kwam geen reactie, zelfs geen gekreun. Ik klopte wat harder. Nog niks.

Ze was me in haar ondergoed naar beneden gevolgd en keek me met grote, bange ogen aan.

'Het is voorbij', zei ik. 'Trek je kleren aan. Je moet me helpen.'

Voorzichtig draaide ik de sleutel in het slot om en opende de deur op een kier. Een misselijkmakende walm sloeg in mijn gezicht. Even sloeg de paniek me om het hart toen ik meende hem tegen de deur te voelen duwen, maar het bleek het gewicht van zijn bewusteloze lichaam te zijn. Hij zag er uit als een weggegooide lappenpop. Het was de eerste keer dat ik hem zonder bivakmuts zag en zijn brede, gapende gezicht maakte hem opeens een stuk menselijker dan me lief was. Hij had een enorme blauwe plek vlak boven zijn wenkbrauw. Zijn ene hand zat vol snijwonden. Het mes lag nog naast hem.

Zij slaakte een gil toen ze hem zag en deinsde verschrikt achteruit.

'Hij leeft nog', stelde ik vast. 'Help me hem naar boven te brengen.' Ik pakte het mes met mijn zakdoek om mijn hand gebonden op.

'Wat ga je doen, Paul?'

'Het enige wat erop zit...'

We droegen hem met moeite de trap op. Toen hij opeens een rochelend geluid maakte, liet ik van de schrik zijn hoofd tegen een van de traptreden vallen. Daarna was hij weer stil.

We legden hem op het bed in de tweede logeerkamer en maakten zijn pols vast aan een bedspijl.

'Blijf hier', zei ik, terwijl ik een paar rubberen handschoenen ging zoeken.

Toen ik terugkwam, stond ze nog steeds op exact dezelfde plaats, bleek, rillend en op haar nagels bijtend.

'We moeten het op zelfmoord laten lijken', zei ik met een klein hartje. 'We doen elk een pols.'

Ik raapte mijn moed bijeen en gaf het voorbeeld door een diepe jaap in zijn rechterpols, net onder de handboei, te maken. Hij slaakte een luide, ijselijke kreet die mij recht deed springen en me deed trillen op mijn benen.

Elizabeth was gillend de kamer uit gelopen. Zijn lichaam maakte wilde stuiptrekkingen en even was ik bang dat hij bij zou komen en dat ik hem in de ogen zou moeten kijken. Na een eindeloze minuut hield hij eindelijk op met schokken. Ik gaf hem een tik tegen de wang. Tot mijn opluchting reageerde hij niet. Ik legde het heft in zijn linkerhand en klemde de vingers eromheen. Je wist maar nooit wie hem uiteindelijk in welke staat zou vinden.

De rode vlek op de lakens begon zich al langzaam uit te breiden. Voor de zoveelste maal die week voelde ik de inhoud van mijn maag naar boven komen.

Ik trof haar beneden in de woonkamer aan. Ze zat met opgetrokken knieën te rillen in de fauteuil.

'Het is jouw beurt', zei ik.

'Ik wil niet', antwoordde ze met een hese, onvaste stem.

Ik nam haar klamme handen in de mijne en sprak haar kalm toe: 'Elizabeth, we hebben hier geen tijd voor. We zijn hier samen aan begonnen omdat we geen andere keus hadden en we gaan dit ook samen afmaken. Ik kan toch op je rekenen... of betekenen de afgelopen dagen helemaal niks voor je?'

Ze bleef me maar niet-begrijpend aankijken, dus ging ik door: dat er geen toekomst voor ons kon zijn zonder vertrouwen, dat ze dit voor ons beiden moest doen, dat ze maar beter meteen kon vertrekken als ze haar verantwoordelijkheid niet wou opnemen... In werkelijkheid was ik doodsbang dat zij in een moment van zwakte haar versie van de feiten wel eens zou kunnen opbiechten aan iemand en mij de schuld voor de moord in mijn schoenen zou schuiven. Ik moest er hoe dan ook voor zorgen dat zij evenveel te verliezen of te vrezen had als ik. Ik was bereid haar naar boven te sleuren en haar hardhandig te dwingen de andere pols over te snijden, maar gelukkig hoefde het zover niet te komen.

Nadat ik ermee gedreigd had haar zonder meer de deur uit te zetten, stond ze heel langzaam op en liep met me mee naar de logeerkamer. Het hele vertrek stonk ondertussen al naar hem. Ik gaf haar de rubberen handschoenen, het mes en gaf haar een kus op het voorhoofd. Met haar ogen dichtgeknepen haalde ze het lemmet door de slagader. Ze schreeuwde het uit toen ze de eerste spat bloed recht in haar gezicht kreeg.

Ik wou haar troostend in mijn armen nemen, maar ze duwde me weg en vluchtte de kamer uit. Des te beter, dacht ik bij mezelf. Daarna legde ik de pols in een teil lauw water naast het bed. Zo was ik zeker dat de wonde zou blijven bloeden.

Het enige wat ik de rest van die dag nog tegen haar zei waren instructies: 'Help me het in dit plastic zeil te wikkelen', 'Neem jij het bij de voeten, ik neem het wel bij de schouders', 'Pak de sleutels uit mijn zak en open de koffer', 'Kijk of je die bloedvlekken uit de tapijttegels kunt schrobben', 'Maak het toilet schoon en gebruik ontsmettende middelen', 'Eet tenminste *iets*.'

Ik kan me niet herinneren dat zij ook maar een woord heeft teruggezegd.

In het holst van de nacht reden we naar een afgelegen brug waaronder we het lijk wilden dumpen. Ik parkeerde vlak bij de betonnen pijler en we wachtten met gedoofde koplampen tot we redelijk zeker konden zijn dat er niemand in de buurt was. Maar we hadden verkeerd gegokt: we hadden het lichaam nog maar half uit de kofferbak gelicht of er naderde een auto die opeens vaart leek te minderen toen hij dichterbij kwam.

Geen van ons beiden durfde te bewegen of het lijk terug te duwen. Een ijzingwekkend ogenblik later versnelde de wagen weer en reed verder.

'We moeten hier weg', siste ik tussen mijn tanden. 'Onmiddellijk.'

We hesen het ding weer in de koffer en ik reed ervandoor als een gek. Via een kilometerslange omweg terug naar de villa.

De rit werd nog zenuwslopender toen ze zacht begon te snikken zonder van het stuk weg in de lichtkegels van de koplampen weg te kijken.

In de Wilgenlaan sleepte ik haar mee naar het tuinhuis achteraan op het domein, gaf haar een spade en nam er zelf ook een.

'Het is de minst riskante oplossing', probeerde ik haar en mezelf te overtuigen. 'Niemand weet dat hij hier geweest is en niemand hoeft te vermoeden dat hij dood is.'

Nadat we het lijk met de open mond en de gapende wonden in de put hadden geworpen, gooiden we er zijn jekker, bivakmuts en enkele andere persoonlijke spullen achterna. Het mes kon ik maar beter ergens in huis bewaren. De met bloed doordrenkte lakens zou ik zo snel mogelijk samen met de matrasbeschermer verbranden.

Toen we eindelijk klaar waren met het dichtgooien van het graf, brak de ochtendschemer door.

'Ik ga slapen', zei ik bekaf. 'Het is beter als jij er niet meer bent als ik weer wakker word.'

Ze schudde haar hoofd en zocht verwoed naar woorden die er niet waren.

'Het is het best dat je vergeet wat de afgelopen week gebeurd is en dat we elkaar ooit gezien hebben. Ik zal hetzelfde doen.'

Ze keek me aan alsof haar wereld voor haar ogen instortte.

Ik ben nu eenmaal een teleurstelling, altijd al geweest.

Die middag schrok ik wakker uit een nachtmerrie. Het duurde even voor ik de moed had om op te staan en aan de andere helft van mijn leven te beginnen. Soms denk ik dat ik beter was blijven liggen.

Van kamer naar kamer dwalend zocht ik naar sporen die nog moesten worden uitgewist, maar ik kon niets vinden dat aan hem of haar herinnerde. Niets behalve zijn bloedvlekken en de polaroids die ik van haar genomen had. Zelfs de krolse video-opname die ik van haar gemaakt had, had ze – uit nostalgie of achterdocht – meegenomen.

In dat lege, bevlekte huis werd ik overvallen door een mismoedige stemming die nieuw voor mij was.

In de wagen checkte ik voor het eerst in dagen mijn tekstberichten. Het oudste bleek van Anna te zijn: *Nog niks van je gehoord. Is er iets? Bel me snel.*

Pas toen realiseerde ik me dat ik sinds mijn bevrijding nog niet één keer aan haar gedacht had.

In ons huis in Vorst verwelkomde mijn vrouw mij meer met verbijstering dan met opluchting. Ik keek naar haar fronsende gezicht, luisterde naar haar dringende vragen en genoot van het feit dat ik haar voor de eerste keer zag zoals ze echt was.

Had ik het mij maar voorgesteld of had er echt iemand aangebeld? Ik drukte mijn oor tegen de deur en voelde mijn hart sneller slaan. Ik mocht mezelf geen valse hoop geven. *Niets verwachten*, hield ik me voor. Toch haalde het sprankje hoop me uit mijn emotionele verdoving, en het maakte alles nog erger. Toen hoorde ik een onbekende mannenstem luid en duidelijk 'Schaeffer!' roepen.

Mijn zwakke klopjes tegen het deurpaneel en mijn stem werden gesmoord door het tumult van voetstappen en nog meer geschreeuw.

Toen vielen er twee schoten en daarna niks meer. Niks behalve de verstikkende stank van mijn eigen lucht.

Mijn laatste gedachten moeten voor Anna zijn. We moeten dankbaar zijn voor het mooie, het waardevolle dat we gekregen hebben, net voor het ons voorgoed wordt afgenomen.

35

Het was bijna middernacht en Eric was nog steeds niet terug. Niet dat het wat uitmaakte.

Uren aan een stuk had ik door de benepen kamers van het appartement lopen ijsberen met mijn jas aan en een gepakte koffer in de hand. In al die tijd had ik nog geen enkele plek kunnen bedenken waar ik heen kon.

Een geluid vanuit de slaapkamer deed me uit mijn warrige gedachten opschrikken. Ik herkende het geluid van Erics mobiele telefoon.

Ik vond het toestel naast de kleerkast op de vloer en pakte het op net toen het belsignaal abrupt ophield. Het nummer op het schermpje zei me niets.

Ik bleef maar naar het schermpje staren. Erics gesprekken interesseerden me normaal gezien geen zier, maar het tijdstip van de oproep had me nieuwsgierig gemaakt. Voor ik het wist, verscheen er een melding van een voicemailbericht op het display. Zonder een moment te aarzelen vormde ik het nummer van de berichtendienst. Een geïrriteerd klinkende vrouwenstem die ik niet kon thuisbrengen, snauwde uit het luidsprekertje: 'Ja, ik ben het, Eric. Dit is nu al de tweede keer dat je mij zomaar laat stikken zonder enige uitleg. Ik ben je klotesmoezen en je mooie beloftes kotsbeu – hoe naïef denk je eigenlijk dat ik ben? Nu is het definitief: ik wil je nooit meer zien!'

Ik belde het nummer onmiddellijk terug.

Het was dezelfde vrouw die antwoordde, maar de emotie in haar stem klonk helemaal anders. Ik kon niet goed uitmaken of het uit verbazing of dankbaarheid was.

'Eric?...'

'Nee, zijn vrouw', zei ik kalm en nuchter. 'Hebt u een verhouding met mijn man?'

De ademloze stilte aan de andere kant beantwoordde de vraag afdoende.

'Het kan me niet schelen, hoor', moedigde ik haar aan. 'Ik bedrieg hem ook. Het is dus niet dat ik jullie iets verwijt.'

'Wat wil je van mij?' vroeg ze scherp. Ik kon horen dat ze zich in het nauw gedreven voelde.

'Even kennismaken. Mag ik uw volledige naam? Op het schermpje verscheen enkel "Mireille."'

'Hou je me voor de gek?'

'Nee, echt niet. Het is maar dat mijn man op een onvriendelijke echtscheiding uit is en dat het me goed zou uitkomen als ik de familienaam van zijn minnares kende. Zo staan we tenminste quitte voor de rechter.'

Aan haar lachje kon ik horen dat ze meewarig haar hoofd schudde. 'Eric heeft me een paar dingen over jou verteld... maar ik wist niet dat je zo'n kil kreng was.'

Tot mijn eigen verbazing interesseerde het me geen moer wat hij haar over mij verteld had.

'... Wat een sukkel, wat een ongelooflijk oen!' barstte ze plots uit. 'Eerst blaft hij me toe dat ik nooit meer op zijn vaste nummer mag bellen en dan laat hij stomweg zijn gsm in huis rondslingeren!'

Het anonieme telefoontje op de avond na mijn bezoek aan de tentoonstelling kwam me opeens pijnlijk scherp voor de geest. Ik wist niet of ik moest lachen of huilen.

Ze siste nog iets, maar ik luisterde al niet meer. Ik verbrak de verbinding en besloot het toestel voor Eric te verbergen. Misschien stonden er nog telefoonnummers of tekstberichten in het geheugen die mij van pas konden komen. Pas toen ik het ding in mijn handtas stopte, drong het tot me door dat ik geen flauw idee had waar mijn eigen mobieltje was.

Er flakkerde weer hoop op in mijn hoofd. Een echtscheiding hoefde plots niet meer helemaal slecht voor mij af te lopen. Ik zou een punt kunnen zetten achter dit 'beter-dan-niks'-huwelijk en ergens opnieuw kunnen beginnen, het verleden begraven. Misschien was ik er nog net niet te oud voor.

Ik sleepte de koffer de slaapkamer in, maar kon me er niet toe brengen alles weer uit te pakken. Op de rand van het bed zat ik naar het logge ding te kijken. Het herinnerde mij eraan dat ik de andere koffer met Robins spullen in Malfliets villa had achtergelaten. *Dat was ook maar het beste*, drukte ik mezelf op het hart. Wat voor zin had het om een aandenken te bewaren aan een complete mislukking?

Ik had Robin leren kennen toen ik als receptioniste bij een derde-rangshotel in de buurt van het Zuidstation werkte. Het was een van de vele pokkenbaantjes die ik aan elkaar had geregen om toch maar niet bij mijn ouders te moeten gaan wonen. Op een namiddag meldde een opgetutte vrouw van rond de vijftig zich bij de balie aan. In haar kielzog een schoffie met mooie ogen en een brutale grijns.

Het mens wierp me een hatelijke blik toe toen ik haar naar haar identiteitskaart vroeg. Na een moeilijk moment van vertwijfeling gooide ze de kaart op mijn werkblad. Zodra ik de nodige persoons-gegevens overgepend had, rukte ze het ding weer uit mijn hand. Toen ze samen naar de kamer gingen en hij mij over zijn schouder een vette knipoog toewierp, begreep ik dat hij haar zoon niet was.

Enkele uren later zag ik ze terug in de lobby, zij met een enorme zonnebril op en hij ongetwijfeld weer wat zakgeld rijker. Maar het werd snel duidelijk dat hij veel meer wou. Terwijl de vrouw met de zonnebril en de harde trek om haar mond naar buiten liep, kwam hij breed lachend naar de balie. Ik lachte houterig terug.

'Zou je wat willen bijverdienen?' vroeg hij zonder zichzelf voor te stellen. De diep verontwaardigde uitdrukking op mijn gezicht deed hem nog breder grijnzen.

'Nee, dat bedoelde ik niet. Je hoeft niet tot mijn niveau te zinken. Het gaat gewoon om een kleine inlichting. Dat loeder van daarnet is namelijk getrouwd met een vent die goed bij kas zit...'

'Je cliënte?' zei ik fijntjes.

'Ja, die', antwoordde hij zonder enige gêne. 'En mijnheer de directeur-generaal is waarschijnlijk nog van de oude stempel en zoals zijn vrouw stikjaloers en conservatief. Het soort dat er heel wat voor over zou hebben om hun privéleven privé te houden.'

Ik voelde tegelijk een diepe afkeer en een heimelijke fascinatie voor de schoft met de mooie grijns. Dus liet ik hem uitpraten.

'Ik heb een en ander op een bandje opgenomen.' Hij haalde een dictafoon uit zijn binnenzak. 'Dat zou ik haar graag laten weten. Mijn probleem is nu dat ik haar adres niet heb... maar jij wel.' Hij wees naar het hotelregister.

'Die gegevens zijn vertrouwelijk', protesteerde ik met weinig overtuiging.

Het deed hem hardop lachen. 'Betalen ze je hier zo goed dat je je zo'n dure beroepsethiek kunt veroorloven?' Het klonk helemaal niet intimiderend, eerder geamuseerd ironisch, alsof hij maar wat met me stond te flirten.

'Dat dacht ik ook niet', ging hij verder. 'Als je even haar gegevens op een papiertje overschrijft, krijg je van mij een kwart van de opbrengst. Wat vind je daarvan?'

Ik vond dat het verleidelijk gevaarlijk klonk.

'Je denkt toch niet dat ik zo onnozel ben om te geloven dat je dat *echt* zou doen?' Ik besefte toen al dat dit het verkeerde antwoord was.

'Tuurlijk', zei hij beminnelijk. 'Weet je wat? Ik ga naar huis, schrijf een briefje aan die mevrouw, maak een kopie van de opname, stop alles netjes in een envelop en kom daarna terug. Jij kunt het briefje met de instructies woord voor woord nalezen voor je het in de envelop stopt en daarna zet jij er zelf het adres op en doet ze op de post. Zo hoef je mij je beroepsgeheimpje niet te verklappen en weet je precies wat ik aan haar vraag, en waar jij dus recht op hebt.'

'Een kwart, zei je?'

'Jij betaalt de postzegel wel.'

Robin hield zich aan zijn woord en al gauw probeerden we die manier van werken ook op andere klanten van hem uit. Hoe hij hen ronselde, wist ik niet, en het interesseerde me ook niet echt. Wat hij met ze deed in die goedkope hotelkamer, interesseerde me echter meer dan ik zelf durfde toe te geven. Stiekem beluisterde ik de kopieën van de opnames op mijn walkman voor ik ze opstuurde. Eén keer was ik direct na hun vertrek naar de kamer in kwestie gelopen om daar naakt tussen de gekreukelde lakens naar zijn stem en zijn gekreun te luisteren.

Ik hield van de spanning en de intimiteit van ons verdorven geheimpje. Beetje bij beetje begon ik ook van de charmante rebel in de schoft te houden. Hij behandelde mij als zijn maatje en wist niet beter. Het leven was voor mij plots een stuk interessanter en speelser geworden. Ook de bijverdienste was mooi meegenomen.

Een van Robins klanten moest uiteindelijk geraden hebben hoe de vork in de steel zat, want op een avond riep de hoteleigenaar me in zijn kantoor en werd ik zonder uitleg op staande voet ontslagen. Robin nodigde me uit om bij hem in te trekken. Zo hoefde ik voorlopig tenminste geen huur meer te betalen.

Robin was de perfecte gastheer: attent, gul en hoegenaamd niet opdringerig. In die mate zelfs dat ik begon te vermoeden dat hij me gewoon te oud vond om begeerlijk te zijn.

We vonden het te riskant om onze afpersingspraktijken voort te zetten. Maar Robin bleek van nog wel meer markten thuis te zijn.

's Nachts trok hij eropuit om in geparkeerde wagens in te breken. Ik ging met hem mee en stond op de uitkijk, eerst omdat ik mij daadwerkelijk zorgen om hem maakte en later voor de kick. Op een gure februarinacht had de eigenaar van de wagen in kwestie ons opgemerkt en kwam hij ons tierend en scheldend achternagelopen. Wij renden alsof ons leven ervan afhing en ik dacht nog bij mezelf hoe vreemd het was dat ik me net op dat moment vrijer voelde dan ooit tevoren.

Toen we de man eindelijk definitief hadden afgeschud, vielen we proestend en hijgend in elkaars armen.

Robin ging lachend op één knie zitten en bood me de autoradio die hij net uit de wagen had ontvreemd op beide handen aan. Ik nam hem dankbaar aan, knielde naast hem neer en kuste hem op zijn wang. Hij nam mijn natgeregende hoofd tussen zijn handen en drukte een kus op mijn mond. Dat was het tweede begin voor ons.

Al gauw werd ik Robins officiële vriendin. Zijn vrienden werden mijn kennissen, maar ik vertrouwde niet één van hen. Het plan om een flat voor mezelf te zoeken leek definitief van de baan, net als het plan om een fatsoenlijke job te vinden. Ik was bang dat een wettelijke job mij te veel van hem zou vervreemden, en daarbij besefte ik maar al te goed dat eender welke baan maar een fractie zou opbrengen van wat mijn huidige bezigheden opleverden.

Ik verbrak het contact met mijn ouders volledig. Eigen vrienden had ik nooit gehad, dus daar hoefde niets verbroken of verborgen gehouden te worden.

Heel die sprankelende tijd lang knaagde het besef dat dit niet kon blijven duren en dat dat ook nooit mijn bedoeling kon zijn geweest. Mijn geluk was des te groter.

Toen werd het mei 1999 en kwam Robin met een groots plan voor een inbraak aanzetten: een dure villa in Watermaal-Bosvoorde die nagenoeg altijd onbewoond was. Ik stemde ermee in tegen beter weten in.

Enkele dagen later was hij dood door mijn toedoen en mijn hebzucht. Mijn straf: één jaar eenzame ontnuchtering bij mijn ouders en daarna negen jaar cel in deze flat. Een strafvermindering voor goed gedrag.

Ik zat op de rand van mijn echtelijke bed in het ijle te staren en miste Robin voor de eerste keer in meer dan tien jaar tijd. Het was een afgrijselijk gevoel.

36

Het was nog erg vroeg in de ochtend toen ik de Lancia in Karen Sierens' straat parkeerde. Een postbode staarde me na terwijl ik naar haar voordeur strompelde. Toen mijn blik de zijne kruiste, keek hij snel weg.

Ook ik was geschrokken van wat ik daarnet in de spiegel had gezien.

Ik hield mijn vinger een halve minuut lang op de belknop en moest daarna tegen de gevel leunen om niet ter plekke door mijn benen te zakken.

Een eindeloze tijd later ging de deur eindelijk open. Zelfs in haar gebloemde kamerjas en slippers zag ze er nog hardvochtig uit. Als ze al verbaasd was mij hier te zien... of in deze staat, liet ze het niet merken.

Ze deed me teken dat ik haar naar binnen moest volgen. Ik liet me in dezelfde fauteuil zakken als die eerste keer en zij ging weer recht tegenover mij zitten, nog meer op haar hoede dan enkele dagen geleden.

Ik had geen idee wat ik moest denken of zeggen. Het enige wat ik wist was dat zij mijn laatste aanknopingspunt was en dat ik nergens anders heen kon.

'Je hebt dus mijn bericht gekregen', zei ze na mij van kop tot teen opgenomen te hebben. 'Waarom ben je na al die jaren teruggekomen?'

Altijd weer diezelfde vraag.

'Wat wil je van mij?' voegde ze eraan toe.

'Ik heb een dokter nodig', kreunde ik schor. 'Ik ben in mijn bovenarm geschoten en de pijn is ondraaglijk geworden. Maar ik kan niet gewoon naar de spoeddienst.'

'Je ziet er afschuwelijk uit', merkte ze koeltjes op.

'Ik heb de hele nacht in de auto gezeten zonder te weten wat te doen. Zonder te slapen of echt wakker te zijn.'

'Wie heeft op je geschoten?'

'Niemand die je kent.'

'Heb je geld?'

'Niet veel.'

'Ik zal een dokter laten komen die ik via een oude bekende van ons beiden heb leren kennen. Als je hem wat extra toestopt, stelt hij geen lastige vragen.'

Ik knikte en ze liep de living uit om in een achterkamer een discreet telefoontje te plegen. Hoewel ik nauwelijks begreep wat er gebeurde en haar al helemaal niet vertrouwde, voelde ik een rust en geborgenheid over me heen dalen. Ik kon het gevoel niet verklaren.

Voorzichtig trok ik mijn jas uit en merkte dat de wonde weer was beginnen te bloeden. Maar het maakte niet uit. Nu niet meer.

Even later kwam ze binnen met een geïmproviseerd ontbijt dat ze voor me op het tafeltje zette.

'Leg je jas over de rugleuning. Ik wil geen bloedvlekken op mijn meubels', zei ze onvriendelijk. Zo voelde het om thuis te zijn bij een vrouw die al jarenlang verveeld met je zat, dacht ik bij mezelf.

Ze ging weer zitten en keek toe hoe ik het kopje met één arm naar mijn mond probeerde te brengen zonder te morsen. Mijn hand trilde zodanig dat ik het na twee pogingen opgaf.

'De dokter komt over een uur. Denk je dat je het zo lang overleeft?'

'Wat voor een dokter is dat eigenlijk?' vroeg ik terwijl ik een hap binnen trachtte te krijgen.

Ze ging achteruit zitten en kruiste haar armen op die theatrale manier die mij de eerste keer al was opgevallen. 'Ik weet dat Serge hem laat komen als een van zijn illegale onderhuurders iets mankeert. Sommige van die lui gebruiken hem ook om met een koosjer doktersvoorschrift aan methadon en andere pillen te komen.'

Ik zei niks. In mijn situatie kon ik niet al te kieskeurig zijn. Zij keek mij met dichtgeknepen ogen aan, ook weer precies zoals de eerste keer. Verwachtte ze een reactie van mij? Ging ze ervan uit dat ik wist wie 'Serge' was? Waarom zou ze hem anders bij zijn voornaam noemen?

'Hoe gaat het met Serge?'

Haar ogen werden nog nauwer. 'Jij kent hem beter dan ik, dacht ik. Het verbaast me dat je niet naar hem gegaan bent. Zit er een haar in de boter tussen jullie? Toch geen last van wroeging gekregen?'

'Ik heb hem in geen jaren gezien...'

'Dan zal hij ondertussen wel een andere knokploeg gevonden hebben om zijn wanbetalers onder druk te zetten, neem ik aan. Hij is nog altijd dezelfde, weet je.'

Weer zei ik niks. Mijn gedachten maalden in het rond. Ik kon niet tot een conclusie of een oordeel te komen. Robin in dienst van een louche huisjesmelker. Robin die verkleumde, verwaarloosde illegalen op verzoek in elkaar slaat. Robin die almaar dieper wegzinkt in het drijfzand dat zijn graf wordt. Onder de composthoop.

'Je hebt nog steeds niet gezegd wat je nu eigenlijk van mij wil. Ben je teruggekomen om mij af te persen? Is het dat? Heb je je daarvoor uitgegeven voor een politie-inspecteur? Om van mij te horen hoeveel de echte politie weet en wat mijn ex ze destijds gezegd zou kunnen hebben? Of wou je me gewoon nerveus maken?'

Voorovergebogen en lijkbleek van de pijn en de misselijkheid moest ik wel een schuldige indruk op haar maken, besefte ik.

'Waarom zou ik je willen afpersen?' Ik klonk als een kwajongen die bang was om slaag te krijgen.

'Omdat je kennelijk zo goed als platzak bent en je niks beters wist te verzinnen.'

'Waarom heb je mij dan binnengelaten en help je me?'

'Omdat ik er ook belang bij heb dat je uit de handen van de officiële instanties blijft. Een rat zoals jij is in staat om alles op te biechten om strafvermindering te krijgen.'

'Een rat?'

'Had je een compliment van mij verwacht, misschien? Na die smeerlappenstreek die je mij geleverd hebt? Het enige wat je moest doen was in die villa inbreken, de dingen op de lijst die ik je gegeven had jatten en ze in bewaring houden tot het verzekeringsgeld gestort was. Je kunt je wel inbeelden hoe ik me voelde toen ik je brutale telefoontje kreeg.'

Ze keek me zijdelings taxerend aan. Ik kreeg het gevoel dat ze overwoog mij de deur uit te gooien.

'Je hebt niet eens de hoffelijkheid gehad hem om te brengen', ging ze tot mijn opluchting verder. 'Met de erfenis en het geld van de levensverzekering zou ik nu niet in deze stenen stapeldoos hoeven te wonen.'

Ik probeerde te volgen, maar ook dat lukte me nauwelijks meer.

'Wou je hem dood?' kreunde ik doodop. 'Waarom heb je dan het losgeld onder die boom gelegd?'

'Je weet even goed als ik dat ik zoiets nooit gedaan heb.'

'Enkele dagen geleden zei je nog van wel.'

'Toen wist ik nog niet zeker dat jij niet echt van de politie was. Hoewel ik meteen mijn vermoedens had...'

Misschien voegde ze er nog aan toe wat haar uiteindelijk had overtuigd, maar ik was ondertussen zo draaierig en flauw geworden dat ik amper nog hoorde wat ze zei, laat staan dat ik er iets van begreep.

Toen het tot haar doordrong dat ze in het ijle zat te praten en dat ik ieder moment kon instorten, stond ze op en hielp ze me de trap op naar een nauw vertrek dat was ingericht als kinderkamer en dat op een geplaveide binnenkoer uitkeek.

Ik liet me op het smalle bed neerzakken en gaf me over aan de duizelingen en de uitputting.

Ze trok mijn schoenen voor me uit, gaf een paar instructies die niet tot mij doordrongen en verliet de kamer.

Niet veel later kwam ze terug met een vent met een dokterstas en een accent dat ik niet kon thuisbrengen. Hij gebaarde dat ik mijn hemd moest uittrekken. Rechtop zitten vergde al een bovenmenselijke inspanning. Nadat hij de wonde vluchtig onderzocht had, zei hij iets tegen haar, pakte een injectienaald uit de tas en stak ze zonder verdere plichtplegingen in mijn arm. Hij kon me op vraag van mijn gastvrouw een overdosis heroïne inspuiten, en niemand zou er ooit wat van weten.

Het was al avond toen ik langzaam weer wakker werd. Mijn bovenarm was nog altijd zwaar en pijnlijk, maar het voelde niet langer alsof ik ieder moment mijn hele arm kon verliezen. Ik betastte de hechtingen met mijn vingertoppen. De tintelende pijnscheuten hadden iets geruststellends.

Het duurde even voor ik rechtop kon zitten zonder duizelig te worden. Lopen bleek nog een grotere uitdaging te zijn. Terwijl ik op de tast door de jeugdkamer met de stripboeken, de jongehondjeskalender en de speelgoedfiguurtjes ijsbeerde, sijpelde het geblèr van een tv door de muren naar binnen. Een ondefinieerbare kooklucht walmde door het halfopen raam de kamer in. De achterburen hadden hun was te drogen gehangen op hun balkon. Twee mussen vochten op de troosteloze binnenkoer om een korst brood. Ik keek ernaar en daarna naar mijn flauwe weerspiegeling in de vensterruit. *Dit was de echte wereld*, zei ik tegen mezelf.

Ik trof Malfliets ex in de zitkamer aan. Weer wist ik niet wat te zeggen.

Ze schoot meteen recht toen ze mij zag en liep op me af met een gloeiende blik in haar ogen. Ze kwam meteen ter zake: 'Ik heb gehoord dat de villa in de Wilgenlaan gisteren is afgebrand en dat men kwaad opzet vermoedt. Er zouden ook lichamen gevonden zijn. Heb jij daar iets mee te maken?'

Rustig blijven bleek makkelijker dan ik had gedacht. Waarschijnlijk was de injectie nog niet helemaal uitgewerkt.

'Kan ik iets te drinken krijgen? Mijn keel is zo droog...'

'Geef verdomme antwoord.'

Ik keek haar recht in de ogen, wat al mijn wilskracht vergde.

'Waarom zou ik zoiets doen?' stamelde ik.

'Hang de onnozele hals niet uit! Je duikt plotseling uit het niets op, geeft je uit voor een politie-inspecteur, vraagt me uit over de inbraak, nog geen week later wordt er brand gesticht in de villa en sta jij hier voor de deur met een schotwond in je schouder... Wel een heel toevallige samenloop van omstandigheden...'

Ik zakte moedeloos neer op een fauteuil en in een flits zag ik een uitweg. Eindelijk had ik de laatste kruimels gevonden die uit het behekste bos leidden.

'Ik heb je niet alles verteld...' zei ik zacht. Ze ging tegenover me zitten met een diepe frons en met haar handen voor haar gezicht

gevouwen. Ze knikte dat ik kon doorgaan. De patiënt en zijn thera-
peute.

'Ik heb die inbraak destijds niet alleen uitgevoerd. Ik had een
partner, een oude liefde van mij. Het was haar idee om losgeld voor
je ex te vragen nadat ik hem had opgesloten in de slaapkamer. Ik was
dwaas verliefd genoeg om met het plan in te stemmen. Maar alles
liep goed mis. Door haar onvoorzichtigheid wist je ex haar te overmeesteren en plotseling had hij alle kaarten in handen. Ik verloor
mijn koelbloedigheid en vluchtte het huis en daarna het land uit.'

Ik keek haar schaapachtig aan. Ze snoof verachtelijk, maar hield
haar commentaar voorlopig voor zich.

'... Pas enkele maanden geleden keerde ik terug naar Brussel,
vernam tot mijn opluchting dat ze nog op vrije voeten was en nam
contact met haar op. Het was de enige manier om in het reine te
komen met mezelf. Zoals ik had verwacht, was ze allesbehalve blij
me terug te zien. Ze vertelde me dat jouw ex haar na mijn vlucht had
mishandeld en verkracht. Hij wist toch dat ze hem niets kon maken.
Daarbij was ze ervan overtuigd dat ik het losgeld had gekregen en dat
ik haar laf had laten stikken om het niet te hoeven delen. Ze eiste haar
deel van het geld en zei dat ze me wat aan zou doen als ik niet over
de brug kwam. Ze was door het dolle heen. Ik herkende de vrouw op
wie ik destijds verliefd geworden was niet meer.'

Weer viel het tikken van de wandklok me op, maar deze keer had
het geluid iets hypnotiserends.

'... Ik *moest* weten wat er precies gebeurd was tien jaar geleden,
nadat ik was weggelopen, en de enige aan wie ik iets kon vragen was
jij. Vandaar dat toneelstukje van enkele dagen geleden. Ik dacht bij
mezelf: als ik maar grof genoeg bluf, zal ze mij na al die jaren wel
niet meer herkennen.'

'Ik had je eerst ook niet herkend', viel ze onmiddellijk in, 'hoewel
iets in je gezicht me vaag bekend voorkwam. Pas toen de echte politie me zei dat ze nog nooit van een zekere Saeys gehoord hadden,
ging me een licht op.'

'Ben ik erg veranderd?'

'Ik wist niet dat iemand in tien jaar tijd zo erg kon verouderen.'

Daar hield ze het bij, hoewel ik betwijfelde dat ze het uit kiesheid deed.

Haar trekken waren echter wat minder hard geworden. Dat zag ik als een bemoedigend teken.

'Ze zei ook dat ze hem af en toe weer opzocht in de villa', ging ik behoedzaam verder. 'Zij had hem onlangs toevallig ergens herkend en was met de moed van tien jaar opgekropte woede op hem afgegaan. Ze had hem gezegd dat ze nog regelmatig masochistische fantasieën had over de behandeling die hij haar gegeven had. Hij hapte meteen toe en nodigde haar uit om het allemaal nog eens over te doen.'

'Dat verbaast me niks van hem', sneerde ze.

Het ging goed, dacht ik bij mezelf. Nog even en ik zou de deur naar mijn oude leven definitief achter me dicht kunnen trekken.

'Ze wachtte enkel nog op het juiste moment om hem in zijn eigen boeien te slaan en zich te wreken. Blijkbaar is dat precies wat ze gisteren gedaan heeft.'

Karen Sierens nam me argwanend op, op zoek naar iets wat de leugen zou verraden.

'Mag ik nu iets drinken?' Ook praten begon pijnlijk te worden.

'Hoe kom je aan die schotwonde?'

'Gisteren belde ze me op om te zeggen dat ze haar deel van het geld onmiddellijk wou.

Ik herhaalde dat ik nooit iets gevonden had, maar zij geloofde me niet. Ze zei dat ze me absoluut wou spreken en dat zij naar mij zou komen als ik niet naar haar kwam. Dus spraken we af elkaar ergens buiten de stad te ontmoeten. Toen ik op het verlaten boerenerf dat ze had beschreven aankwam, zag ik meteen dat ze een pistool had. Haar huidige echtgenoot schijnt ze te verzamelen. Ik probeerde kalm met haar te praten, maar ze was in alle staten en ze was hypernerveus. De stoppen waren doorgeslagen. Ze bleef maar tieren dat ze mijn kop eraf zou schieten als ik niet met dat geld op de proppen kwam. Zelfs als iemand mijn lijk ooit mocht vinden, zou haar man, die echt bij de politie werkt, ervoor zorgen dat de zaak niet grondig werd onderzocht. Ik hoefde dus niet te denken dat ze een moment zou aarzelen om het te doen.

Om haar te kalmeren, liep ik heel langzaam op haar toe, keek haar in de ogen en zei haar dat ik na al die jaren nog steeds van haar hield, dat ik de beste momenten van mijn leven met haar had beleefd, dat we de draad misschien weer konden oppikken... Ik zei nog veel meer en heel die tijd stond zij daar maar van nee te schudden met hete tranen in haar ogen. Toen ik tot op een meter genaderd was, werd het haar te veel en haalde ze de trekker over. Gelukkig voor mij trilde haar hand van de emoties.'

'Gelukkig voor jou heeft ze geen tweede keer geschoten.'

Ik greep naar mijn bovenarm en staarde door het achterraam naar buiten. De plaveien en de witgekalkte muren deden me terugdenken aan de binnenkoer van de gevangenis. Ik huiverde.

'Ja, ze heeft maar één keer geschoten. Ze was zo geschrokken van wat ze gedaan had, dat ze wegvluchtte en mij daar alleen achterliet. Met de spullen in de verbanddoos van de auto heb ik het ergste bloeden wat kunnen stelpen. Uiteindelijk kon ik met veel moeite terugrijden.'

'Denk je dat ze het opnieuw zal proberen?'

Ik keek haar verward aan.

'Ik geloof het niet. Voor zover zij weet lig ik daar in die schuur nog altijd leeg te bloeden.'

'Weet ze waar je woont?'

'Makkelijk genoeg om uit te vissen.'

'Dan kun je maar beter een tijdje ergens anders logeren. Je kunt de kamer boven voorlopig gebruiken, als je nergens anders heen kunt.'

'Van wie is die kamer eigenlijk?'

'Van mijn nichtje. Ze logeert af en toe bij me als haar vader een buitenlandse opdracht heeft of in moeilijkheden zit.'

'Dat is erg vriendelijk... Het verbaast me eerlijk gezegd nog steeds dat je dit allemaal voor me wilt doen na de streek die we je destijds geleverd hebben.'

Ze haalde haar schouders op.

'Oude koeien... Ik verwacht natuurlijk wel een vriendendienst terug.'

Ze wachtte even om te zien of ik meteen zou tegenstribbelen. Maar dat deed ik niet.

'Ik heb Serge gebeld terwijl je sliep. Hij was blij te horen dat je nog leeft. Ik denk zelfs dat hij een werkje voor je heeft', zei ze zakelijk. Ik knikte alleen maar.

'Hij kan morgen langskomen om een en ander met je te bespreken. Met ons.'

'Goed. Ik was toch op zoek naar werk', zei ik meer tegen mezelf dan tegen haar. 'Hij weet waar ik goed in ben.'

'Dat is dan geregeld', zei ze met iets wat voor een glimlach had kunnen doorgaan. De ondervraging was voorlopig voorbij.

'Spijt het je niet dat ze het gedaan heeft, dat hij niet meer leeft?' vroeg ik voorzichtig.

Weer haalde ze haar schouders op. 'Je hoeft me niet te condoleren, als je dat bedoelt. Het enige wat me spijt, is dat ze het niet tien jaar eerder gedaan heeft.'

Ze liep de kamer uit en kwam terug met een glas spuitwater in de hand. Net voor ze het aan mij wou geven, vernauwden haar ogen zich weer tot spleetjes: 'Zij is het, hé? De vrouw van de polaroid die je mij laten zien hebt?'

'Ja', antwoordde ik.

Ze gaf mij het glas en ik dronk ervan alsof ik voor het eerst in mijn leven water proefde.

37

Het was ochtend geworden zonder dat ik er erg in had. Een mooie lentezon scheen door de spleet tussen de gordijnen – het begin van een mooie dag voor wie er nog zin in had.

Ik wist vrij zeker dat ik die nacht geen oog had dichtgedaan, want ik zat rechtop op het bed met mijn kleren aan.

Eric was nog altijd niet teruggekomen. Dat leek me ook maar

beter. Ik was veel te moe en veel te verward om met hem te bekvechten, laat staan te praten. Met een beetje geluk kwam hij nooit meer
terug en hoefde ik hem nooit meer te zien.

Ik dwong mezelf om op te staan en naar de keuken te lopen om
iets te eten te halen. Tot mijn eigen verbazing lukte het me nog om
iets binnen te krijgen.

De koffie hielp me om helderder te denken, maar wat viel er te
denken? Wat viel er nog te doen behalve afwachten?

Ik slenterde door de kamers van de flat en keek ernaar alsof ik de
woonst voor de eerste keer zag, de benauwde kamers met de smake-
loze inrichting, de rommel die iedere opruimbeurt leek te overleven,
alle sporen van Erics onbenullige bestaan. Ik kon me onmogelijk
voorstellen hoe ik het hier nog een dag langer zou kunnen uithouden.

Voor de stereo bleef ik even staan. Ik twijfelde of ik hem zou aanzetten om te horen of er in het journaal over een brand werd gesproken of niet. Eigenlijk wou ik het ook niet weten. Ik wou helemaal
niks meer weten.

In de slaapkamer opende ik de safe met de overblijvende pistolen
uit Erics collectie. Ik bleef ernaar kijken, nam er dan één in mijn hand,
liep ermee naar de badkamerspiegel en plaatste de loop tegen mijn
slaap alsof ik het wou uitproberen. Ik zag er potsierlijk uit. En oud.
Het was niet dat ik de moed niet kon opbrengen om de trekker over
te halen, het had gewoon geen zin meer. Ik slofte terug naar de slaapkamer en legde het wapen waar ik het gevonden had.

Een moment later liet ik me op het bed vallen en dreef eindelijk
weg in een ondiepe slaap.

De deurbel maakte mij weer wakker. Ik wachtte tot het lawaai zou
ophouden en ik terug kon wegzinken in de vergetelheid, maar het
hield niet op.

Geïrriteerd ging ik rechtop zitten. Een groeiende onrust verdreef
de laatste nevelslierten uit mijn geest.

Eric had een sleutel. De enige andere persoon van wie ik me kon
indenken dat die zo lang zou aandringen was Frank.

Vertwijfeld sleepte ik me naar de inkomhal en nam de deurtelefoon van de haak. 'Hallo?'

'Elizabeth?'

Mijn eigen naam klonk al even vreemd in mijn oren als de stem zelf.

'Ja?'

'Elizabeth, ik ben niet zeker dat je je mij nog zult herinneren. Ik ben Walter, een collega van Eric.'

'Nee...'

'Mag ik even binnenkomen? Ik ben bang dat ik slecht nieuws voor je heb.'

Mijn adem stokte en mijn hart ging tekeer. Een deel van mij hoopte vurig dat er iets ergs met Eric gebeurd was. Dat zou sommige dingen een stuk makkelijker maken.

Ik opende de deur vanop afstand, fatsoeneerde mij wat en deed de deur van de flat open. Ik zag dat Erics collega niet alleen gekomen was, vlak achter hem liep een politieman in uniform. Ze keken alle twee streng en somber.

De man die zich had voorgesteld als Walter herkende ik vaag van een korpsbijeenkomst enkele jaren geleden. Hij schudde me bij het binnenkomen plechtig de hand. De tweede hield het bij een hoofd-knikje.

'Elizabeth, kunnen we ergens gaan zitten? Ik heb slecht nieuws voor je', herhaalde hij vaderlijk.

Zonder iets te zeggen liep ik ze voor naar de zitkamer. Pas toen Walter en zijn zwijgzame collega gingen zitten op de sofa, drong het tot me door dat de compromitterende foto's van Erics detective nog over de tafel lagen uitgespreid. In een brede haal raapte ik ze snel samen en wierp ze in de eerste de beste lade.

'Sorry voor de rommel', stotterde ik.

'Geeft niks', zei Walter begrijpend. 'Wil je niet gaan zitten?'

Ik deed wat me gevraagd werd.

Beiden keken me ernstig en indringend aan.

Eindelijk stak de ene van wal: 'Elizabeth, je kunt je maar beter voorbereiden op een schok. Eric is enkele uren geleden dood aange-troffen.'

Terwijl hij met een lijkbiddersuitdrukking wachtte tot zijn mede-deling doorgedrongen was, zei ik mezelf dat ik de ongelovige echt-genote moest spelen. Maar het lukte me niet. In plaats daarvan bleef ik de twee onbewogen en wezenloos aanstaren.

'Het spijt me', voegde hij eraan toe.

Ik kreeg geen woord over mijn lippen.

'Snapt u wat mijn collega net gezegd heeft, mevrouw Verstraete?' vroeg de andere fronsend. 'Uw man is vannacht overleden.'

'Ja', zei ik. In plaats van opgelucht voelde ik mij angstig en ver-ward.

'Gaat het wel goed met je, Elizabeth?' vroeg de zorgzame van de twee weer. 'Je ziet er... heel moe uit.'

'Ik heb de hele nacht op hem zitten wachten', flapte ik er auto-matisch uit. 'Ik heb geen oog dichtgedaan. Het spijt me.'

'Ja, natuurlijk', antwoordde hij welwillend. 'Dat lag voor de hand. Zullen we dan maar een andere keer terugkomen?'

Terugkomen? Waarvoor moesten ze terugkomen? Ik zag nog net hoe de tweede hem een por gaf.

'Misschien kunnen we het maar beter meteen helemaal afhande-len', verbeterde de eerste zichzelf.

Ik knikte, waarop hij even diep inademde alsof hij een duik wou nemen.

'Eric is in verdachte omstandigheden om het leven gekomen, Elizabeth. De brandweer heeft zijn lichaam gevonden toen ze een grote brand aan het blussen waren in Watermaal-Bosvoorde...'

Hij had het dus toch gedaan, dacht ik bij mezelf en voelde me steeds nerveuzer worden.

'... Ze hebben de politiediensten er meteen bij geroepen' – hier stopte hij even – 'in de eerste plaats omdat het overduidelijk was dat de brand was aangestoken, en in de tweede plaats omdat Eric een schotwonde in de schouder had.'

Ik probeerde het allemaal te vatten, ze een stap voor te blijven, maar alles bleef maar zwemmen in mijn hoofd. Was Eric naar Mal-fliets villa gegaan? Had de zwerver hem neergeschoten? Waarom in godsnaam?

'Ik begrijp het niet', zei ik uiteindelijk.

'Wij ook niet, Elizabeth, nog niet. Maar we komen er wel. Maak je daar geen zorgen om.'

Ik knikte weer. Er zou een onderzoek komen, zoveel was zeker. De tweede bleef maar met de ogen van een aasgier naar mij staren. Ik begon een rothekel aan die tronie te krijgen.

'Mogen we je enkele vragen stellen? Ben je in staat om ons nu te woord te staan?'

Ik haalde mijn schouders op. Een deel van me besefte dat ik de hysterische huilebalk moest spelen en zeggen dat ze later moesten terugkomen. Dat zou me tenminste wat tijd geven om mijn antwoorden wat beter voor te bereiden. Maar het andere deel bleef totaal onverschillig naar de twee schimmen in de zitkamer kijken en wachtte gelaten af.

'Goed dan', ging de eerste verder. 'Weet je wat Eric in Watermaal-Bosvoorde, in de villa van een zekere Paul Malfliet, deed?'

'Nee.'

'Het moet iets vrij belangrijks geweest zijn, want hij had er zelfs zijn dienst voor laten varen...' moedigde hij me wat aan. 'Dat was zijn gewoonte niet.'

'Nee', herhaalde ik als verdoofd.

'Zegt die naam je iets: *Paul Malfliet*?'

Ik moest sneller denken, sneller, veel sneller. Hoeveel wisten ze? Hoeveel had Eric hen de afgelopen dagen verteld? Waarschijnlijk niks – hij zou het niet kunnen verdragen hebben dat zijn werkmakkers wisten dat hij een hoorndrager was, maar zeker kon ik dat niet weten. Wisten ze van de detective?

'Ja', stamelde ik na bijna een minuut stilte, 'ik ken hem.'

De twee gingen geïnteresseerd naar voren leunen. 'Hoe ken je die mijnheer Malfliet?'

'Van vroeger. Ik heb nog voor hem geposeerd. Hij is een fotograaf.'

De frons van de tweede werd dieper en donkerder, maar voorlopig deed hij er het zwijgen toe.

'Wist je man daarvan?' vroeg de eerste.

'Ja. Waarom zou hij er niet van weten? Het waren fatsoenlijke foto's.'

'Dus hij was niet jaloers of verontwaardigd of...?'

Sneller, ik moest sneller denken, maar mijn hersenen leken wel van zaagsel.

'Misschien ook wel. Ik weet het niet. Misschien vermoedde hij dat er meer gaande was dan een fotoshoot...'

'Heeft hij jou daar dan nooit over aangesproken?'

'Ja, toch wel. Maar ik heb hem gezegd dat er niets gebeurd was en daar is het bij gebleven.'

'Je man wordt met een kogel in zijn lichaam gevonden tussen de resten van de afgebrande villa van de man die jou ooit gefotografeerd heeft. Geef toe dat dat geen toeval kan zijn, Elizabeth.'

Ik wenste dat hij ermee ophield me bij mijn voornaam aan te spreken.

'Ik kan niet voor Eric spreken...' zei ik alleen maar.

Nu was het de beurt aan de tweede: 'Hebt u onlangs nog contact gehad met Paul Malfliet?' Hij had een harde, onaangename stem.

'Ja', zei ik zacht, 'naar aanleiding van een fototentoonstelling van hem. Er zat een foto bij die hij destijds van mij genomen had.'

'... En die contacten waren puur professioneel?'

'Vriendschappelijk', beet ik terug.

'Hoe bedoelt u?'

'Hij had zijn been gebroken bij een ongeval en kon zich niet verplaatsen. Omdat hij alleen woonde, heb ik dan maar voorgesteld om wat voor hem te zorgen.'

'Wat vond uw man daarvan?'

Ik schudde verward het hoofd: 'Het is mogelijk dat hij er van alles achter zocht...'

'Hij wist het dus?'

'Ja. Waarom niet? Het was volledig onschuldig.'

'Het was wel een heel vriendelijke daad van zelfopoffering van u', zei de tweede weer zonder al te veel moeite te doen om het niet schamper te laten klinken.

'Hij betaalde me er wel wat voor.' Ondanks mezelf en ondanks mijn emotionele lethargie voelde ik mijn kop bloedrood worden. Er volgde een geladen stilte.

'Er is nog iets vreemds aan de hele zaak', begon de eerste weer. 'Iets heel vervelends. Zie je, tussen de resten van de villa werd nog een tweede lichaam gevonden.' Ik durfde niet op te kijken. 'Dat was bijna helemaal verkoold, maar het gipsverband om het been bevestigt ons vermoeden dat het hier om de eigenaar zelf moet gaan.'

Iets in mij brak. De tranen volgden vanzelf, zoals altijd wanneer ik zenuwachtig was en me in het nauw gedreven voelde.

'Het spijt me', zei de eerste kies.

'Wat gebeurt er toch allemaal?' jankte ik tussen twee snikken in.

'Mevrouw Verstraete,' viel de tweede in, 'het spijt ons dat we moeten aandringen, maar het is echt nodig dat we zo snel mogelijk een duidelijker beeld krijgen van wat er gebeurd is. Blijft u erbij dat uw relatie met mijnheer Malfliet louter platonisch was?'

Te laat om nog terug te krabbelen...

'Ja, natuurlijk... Wat insinueert u eigenlijk?'

Nu was het de eerste die sprak. Zijn stem klonk al een stuk minder vaderlijk: 'Elizabeth, ik begrijp dat het moeilijk is om zoiets toe te geven, vooral in zulke pijnlijke omstandigheden, maar je kunt echt beter de waarheid zeggen. Je staat misschien niet onder eed, maar de politie moedwillig voorliegen is nooit een goed idee. Dat hoef ik jou toch niet te vertellen?'

Ik hield terstond op met huilen. De angst had de bovenhand gekregen.

'Erics auto stond nog voor de villa geparkeerd. Het portier was niet op slot. In het handschoenkastje vonden we foto's van de voorgevel van de villa... en van een vrouw en een man die de liefde aan het bedrijven zijn op de vloer van een van de kamers. Er zaten foto's bij waarop het gezicht van de vrouw duidelijk te zien is. Ze lijkt wel erg veel op jou.'

Waarom had Eric kopieën van de afdrukken meegenomen naar Malfliet? Om hem het bewijs onder de neus te duwen voor hij hem een ongeluk sloeg?

Ik slikte moeizaam.

'Het is niet wat jullie denken', zei ik hees. 'Ik heb niet gelogen. Ik ben inderdaad die vrouw op de foto, maar die man is Paul Malfliet niet. Paul wist van mijn moeilijke huwelijk met Eric en wist dat ik op iemand anders verliefd geworden was. Hij vond het goed dat we elkaar bij hem thuis ontmoetten.'

Het was een gevaarlijke gok, maar ik had geen keus. Hoe lang zou het nog duren voor ze er zelf achter kwamen dat het gezicht op de foto niet van Malfliet was?

Voorlopig leken ze godzijdank tevreden met mijn antwoord.

'Maar uw man vermoedde dat u een relatie had met die Malfliet?' drong de tweede aan. 'Weet u trouwens wie die foto's gemaakt heeft?'

Ik schudde van nee. 'Voor zover ik weet, heeft hij ze zelf stiekem gemaakt.'

'Hoe heette de man die je daar ontmoette eigenlijk?' vroeg de eerste weer. Ik voelde een rilling over mijn rug lopen toen ik zag dat de andere ondertussen een blocnote uit zijn vestzak had genomen.

'Doet dat er echt toe?' Ik wou het smekerig laten klinken, maar het kwam zelfs in mijn oren onhebbelijk over.

Nu begon ook de eerste duidelijk zijn geduld te verliezen: 'Kom aan, Elizabeth, je man en een goede vriend van je zijn dood aangetroffen, minstens een van hen is vermoord en jij vraagt ons of de naam van je minnaar die daar geregeld over de vloer kwam, ertoe doet?'

'Schaeffer', zei ik bijna onhoorbaar, 'Robin Schaeffer.' Wat had ik anders kunnen zeggen? Mijn enige hoop was Frank hierbuiten te laten.

'Hoe kent u die mijnheer?'

'Van vroeger', stamelde ik verder. 'Nog van voor mijn huwelijk met Eric...'

'Wist Eric van het bestaan van die man af?'

'Ik weet het niet. Ik denk van niet.'

'Hoe kwam het dat Eric vermoedde dat er iets aan de hand was? Je begint toch niet rond iemands huis te sluipen met een camera in de aanslag als je geen vermoedens hebt?'

'Ik weet het niet.'

De twee bleven zwijgzaam wachten op een bevredigender antwoord.

'Misschien is hij mij gevolgd en heeft hij toen iets gezien?' probeerde ik.

'Eric was een wapenverzamelaar, niet?' Door de abrupte verandering van onderwerp ging ik me nog ongemakkelijker voelen.

'Ja.'

'Bewaarde hij zijn vuurwapens hier in de flat?'

'Ja, in een safe in de slaapkamer.' *Het pistool*, wat was er in godsnaam met het pistool gebeurd?

'Mogen wij de collectie even zien?'

'Waarom? Ik... ik ken de cijfercode van de safe niet.'

'Een andere keer dan... Het zit namelijk zo: er is een vuurwapen gevonden in een van de uitgebrande kamers. Het is niet zeker - het wapen is waarmee Eric in de schouder geschoten is – dat moet nog bevestigd worden – maar het is zeer goed mogelijk. Aan de hand van het serienummer hebben we in het vergunningsregister kunnen zien dat het pistool wel degelijk van Eric was...'

'Ik begrijp het niet. Waarom wilt u de rest van zijn verzameling zien?'

Het fijne lachje op zijn gezicht gaf me te verstaan dat ik wel gek moest zijn om te denken dat ze me dat zouden vertellen.

'Hebt u toegang tot de wapens?' Ook de eerste was nu overgeschakeld op 'u'.

'Nee, ik ken de code immers niet.'

'Ja, dat zei u al.'

Mijn zenuwen begonnen het te begeven. 'Ik begrijp het hoe langer hoe minder! Willen jullie beweren dat Eric zich met zijn eigen pistool in de schouder geschoten heeft?'

'Nee, mevrouw Verstraete', zei de tweede onaangenaam nadrukkelijk, 'we denken niet dat *hij* dat zelf gedaan heeft. En we denken ook niet dat iemand op krukken hem het wapen afhandig heeft kunnen maken om hem ermee neer te schieten...'

'... We zullen de vraag zo stellen, mevrouw Verstraete', viel de andere in, 'waar was u gisterenavond?'

Mijn mond viel open, maar het enige geluid dat eruit kwam was een schorre snik. Eindelijk was het ten volle tot me doorgedrongen dat ik de enige levende verdachte was voor de enige moord die ik niet op mijn geweten had.

Er volgden nog andere vragen, maar geen enkele ervan drong tot me door.

De kamer tolde. Ik deed verwoede pogingen om adem te halen, een mobiele telefoon ging over en een van de mannen verliet de zitkamer.

De tweede kwam vlak voor me staan en boog zich belangstellend naar me toe alsof hij een curiosum in een bokaal bestudeerde.

'Walter, ik denk dat ze echt niet goed geworden is', hoorde ik hem droogweg zeggen toen de eerste even later de kamer terug binnenstapte.

Zonder acht te slaan op zijn collega kwam hij naast hem staan, boog eveneens voorover en legde zijn hand op mijn schouder.

'Mevrouw Verstraete, ik heb zonet een telefoontje gehad van een collega uit Jette. Zegt de naam *Anna Verbeeck* u iets?'

De hand voelde zo zwaar aan dat ik zeker was dat ze me zou verpletteren.